Collection dirigée pa

G000096248

Victor Hugo

Les Misérables

classiques Hatier

Extraits

Hatier
ris 2011
BN 2-218-95439-9
SN 0184 0851

Hélène-Adeline Sarperi
agrégée de Lettres classiques

CONFIER
C'est quelquefois Livrer

L'air du temps

Les Misérables

■ Entre 1845 et 1848, puis de 1860 à 1862, Victor Hugo compose *Les Misérables*. Le roman paraît en 1862, durant l'exil de l'auteur, et connaît un grand succès populaire.

■ La révolution de 1848 aboutit à la proclamation de la Deuxième République, présidée par Louis-Napoléon Bonaparte (ci-dessus).
Le 2 décembre 1851, ce dernier renverse l'État, se proclame empereur et instaure le Second Empire.

À la même époque...

■ En 1848, paraît le *Manifeste du Parti communiste* de Marx et Engels. L'exploitation des ouvriers par la bourgeoisie y est dénoncée, et un programme révolutionnaire proposé.
■ Gustave Flaubert publie *Salammbô*, Leconte de Lisle les *Poèmes barbares* (1862).
■ Le tableau de Manet *Le Déjeuner sur l'herbe* (ci-dessous) fait scandale (1863).

Sommaire

Introduction

Victor Hugo (1802-1885)

Un jeune écrivain romantique

Victor Hugo naît le **26 février 1802 à Besançon**. Ses parents avaient des idées politiques opposées : sa mère était une fervente royaliste, et son père était partisan de la Révolution et bonapartiste, au point de devenir **général d'Empire** et de faire carrière dans les armées de Napoléon 1er. Très vite le couple n'allait plus s'entendre.

La famille se déplace, de garnison en garnison, en Corse, à l'île d'Elbe puis en Espagne. De retour à Paris, en 1812, les Hugo s'installent dans la maison rue des Feuillantines. Victor commence des études de droit, mais il se consacre très rapidement à la littérature. Il épouse, à vingt ans, **Adèle Foucher**, qui lui donnera quatre enfants.

Ses premières œuvres font de lui le **chef de file des écrivains romantiques** qui luttent pour la liberté de l'art et placent **l'expression des sentiments** au centre de leur inspiration. Il publie *Han d'Islande*, 1823 (roman qui traite de la peine de mort et de la pauvreté) ; *Les Orientales*, 1829 (poésie lyrique à dimension exotique et mélancolique) ; *Le Dernier Jour d'un condamné*, 1829. Ce dernier ouvrage est présenté comme un journal écrit en prison par un condamné sur le point d'être guillotiné. Hugo y exprime une haine de la peine de mort qu'il conservera toute sa vie.

Au théâtre, Hugo définit de nouvelles règles dramatiques dans la préface de son drame *Cromwell* (1827). En 1830, sa pièce *Hernani* déclenche une véritable bataille entre romantiques et partisans des classiques.

Les œuvres se succèdent : roman (*Notre-Dame de Paris*, 1831), théâtre (*Hernani*, 1830), poésie lyrique (*Les Feuilles d'Automne*, 1831)…

En 1833, Hugo rencontre **Juliette Drouet**, comédienne, avec qui il vivra une liaison passionnée et qui sera sa compagne de tous les instants durant cinquante ans.

Parallèlement à l'écriture, Hugo s'engage dans la **vie politique**. D'abord royaliste, il soutient la monarchie de Juillet (1830) : Louis-Philippe est porté au pouvoir. Il entre à l'Académie française (1841) et devient pair de France.

L'écrivain engagé

En septembre 1843, Victor Hugo apprend dans un journal **la mort tragique de sa fille Léopoldine** qui s'est noyée accidentellement près de Villequier ; c'est la plus grande douleur de son existence. Il s'abstient pour un long temps de publier et se consacre à la vie politique. Dès 1845, il s'attelle cependant à la rédaction d'un roman qui deviendra *Les Misérables*. Il s'intéresse aux conditions de vie des détenus, visite le bagne de Toulon, constate l'immense misère des ouvriers.

En 1848, après l'abdication du roi, durant la Deuxième République, Hugo est élu député. Il soutient dans un premier temps le prince-président Louis-Napoléon Bonaparte, neveu de Napoléon 1er, mais il finit par s'en détourner pour se rapprocher de la gauche républicaine. Il s'élève contre toute forme d'injustice : il milite contre le travail des enfants, pour l'instruction obligatoire, pour le suffrage universel, pour la liberté de la presse, pour l'abolition de la peine de mort.

L'exil

Le 2 décembre 1851, lorsque Louis-Napoléon renverse la république parlementaire, instituant un régime d'autorité, Hugo est poursuivi comme chef de l'opposition de gauche. Il s'exile dans les îles anglo-normandes (Jersey, Guernesay) durant dix-huit ans. Seul, il médite face à l'océan dont le spectacle inspirera ses dessins et son écriture. Il écrit *Les Châtiments* (1853), recueil de poèmes dans lesquels il ridiculise Napoléon III ; *Les Contemplations* (1859), poèmes inspirés par la mort de sa fille, célébrant le temps du bonheur familial (« Autrefois ») opposé à celui du deuil (« Aujourd'hui ») ; *La Légende des Siècles* (1859), une épopée de l'humanité ; *Les Misérables* (1862) dont il reprend en exil la rédaction interrompue en 1848.

Durant son exil, sa femme meurt (1868) tandis que sa seconde fille, Adèle, perd la raison.

En 1870 éclate la guerre franco-prusse. Napoléon, vaincu, se rend au roi de Prusse, l'Empire tombe et la République est proclamée. Hugo rentre alors à Paris.

Les dernières années

En 1871, Hugo est élu député de Paris, mais il démissionne, jugeant l'Assemblée trop conservatrice. Son fils Charles meurt subitement, lui laissant deux petits-enfants, Georges et Jeanne, pour qui il écrira quelques années plus tard *L'Art d'être grand-père* (en 1877). En 1873, il perd François-Victor, son dernier fils.

Il meurt le 22 mai 1885, deux ans après la mort de Juliette. Son cercueil est transporté au Panthéon.

Les Misérables

Les Misérables, d'abord intitulés *Les Misères*, sont pour Victor Hugo l'« un des principaux sommets, sinon **le principal de [son] œuvre**. » Ce roman fleuve relève à la fois du roman historique, de l'épopée sociale, du roman policier et du roman noir. Il offre des scènes pathétiques, tragiques, comiques, sentimentales. Il concentre les idées d'Hugo sur sa vision de l'homme et du monde et est, à lui seul, une tribune où l'auteur défend les combats qu'il a menés durant toute sa vie. Œuvre de dénonciation, elle est aussi une méditation philosophique et religieuse sur le pourquoi du mal, et sur la seule arme pour le vaincre : l'amour.

Victor Hugo

Les Misérables

Louis Malteste : affiche
pour le film *Les Misérables*,
mise en scène de Capellani, 1912.
Musée Victor-Hugo, Paris.

Préface

Tant qu'il existera, par le fait des lois et des mœurs[1], une damnation sociale créant artificiellement, en pleine civilisation, des enfers, et compliquant d'une fatalité[2] humaine la destinée qui est divine ; tant que les trois problèmes du siècle, la dégradation
5 de l'homme par le prolétariat[3], la déchéance[4] de la femme par la faim, l'atrophie[5] de l'enfant par la nuit, ne seront pas résolus ; tant que, dans certaines régions, l'asphyxie sociale sera possible ; en d'autres termes, et à un point de vue plus étendu encore, tant qu'il y aura sur la terre ignorance et misère, des livres de
10 la nature de celui-ci pourront ne pas être inutiles.

Hauteville-House, 1er janvier 1862.

---

1. Habitudes sociales relatives au bien et au mal.
2. Destin auquel on ne peut échapper.
3. Condition des ouvriers très pauvres.
4. Perte du rang social et de la réputation.
5. L'impossibilité de développement intellectuel.

Texte 1 – M. Myriel et Jean Valjean

« Vous vous appelez Jean Valjean »

PARTIE 1, LIVRE PREMIER

I. M. Myriel

En 1815, M. Charles-François-Bienvenu Myriel était évêque de Digne. C'était un vieillard d'environ soixante-quinze ans ; il occupait le siège de Digne depuis 1806.

[...]

5   En 1804, M. Myriel était curé de B. (Brignolles). Il était déjà vieux, et vivait dans une retraite profonde.

Vers l'époque du couronnement[1], une petite affaire de sa cure[2], on ne sait plus trop quoi, l'amena à Paris. Entre autres personnes puissantes, il alla solliciter pour ses paroissiens

10 M. le cardinal Fesch. Un jour que l'empereur était venu faire visite à son oncle, le digne curé, qui attendait dans l'antichambre, se trouva sur le passage de sa majesté. Napoléon, se voyant regardé avec une certaine curiosité par ce vieillard, se retourna, et dit brusquement :

15   – Quel est ce bonhomme qui me regarde ?

– Sire, dit M. Myriel, vous regardez un bonhomme, et moi je regarde un grand homme. Chacun de nous peut profiter.

L'empereur, le soir même, demanda au cardinal le nom de ce curé, et quelque temps après M. Myriel fut tout surpris

20 d'apprendre qu'il était nommé évêque de Digne.

[...]

---

1. En 1804, Napoléon Bonaparte est proclamé empereur des Français.
2. Concernant sa fonction de curé.

II. M. Myriel devient Monseigneur Bienvenu

Le palais épiscopal de Digne était attenant à l'hôpital[3].
[...]
L'hôpital était une maison étroite et basse à un seul étage
25 avec un petit jardin.

Trois jours après son arrivée, l'évêque visita l'hôpital. La
visite terminée, il fit prier le directeur de vouloir bien venir
jusque chez lui.

– Monsieur le directeur de l'hôpital, lui dit-il, combien en
30 ce moment avez-vous de malades ?

– Vingt-six, monseigneur.

– C'est ce que j'avais compté, dit l'évêque.

– Les lits, reprit le directeur, sont bien serrés les uns contre
les autres.

35 – C'est ce que j'avais remarqué.

– Les salles ne sont que des chambres, et l'air s'y renouvelle
difficilement.

– C'est ce qui me semble.

– Et puis, quand il y a un rayon de soleil, le jardin est bien
40 petit pour les convalescents.

– C'est ce que je me disais.

– Dans les épidémies, nous avons eu cette année le typhus[4],
nous avons eu une suette militaire[4] il y a deux ans, cent malades
quelquefois : nous ne savons que faire.

45 – C'est la pensée qui m'était venue.

– Que voulez-vous, monseigneur ? dit le directeur, il faut se
résigner.

Cette conversation avait lieu dans la salle à manger-galerie
du rez-de-chaussée.

50 L'évêque garda un moment le silence, puis il se tourna brusquement vers le directeur de l'hôpital.

| **3.** Touchait l'hôpital. | **4.** Maladies contagieuses graves.

– Monsieur, dit-il, combien pensez-vous qu'il tiendrait de lits rien que dans cette salle ?

– La salle à manger de monseigneur ! s'écria le directeur stupéfait.

L'évêque parcourait la salle du regard et semblait y faire avec les yeux des mesures et des calculs.

– Il y tiendrait bien vingt lits ! dit-il, comme se parlant à lui-même ; puis élevant la voix : – Tenez, monsieur le directeur de l'hôpital, je vais vous dire. Il y a évidemment une erreur. Vous êtes vingt-six personnes dans cinq ou six petites chambres. Nous sommes trois ici, et nous avons place pour soixante. Il y a erreur, je vous dis. Vous avez mon logis, et j'ai le vôtre. Rendez-moi ma maison. C'est ici chez vous.

Le lendemain, les vingt-six pauvres étaient installés dans le palais de l'évêque et l'évêque était à l'hôpital.

[…]

IV. Les œuvres semblables aux paroles

[…]

Il ne condamnait rien hâtivement, et sans tenir compte des circonstances environnantes. Il disait : Voyons le chemin par où la faute a passé.

Étant, comme il se qualifiait lui-même en souriant, un *ex-pécheur*[5], il n'avait aucun des escarpements du rigorisme[6], et il professait assez haut, et sans le froncement de sourcil des vertueux féroces[7], une doctrine qu'on pourrait résumer à peu près ainsi :

« L'homme a sur lui la chair qui est tout à la fois son fardeau et sa tentation. Il la traîne et lui cède.

---

5. Avant que d'être curé, M. Myriel a été marié, puis veuf. Il a mené la vie d'un homme ordinaire, ayant eu l'occasion de commettre des fautes contre la loi divine.

6. Il n'affichait pas de rigidité excessive dans le respect des règles religieuses.
7. Personnes qui accomplissent les devoirs de la vie chrétienne avec excès.

« Il doit la surveiller, la contenir, la réprimer[8], et ne lui
80 obéir qu'à la dernière extrémité. Dans cette obéissance-là, il
peut encore y avoir de la faute ; mais la faute, ainsi faite, est
vénielle[9]. C'est une chute, mais une chute sur les genoux, qui
peut s'achever en prière.

« Être un saint, c'est l'exception ; être un juste, c'est la règle.
85 Errez, défaillez, péchez[10], mais soyez des justes.

« Le moins de péché possible, c'est la loi de l'homme. Pas de
péché du tout est le rêve de l'ange. Tout ce qui est terrestre est
soumis au péché. Le péché est une gravitation. »

Quand il voyait tout le monde crier bien fort et s'indigner
90 bien vite : – Oh ! oh ! disait-il en souriant, il y a apparence
que ceci est un gros crime que tout le monde commet. Voilà
les hypocrisies effarées qui se dépêchent de protester et de
se mettre à couvert[11].

Il était indulgent pour les femmes et les pauvres sur qui
95 pèse le poids de la société humaine. Il disait : – Les fautes des
femmes, des enfants, des serviteurs, des faibles, des indigents[12]
et des ignorants sont la faute des maris, des pères, des maîtres,
des forts, des riches et des savants.

Il disait encore : – À ceux qui ignorent, enseignez-leur le
100 plus de choses que vous pourrez ; la société est coupable de
ne pas donner l'instruction gratis ; elle répond de la nuit
qu'elle produit. Cette âme est pleine d'ombre, le péché s'y
commet. Le coupable n'est pas celui qui y fait le péché, mais
celui qui y a fait l'ombre.

105   [...]

---

8. Maîtriser.
9. Pardonnable.
10. Pécher : commettre le mal.

11. S'abriter derrière leurs protestations.
12. Personnes très pauvres.

PARTIE 1, LIVRE DEUXIÈME

I. Le soir d'un jour de marche

Un soir d'octobre 1815, un inconnu arrive à Digne…

Dans les premiers jours du mois d'octobre 1815, une heure environ avant le coucher du soleil, un homme qui voyageait à pied entrait dans la petite ville de Digne. Les rares habitants qui se trouvaient en ce moment à leurs fenêtres ou sur le seuil de leurs maisons regardaient ce voyageur avec une sorte d'inquiétude. Il était difficile de rencontrer un passant d'un aspect plus misérable. C'était un homme de moyenne taille, trapu et robuste, dans la force de l'âge. Il pouvait avoir quarante-six ou quarante-huit ans. Une casquette à visière de cuir rabattue cachait en partie son visage brûlé par le soleil et le hâle et ruisselant de sueur. Sa chemise de grosse toile jaune, rattachée au col par une petite ancre d'argent, laissait voir sa poitrine velue ; il avait une cravate tordue en corde, un pantalon de coutil[13] bleu, usé et râpé, blanc à un genou, troué à l'autre, une vieille blouse grise en haillons[14], rapiécée à l'un des coudes d'un morceau de drap[15] vert cousu avec de la ficelle, sur le dos un sac de soldat fort plein, bien bouclé et tout neuf, à la main un énorme bâton noueux, les pieds sans bas dans des souliers ferrés, la tête tondue et la barbe longue.

La sueur, la chaleur, le voyage à pied, la poussière, ajoutaient je ne sais quoi de sordide à cet ensemble délabré.

Les cheveux étaient ras, et pourtant hérissés ; car ils commençaient à pousser un peu, et semblaient n'avoir pas été coupés depuis quelque temps.

Personne ne le connaissait. Ce n'était évidemment qu'un passant. D'où venait-il ? Du midi. Des bords de la mer peut-

---

| **13.** Toile en coton épaisse. | **14.** Déchirée, trouée. | **15.** Tissu.

être. Car il faisait son entrée dans Digne par la même rue qui sept mois auparavant avait vu passer l'empereur Napoléon allant de Cannes à Paris[16]. Cet homme avait dû marcher
135 tout le jour. Il paraissait très fatigué. Des femmes de l'ancien bourg qui est au bas de la ville l'avaient vu s'arrêter sous les arbres du boulevard Gassendi et boire à la fontaine qui est à l'extrémité de la promenade. Il fallait qu'il eût bien soif, car des enfants qui le suivaient le virent encore s'arrêter,
140 et boire, deux cents pas plus loin, à la fontaine de la place du marché.

Arrivé au coin de la rue Poichevert, il tourna à gauche et se dirigea vers la mairie. Il y entra, puis sortit un quart d'heure après. Un gendarme était assis près de la porte sur le banc
145 de pierre où le général Drouot[17] monta le 4 mars pour lire à la foule effarée des habitants de Digne la proclamation du golfe Juan. L'homme ôta sa casquette et salua humblement le gendarme.

Le gendarme, sans répondre à son salut, le regarda avec
150 attention, le suivit quelque temps des yeux, puis entra dans la maison de ville.

Il y avait alors à Digne une belle auberge à l'enseigne de *la Croix-de-Colbas*. Cette auberge avait pour hôtelier un nommé Jacquin Labarre, homme considéré dans la ville pour sa parenté
155 avec un autre Labarre, qui tenait à Grenoble l'auberge des *Trois-Dauphins* et qui avait servi dans les guides. Lors du débarquement de l'empereur, beaucoup de bruits avaient couru dans le pays sur cette auberge des *Trois-Dauphins*. On contait que le général Bertrand[18], déguisé en charretier, y avait fait de
160 fréquents voyages au mois de janvier, et qu'il y avait distribué

---

16. Napoléon, qui a abdiqué le 2 avril 1814, est exilé sur l'île d'Elbe, d'où il s'enfuit (février 1815) pour marcher sur Paris et reconquérir le pouvoir. Il débarque à Golfe-Juan, près de Cannes, le 1er juin 1815, puis se rend à Paris en passant par Digne.
17. Particulièrement fidèle à Napoléon, il l'accompagna dans son exil sur l'île d'Elbe.
18. Voir la note 17, ci-dessus.

des croix d'honneur à des soldats et des poignées de napoléons[19] à des bourgeois. La réalité est que l'empereur, entré dans
Grenoble, avait refusé de s'installer à l'hôtel de la préfecture ; il
avait remercié le maire en disant : *Je vais chez un brave homme*
que je connais, et il était allé aux *Trois-Dauphins*. Cette gloire
du Labarre des *Trois Dauphins* se reflétait à vingt-cinq lieues
de distance jusque sur le Labarre de *la Croix-de-Colbas*. On
disait de lui dans la ville : *C'est le cousin de celui de Grenoble*.

L'homme se dirigea vers cette auberge, qui était la meilleure du pays. Il entra dans la cuisine, laquelle s'ouvrait de
plain-pied sur la rue. Tous les fourneaux étaient allumés ;
un grand feu flambait gaîment dans la cheminée. L'hôte, qui
était en même temps le chef, allait de l'âtre aux casseroles,
fort occupé et surveillant un excellent dîner destiné à des
rouliers[20] qu'on entendait rire et parler à grand bruit dans
une salle voisine. Quiconque a voyagé sait que personne ne
fait meilleure chère que les rouliers. Une marmotte grasse,
flanquée de perdrix blanches et de coqs de bruyère tournait sur une longue broche devant le feu ; sur les fourneaux
cuisaient deux grosses carpes du lac de Lauzet et une truite
du lac d'Alloz.

L'hôte, entendant la porte s'ouvrir et entrer un nouveau
venu, dit sans lever les yeux de ses fourneaux :

– Que veut monsieur ?

– Manger et coucher, dit l'homme.

– Rien de plus facile, reprit l'hôte. En ce moment il tourna la
tête, embrassa d'un coup d'œil tout l'ensemble du voyageur,
et ajouta : … en payant.

L'homme tira une grosse bourse de cuir de la poche de sa
blouse et répondit :

– J'ai de l'argent.

| **19.** Pièces d'or à l'effigie de Napoléon Ier. | | **20.** Transporteurs de marchandises.

– En ce cas on est à vous, dit l'hôte.

L'homme remit sa bourse en poche, se déchargea de son sac, le posa à terre près de la porte, garda son bâton à la main, et
195 alla s'asseoir sur une escabelle[21] basse près du feu. Digne est dans la montagne. Les soirées d'octobre y sont froides.

Cependant, tout en allant et venant, l'homme considérait le voyageur.

– Dîne-t-on bientôt ? dit l'homme.
200 – Tout à l'heure, dit l'hôte.

Pendant que le nouveau venu se chauffait, le dos tourné, le digne aubergiste Jacquin Labarre tira un crayon de sa poche, puis il déchira le coin d'un vieux journal qui traînait sur une petite table près de la fenêtre. Sur la marge blanche il écrivit
205 une ligne ou deux, plia sans cacheter et remit ce chiffon de papier à un enfant qui paraissait lui servir tout à la fois de marmiton[22] et de laquais. L'aubergiste dit un mot à l'oreille du marmiton, et l'enfant partit en courant dans la direction de la mairie.

210 Le voyageur n'avait rien vu de tout cela.

Il demanda encore une fois : – Dîne-t-on bientôt ?

– Tout à l'heure, dit l'hôte.

L'enfant revint. Il rapportait le papier. L'hôte le déplia avec empressement, comme quelqu'un qui attend une réponse. Il
215 parut lire attentivement, puis hocha la tête, et resta un moment pensif. Enfin il fit un pas vers le voyageur qui semblait plongé dans des réflexions peu sereines.

– Monsieur, dit-il, je ne puis vous recevoir.

L'homme se dressa à demi sur son séant.
220 – Comment ! avez-vous peur que je ne paye pas ? voulez-vous que je paye d'avance ? J'ai de l'argent, vous dis-je.

– Ce n'est pas cela.

| **21.** Escabeau. | **22.** Aide-cuisinier.

– Quoi donc ?

– Vous avez de l'argent…

25 – Oui, dit l'homme.

– Et moi, dit l'hôte, je n'ai pas de chambre.

L'homme reprit tranquillement : – Mettez-moi à l'écurie.

– Je ne puis.

– Pourquoi ?

30 – Les chevaux prennent toute la place.

– Eh bien, repartit l'homme, un coin dans le grenier. Une botte de paille. Nous verrons cela après dîner.

– Je ne puis vous donner à dîner.

Cette déclaration, faite d'un ton mesuré, mais ferme, parut
35 grave à l'étranger. Il se leva.

– Ah bah ! mais je meurs de faim, moi. J'ai marché dès le soleil levé. J'ai fait douze lieues. Je paye. Je veux manger.

– Je n'ai rien, dit l'hôte.

L'homme éclata de rire et se tourna vers la cheminée et les
40 fourneaux.

– Rien ! et tout cela ?

– Tout cela m'est retenu.

– Par qui ?

– Par ces messieurs les rouliers.

45 – Combien sont-ils ?

– Douze.

– Il y a là à manger pour vingt.

– Ils ont tout retenu et tout payé d'avance.

L'homme se rassit et dit sans hausser la voix :

50 – Je suis à l'auberge, j'ai faim, et je reste.

L'hôte alors se pencha à son oreille, et lui dit d'un accent qui le fit tressaillir : – Allez-vous-en.

Le voyageur était courbé en cet instant et poussait quelques braises dans le feu avec le bout ferré de son bâton, il se retourna
55 vivement, et, comme il ouvrait la bouche pour répliquer, l'hôte

le regarda fixement et ajouta toujours à voix-basse : – Tenez, assez de paroles comme cela. Voulez-vous que je vous dise votre nom ? Vous vous appelez Jean Valjean. Maintenant voulez-vous que je vous dise qui vous êtes ? En vous voyant entrer, 260 je me suis douté de quelque chose, j'ai envoyé à la mairie, et voici ce qu'on m'a répondu. Savez-vous lire ?

En parlant ainsi il tendait à l'étranger, tout déplié, le papier qui venait de voyager de l'auberge à la mairie, et de la mairie à l'auberge. L'homme y jeta un regard. L'aubergiste reprit après 265 un silence :

– J'ai l'habitude d'être poli avec tout le monde. Allez-vous-en.

L'homme baissa la tête, ramassa le sac qu'il avait déposé à terre, et s'en alla.

Jean Valjean tente en vain de se nourrir et de se loger : toutes les portes se ferment. Il s'arrête sur une place, « épuisé de fatigue et n'espérant plus rien ». C'est alors qu'une vieille femme le remarque et lui indique une porte où frapper, vers laquelle il se dirige…

Première partie « Fantine »,

Livre premier « Un Juste »,
extraits des chapitres I, II, IV.

Livre deuxième « La Chute »,
extraits du chapitre I.

Questions

Repérer et analyser

La Préface

La préface est un texte placé en tête d'un livre et destiné à présenter ce livre au lecteur.

1 **a.** Qui est l'auteur de la préface p. 8 ?
b. À quelle date a-t-elle été écrite ? Dans quel lieu ? Renseignez-vous sur ce lieu.

2 Quels sont, selon l'auteur, les trois problèmes du siècle? Relevez les deux noms qui les résument (l. 4 à 6).

3 « Des livres de la nature de celui-ci pourront ne pas être inutiles » (l. 9-10) : dans quelle intention Victor Hugo a-t-il écrit le roman *Les Misérables* ?

L'auteur et le narrateur

L'auteur est l'écrivain qui a écrit le texte. Le narrateur est celui qui raconte l'histoire. Le narrateur peut être :
– personnage de l'histoire (récit à la 1re personne du singulier) ;
– absent de l'histoire (récit à la 3e personne du singulier) ; il peut toutefois intervenir dans le récit et faire des commentaires qui peuvent être à la 1re personne.

4 À quelle personne le narrateur mène-t-il le récit? Est-il ou non personnage de l'histoire ?

5 Relevez dans les lignes 106 à 126 deux commentaires du narrateur, dont un à la 1re personne. Quel jugement exprime-t-il ? sur qui ?

Le point de vue

Le narrateur peut raconter l'histoire en choisissant un ou plusieurs points de vue :
– **omniscient** lorsqu'il témoigne d'une connaissance parfaite des lieux, des personnages, de leurs pensées, leur passé, etc. ;
– **interne** lorsqu'il raconte ou décrit à travers le regard d'un personnage ;
– **externe** lorsqu'il limite l'information à ce que pourrait voir un témoin extérieur (comme une caméra).
La narration est souvent faite selon un point de vue dominant, mais le narrateur peut **croiser les points de vue** dans un même passage.

6 Quel est le point de vue adopté dans les lignes 106 à 108 ? Justifiez votre réponse.

7 De qui le narrateur adopte-t-il en partie le point de vue lorsqu'il décrit Jean Valjean arrivant à Digne (l. 106 à 148) ? Appuyez-vous sur l'expression : « Il pouvait avoir quarante-six ou quarante-huit ans » (l. 113-114) et sur les termes qui désignent Jean Valjean.

Un personnage : Monseigneur Myriel

8 Quelle fonction Monseigneur Myriel occupait-il en 1804?

9 Quelle proposition fait-il au directeur de l'hôpital ? De quelles qualités témoigne-t-il par cette action ?

10 **a.** Pour Monseigneur Myriel, de quoi la société est-elle coupable (l. 99 à 104) ?

b. Quelles idées de Monseigneur Myriel figurent dans la préface du roman (p. 8) ?

Le parcours de Jean Valjean

11 **a.** Quel adjectif significatif le narrateur utilise-t-il pour qualifier l'aspect de Jean Valjean (l. 112) ?

b. Faites son portrait. Quels termes témoignent de sa pauvreté ?

12 Quelle impression l'homme produit-il sur les personnages qui le regardent ? Quels éléments lui donnent une allure énigmatique ?

13 **a.** À quelles difficultés Jean Valjean se heurte-t-il lorsqu'il arrive à Digne ?

b. Pourquoi le gendarme ne répond-il pas à son salut ?

c. Pourquoi l'aubergiste change-t-il subitement d'attitude à son égard ? De quels prétextes use-t-il ?

Le cadre géographique et historique

L'Histoire tient une place importante dans *Les Misérables*. Le roman met en scène des personnages et des faits à la fois réels et fictifs dans un cadre géographique et historique précis.

14 Dans quelle ville l'action se déroule-t-elle ?

15 Relevez les éléments qui renvoient à une réalité historique. Quelle est l'époque évoquée ? Aidez-vous des notes.

16 **a.** Quel personnage historique apparaît dans le roman ? Dans quelles circonstances ? Quel rôle joue-t-il ?

b. Quel peut être l'intérêt, selon vous, de mêler personnages de fiction et personnages historiques ?

Les scènes

Le narrateur peut s'attarder sur une scène. Les scènes comportent souvent des dialogues, elles marquent les temps forts de l'action. Leur durée correspond à peu près au temps de la lecture.
Le dialogue permet de donner vie au récit. Il a plusieurs fonctions : caractériser un personnage (fonction de caractérisation), faire progresser l'action (fonction dramatique), fournir des informations (fonction d'exposition).

17 **a.** Repérez deux scènes. Quels sont les différents interlocuteurs dans ces dialogues ?

b. Donnez-leur un titre. En quoi ces scènes constituent-elles des moments forts ?

c. Qu'apprend le lecteur par les dialogues dans ces scènes ? Donnez des exemples.

La visée et les hypothèses de lecture

18 **a.** Quels éléments dans ce passage renvoient au titre du roman *Les Misérables* ?

b. Quelles hypothèses pouvez-vous émettre quant au sort à venir de Jean Valjean ?

Écrire

Exercice de réécriture

19 Réécrivez le passage suivant en employant la 2ᵉ personne du singulier à la place de la 2ᵉ personne du pluriel.

« Voulez-vous que je vous dise votre nom ? Vous vous appelez Jean Valjean. Maintenant voulez-vous que je vous dise qui vous êtes ? »

Écrire un récit d'imagination

20 Imaginez ou racontez une situation dans laquelle vous vous êtes senti rejeté.

Consignes d'écriture :
– écrivez le récit à la 1re personne et aux temps du passé ;
– racontez brièvement les causes de votre exclusion ;
– précisez les sentiments que vous avez éprouvés.

Rédiger un paragraphe argumentatif

21 « Être un saint, c'est l'exception ; être un juste c'est la règle. » (l. 84)

Aux yeux de Monseigneur Myriel, la justice est une qualité fondamentale. Quelle qualité primordiale vous semble devoir être érigée en règle de vie ? Rédigez un paragraphe dans lequel vous expliquerez votre choix.

Texte 2 – Le vol du chandelier

« Le bras saisit un pain et l'emporta »

III. Héroïsme de l'obéissance passive

M. Myriel s'apprête à dîner en compagnie de sa sœur, Mlle Baptistine, et de sa servante, Mme Magloire.

La porte s'ouvrit.

Elle s'ouvrit vivement, toute grande, comme si quelqu'un la poussait avec énergie et résolution.

Un homme entra.

5 Cet homme, nous le connaissons déjà. C'est le voyageur que nous avons vu tout à l'heure errer cherchant un gîte[1].

Il entra, fit un pas, et s'arrêta, laissant la porte ouverte derrière lui. Il avait son sac sur l'épaule, son bâton à la main, une expression rude, hardie, fatiguée et violente dans les yeux.

10 Le feu de la cheminée l'éclairait. Il était hideux[2]. C'était une sinistre apparition.

Madame Magloire n'eut pas même la force de jeter un cri. Elle tressaillit, et resta béante[3].

Mademoiselle Baptistine se retourna, aperçut l'homme qui
15 entrait et se dressa à demi d'effarement, puis, ramenant peu à peu sa tête vers la cheminée, elle se mit à regarder son frère et son visage redevint profondément calme et serein.

L'évêque fixait sur l'homme un œil tranquille.

Comme il ouvrait la bouche, sans doute pour demander
20 au nouveau venu ce qu'il désirait, l'homme appuya ses deux mains à la fois sur son bâton, promena ses yeux tour à tour sur

| **1.** Un abri pour manger et dormir. | **2.** Horriblement laid. | **3.** Bouche bée.

le vieillard et les femmes, et, sans attendre que l'évêque parlât,
dit d'une voix haute :

– Voici. Je m'appelle Jean Valjean. Je suis un galérien. J'ai
25 passé dix-neuf ans au bagne. Je suis libéré depuis quatre jours
en route pour Pontarlier qui est ma destination. Quatre jours
que je marche depuis Toulon. Aujourd'hui, j'ai fait douze
lieues à pied. Ce soir, en arrivant dans ce pays, j'ai été dans
une auberge, on m'a renvoyé à cause de mon passeport jaune[4]
30 que j'avais montré à la mairie. Il avait fallu. J'ai été à une
autre auberge. On m'a dit : Va-t'en ! Chez l'un, chez l'autre.
Personne n'a voulu de moi. J'ai été à la prison, le guichetier
n'a pas ouvert. J'ai été dans la niche d'un chien. Ce chien
m'a mordu et m'a chassé, comme s'il avait été un homme.
35 On aurait dit qu'il savait qui j'étais. Je m'en suis allé dans
les champs pour coucher à la belle étoile. Il n'y avait pas
d'étoile. J'ai pensé qu'il pleuvrait, et qu'il n'y avait pas de
bon Dieu pour empêcher de pleuvoir, et je suis rentré dans la
ville pour y trouver le renfoncement d'une porte. Là, dans la
40 place, j'allais me coucher sur une pierre. Une bonne femme
m'a montré votre maison et m'a dit : Frappe là. J'ai frappé.
Qu'est-ce que c'est ici ? êtes-vous une auberge ? J'ai de l'argent.
Ma masse[5]. Cent neuf francs quinze sous que j'ai gagnés au
bagne par mon travail en dix-neuf ans. Je payerai. Qu'est-ce
45 que cela me fait ? j'ai de l'argent. Je suis très fatigué, douze
lieues à pied, j'ai bien faim. Voulez-vous que je reste ?

– Madame Magloire, dit l'évêque, vous mettrez un couvert
de plus.

L'homme fit trois pas et s'approcha de la lampe qui était sur
50 la table. – Tenez, reprit-il, comme s'il n'avait pas bien compris,
ce n'est pas ça. Avez-vous entendu ? Je suis un galérien. Un
forçat. Je viens des galères. – Il tira de sa poche une grande

---

4. Ce passeport indique qu'il sort du bagne.
5. Sommes retenues sur le salaire d'un prisonnier qui lui sont remises à sa libération.

feuille de papier jaune qu'il déplia. – Voilà mon passeport.
Jaune, comme vous voyez. Cela sert à me faire chasser de
55 partout où je suis. Voulez-vous lire ? Je sais lire, moi. J'ai
appris au bagne. Il y a une école pour ceux qui veulent. Tenez,
voilà ce qu'on a mis sur le passeport : « Jean Valjean, forçat
libéré, natif de… – cela vous est égal… – Est resté dix-neuf
ans au bagne. Cinq ans pour vol avec effraction. Quatorze
60 ans pour avoir tenté de s'évader quatre fois. Cet homme est
très dangereux. » – Voilà ! Tout le monde m'a jeté dehors.
Voulez-vous me recevoir, vous ? Est-ce une auberge ? Voulez-
vous me donner à manger et à coucher ? avez-vous une écurie ?

– Madame Magloire, dit l'évêque, vous mettrez des draps
65 blancs au lit de l'alcôve[6].

Nous avons déjà expliqué de quelle nature était l'obéissance
des deux femmes.

Madame Magloire sortit pour exécuter ces ordres.

L'évêque se tourna vers l'homme.

70 – Monsieur, asseyez-vous et chauffez-vous. Nous allons
souper dans un instant, et l'on fera votre lit pendant que
vous souperez.

Ici l'homme comprit tout à fait. L'expression de son visage,
jusqu'alors sombre et dure, s'empreignit de stupéfaction, de
75 doute, de joie, et devint extraordinaire. Il se mit à balbutier
comme un homme fou :

– Vrai ? quoi ? vous me gardez ? vous ne me chassez pas !
un forçat ! Vous m'appelez *monsieur* ! vous ne me tutoyez
pas ! Va-t'en, chien ! qu'on me dit toujours. Je croyais bien
80 que vous me chasseriez. Aussi j'avais dit tout de suite qui
je suis. Oh ! la brave femme qui m'a enseigné ici ! Je vais
souper ! un lit ! Un lit avec des matelas et des draps ! comme
tout le monde ! il y a dix-neuf ans que je n'ai couché dans

| **6.** Enfoncement pratiqué dans une chambre pour y mettre un lit.

un lit ! Vous voulez bien que je ne m'en aille pas ! Vous êtes
85 de dignes gens ! D'ailleurs j'ai de l'argent. Je payerai bien.
Pardon, monsieur l'aubergiste, comment vous appelez-vous ?
Je payerai tout ce qu'on voudra. Vous êtes un brave homme.
Vous êtes aubergiste, n'est-ce pas ?

– Je suis, dit l'évêque, un prêtre qui demeure ici.

90 – Un prêtre ! reprit l'homme. Oh ! un brave homme de prêtre !
Alors vous ne me demandez pas d'argent ? Le curé, n'est-ce
pas ? le curé de cette grande église ? Tiens ! c'est vrai, que je
suis bête ! je n'avais pas vu votre calotte[7] !

Tout en parlant, il avait déposé son sac et son bâton dans
95 un coin, puis remis son passeport dans sa poche, et il s'était
assis. Mademoiselle Baptistine le considérait avec douceur.
Il continua :

– Vous êtes humain, monsieur le curé. Vous n'avez pas de
mépris. C'est bien bon un bon prêtre. Alors vous n'avez pas
100 besoin que je paye ?

– Non, dit l'évêque, gardez votre argent. Combien avez-
vous ? ne m'avez-vous pas dit cent neuf francs ?

– Quinze sous, ajouta l'homme.

– Cent neuf francs quinze sous. Et combien de temps avez-
105 vous mis à gagner cela ?

– Dix-neuf ans.

– Dix-neuf ans !

L'évêque soupira profondément.

L'homme poursuivit : – J'ai encore tout mon argent.

110 [...]

Pendant qu'il parlait, l'évêque était allé pousser la porte qui
était restée toute grande ouverte.

Madame Magloire rentra. Elle apportait un couvert qu'elle
mit sur la table.

| **7.** Petit bonnet rond couvrant le sommet du crâne porté par les gens d'Église.

– Madame Magloire, dit l'évêque, mettez ce couvert le plus près possible du feu. – Et se tournant vers son hôte : – Le vent de nuit est dur dans les Alpes. Vous devez avoir froid, monsieur ?

Chaque fois qu'il disait ce mot *monsieur*, avec sa voix doucement grave et de si bonne compagnie, le visage de l'homme s'illuminait. *Monsieur* à un forçat, c'est un verre d'eau à un naufragé de la *Méduse*[8]. L'ignominie[9] a soif de considération.

– Voici, reprit l'évêque, une lampe qui éclaire bien mal.

Madame Magloire comprit, et elle alla chercher sur la cheminée de la chambre à coucher de monseigneur les deux chandeliers d'argent qu'elle posa sur la table tout allumés.

– Monsieur le curé, dit l'homme, vous êtes bon. Vous ne me méprisez pas. Vous me recevez chez vous. Vous allumez vos cierges pour moi. Je ne vous ai pourtant pas caché d'où je viens et que je suis un homme malheureux.

L'évêque, assis près de lui, lui toucha doucement la main. – Vous pouviez ne pas me dire qui vous étiez. Ce n'est pas ici ma maison, c'est la maison de Jésus-Christ. Cette porte ne demande pas à celui qui entre s'il a un nom, mais s'il a une douleur. Vous souffrez ; vous avez faim et soif ; soyez le bienvenu. Et ne me remerciez pas, ne me dites pas que je vous reçois chez moi. Personne n'est ici chez soi, excepté celui qui a besoin d'un asile[10]. Je vous le dis à vous qui passez, vous êtes ici chez vous plus que moi-même. Tout ce qui est ici est à vous. Qu'ai-je besoin de savoir votre nom ? D'ailleurs, avant que vous me le dissiez, vous en avez un que je savais.

L'homme ouvrit des yeux étonnés.

– Vrai ? Vous saviez comment je m'appelle ?

– Oui, répondit l'évêque, vous vous appelez mon frère.

---

8. Navire qui fit naufrage et dont les passagers se réfugièrent sur un radeau puis périrent pour la plupart dans des conditions effroyables.

9. Le déshonneur.

10. Refuge.

145   – Tenez, monsieur le curé ! s'écria l'homme, j'avais bien faim en entrant ici ; mais vous êtes si bon qu'à présent je ne sais plus ce que j'ai ; cela m'a passé.

L'évêque le regarda et lui dit :

– Vous avez bien souffert ?

150   – Oh ! la casaque rouge[11], le boulet au pied, une planche pour dormir, le chaud, le froid, le travail, la chiourme[12], les coups de bâton ! la double chaîne pour rien. Le cachot pour un mot. Même malade au lit, la chaîne. Les chiens, les chiens sont plus heureux ! Dix-neuf ans ! J'en ai quarante-six.

155 À présent le passeport jaune ! Voilà.

– Oui, reprit l'évêque, vous sortez d'un lieu de tristesse. Écoutez. Il y aura plus de joie au ciel pour le visage en larmes d'un pécheur repentant[13] que pour la robe blanche de cent justes. Si vous sortez de ce lieu douloureux avec des pensées

160 de haine et de colère contre les hommes, vous êtes digne de pitié ; si vous en sortez avec des pensées de bienveillance, de douceur et de paix, vous valez mieux qu'aucun de nous.

Cependant madame Magloire avait servi le souper. Une soupe faite avec de l'eau, de l'huile, du pain et du sel, un peu de lard,

165 un morceau de viande de mouton, des figues, un fromage frais, et un gros pain de seigle. Elle avait d'elle-même ajouté à l'ordinaire de M. l'évêque une bouteille de vieux vin de Mauves.

Le visage de l'évêque prit tout à coup cette expression de gaîté propre aux natures hospitalières : – À table ! dit-il vive-

170 ment. – Comme il en avait coutume lorsque quelque étranger soupait avec lui, il fit asseoir l'homme à sa droite. Mademoiselle Baptistine, parfaitement paisible et naturelle, prit place à sa gauche.

L'évêque dit le bénédicité[14], puis servit lui-même la soupe,

175 selon son habitude. L'homme se mit à manger avidement.

---

11. Veste portée par les forçats.
12. Le bagne.
13. Personne qui regrette le mal qu'elle a commis.
14. Prière dite avant le repas.

Les Misérables, film de Jean-Paul Le Chanois, 1957,
avec F. Ledoux (l'évêque) et J. Gabin (Jean Valjean)

Tout à coup l'évêque dit : – Mais il me semble qu'il manque quelque chose sur cette table.

Madame Magloire en effet n'avait mis que les trois couverts absolument nécessaires. Or c'était l'usage de la maison, quand l'évêque avait quelqu'un à souper, de disposer sur la nappe les six couverts d'argent, étalage innocent. Ce gracieux semblant de luxe était une sorte d'enfantillage plein de charme dans cette maison douce et sévère qui élevait la pauvreté jusqu'à la dignité.

185   Madame Magloire comprit l'observation, sortit sans dire
un mot, et un moment après les trois couverts réclamés par
l'évêque brillaient sur la nappe, symétriquement arrangés
devant chacun des trois convives.

VI. Jean Valjean

Jean Valjean était d'une pauvre famille de paysans de la Brie.
190   Dans son enfance, il n'avait pas appris à lire. Quand il eut l'âge
d'homme, il était émondeur[15] à Faverolles. Sa mère s'appelait
Jeanne Mathieu ; son père s'appelait Jean Valjean, ou Vlajean,
sobriquet[16] probablement, et contraction de *Voilà Jean*.

Jean Valjean était d'un caractère pensif sans être triste, ce qui
195   est le propre des natures affectueuses. Somme toute, pourtant,
c'était quelque chose d'assez endormi et d'assez insignifiant,
en apparence du moins, que Jean Valjean. Il avait perdu en
très bas âge son père et sa mère. Sa mère était morte d'une
fièvre de lait mal soignée. Son père, émondeur comme lui,
200   s'était tué en tombant d'un arbre. Il n'était resté à Jean Valjean
qu'une sœur plus âgée que lui, veuve, avec sept enfants, filles
et garçons. Cette sœur avait élevé Jean Valjean, et tant qu'elle
eut son mari elle logea et nourrit son jeune frère. Le mari
mourut. L'aîné des sept enfants avait huit ans, le dernier un
205   an. Jean Valjean venait d'atteindre, lui, sa vingt-cinquième
année. Il remplaça le père, et soutint à son tour sa sœur qui
l'avait élevé. Cela se fit simplement, comme un devoir, même
avec quelque chose de bourru de la part de Jean Valjean. Sa
jeunesse se dépensait ainsi dans un travail rude et mal payé.
210   On ne lui avait jamais connu de « bonne amie » dans le pays.
Il n'avait pas eu le temps d'être amoureux.

15. Personne qui débarrasse les arbres des branches nuisibles ou inutiles.
16. Surnom.

Le soir il rentrait fatigué et mangeait sa soupe sans dire un mot. Sa sœur, mère Jeanne, pendant qu'il mangeait, lui prenait souvent dans son écuelle le meilleur de son repas, le morceau de viande, la tranche de lard, le cœur de chou, pour le donner à quelqu'un de ses enfants ; lui, mangeant toujours, penché sur la table, presque la tête dans sa soupe, ses longs cheveux tombant autour de son écuelle et cachant ses yeux, avait l'air de ne rien voir et laissait faire. Il y avait à Faverolles, pas loin de la chaumière Valjean, de l'autre côté de la ruette, une fermière appelée Marie-Claude ; les enfants Valjean, habituellement affamés, allaient quelquefois emprunter au nom de leur mère une pinte[17] de lait à Marie-Claude, qu'ils buvaient derrière une haie ou dans quelque coin d'allée, s'arrachant le pot, et si hâtivement que les petites filles s'en répandaient sur leur tablier et dans leur goulotte[18]. La mère, si elle eût su cette maraude[19], eût sévèrement corrigé les délinquants. Jean Valjean, brusque et bougon, payait en arrière de la mère la pinte de lait à Marie-Claude, et les enfants n'étaient pas punis.

Il gagnait dans la saison de l'émondage vingt-quatre sous par jour, puis il se louait comme moissonneur, comme manœuvre, comme garçon de ferme bouvier[20], comme homme de peine[21]. Il faisait ce qu'il pouvait. Sa sœur travaillait de son côté, mais que faire avec sept petits enfants ? C'était un triste groupe que la misère enveloppa et étreignit peu à peu. Il arriva qu'un hiver fut rude. Jean n'eut pas d'ouvrage. La famille n'eut pas de pain. Pas de pain. À la lettre. Sept enfants !

Un dimanche soir, Maubert Isabeau, boulanger sur la place de l'Église, à Faverolles, se disposait à se coucher, lorsqu'il entendit un coup violent dans la devanture grillée et vitrée de

---

17. Récipient contenant environ un litre.
18. Cou.
19. Vol.

20. Qui garde les bœufs.
21. Qui effectue des travaux de force.

sa boutique. Il arriva à temps pour voir un bras passé à travers un trou fait d'un coup de poing dans la grille et dans la vitre. Le bras saisit un pain et l'emporta. Isabeau sortit en hâte ; le
245 voleur s'enfuyait à toutes jambes ; Isabeau courut après lui et l'arrêta. Le voleur avait jeté le pain, mais il avait encore le bras ensanglanté. C'était Jean Valjean.

Ceci se passait en 1795. Jean Valjean fut traduit devant les tribunaux du temps « pour vol avec effraction la nuit dans
250 une maison habitée ». Il avait un fusil dont il se servait mieux que tireur au monde, il était quelque peu braconnier ; ce qui lui nuisit. Il y a contre les braconniers un préjugé légitime. Le braconnier, de même que le contrebandier, côtoie de fort près le brigand. Pourtant, disons-le en passant, il y a encore un
255 abîme entre ces races d'hommes et le hideux assassin des villes. Le braconnier vit dans la forêt ; le contrebandier vit dans la montagne ou sur la mer. Les villes font des hommes féroces parce qu'elles font des hommes corrompus. La montagne, la mer, la forêt, font des hommes sauvages. Elles développent
260 le côté farouche, mais souvent sans détruire le côté humain.

Jean Valjean fut déclaré coupable. Les termes du code étaient formels. Il y a dans notre civilisation des heures redoutables ; ce sont les moments où la pénalité prononce un naufrage. Quelle minute funèbre que celle où la société s'éloigne et consomme
265 l'irréparable abandon d'un être pensant ! Jean Valjean fut condamné à cinq ans de galères.

[...]

Il partit pour Toulon. Il y arriva après un voyage de vingt-sept jours, sur une charrette, la chaîne au cou. À Toulon, il fut
270 revêtu de la casaque rouge[22]. Tout s'effaça de ce qui avait été sa vie, jusqu'à son nom ; il ne fut même plus Jean Valjean ; il fut le numéro 24601. Que devint la sœur ? que devinrent les

---

| **22.** Veste portée par les forçats.

sept enfants ? Qui est-ce qui s'occupe de cela ? Que devient la poignée de feuilles du jeune arbre scié par le pied ?

5   [...]

Vers la fin de cette quatrième année[23], le tour d'évasion de Jean Valjean arriva. Ses camarades l'aidèrent comme cela se fait dans ce triste lieu. Il s'évada. Il erra deux jours en liberté dans les champs ; si c'est être libre que d'être traqué ; de tourner la tête à chaque instant ; de tressaillir au moindre bruit ; d'avoir peur de tout, du toit qui fume, de l'homme qui passe, du chien qui aboie, du cheval qui galope, de l'heure qui sonne, du jour parce qu'on voit, de la nuit parce qu'on ne voit pas, de la route, du sentier, du buisson, du sommeil. Le soir du second jour, il fut repris. Il n'avait ni mangé ni dormi depuis trente-six heures. Le tribunal maritime le condamna pour ce délit à une prolongation de trois ans, ce qui lui fit huit ans. La sixième, ce fut encore son tour de s'évader ; il en usa, mais il ne put consommer sa fuite. Il avait manqué à l'appel. On tira le coup de canon, et à la nuit les gens de ronde le trouvèrent caché sous la quille d'un vaisseau en construction ; il résista aux gardes-chiourme[24] qui le saisirent. Évasion et rébellion. Ce fait prévu par le code spécial fut puni d'une aggravation de cinq ans, dont deux ans de double chaîne. Treize ans. La dixième année, son tour revint, il en profita encore. Il ne réussit pas mieux. Trois ans pour cette nouvelle tentative. Seize ans. Enfin, ce fut, je crois, pendant la treizième année qu'il essaya une dernière fois et ne réussit qu'à se faire reprendre après quatre heures d'absence. Trois ans pour ces quatre heures. Dix-neuf ans. En octobre 1815 il fut libéré ; il était entré là en 1796 pour avoir cassé un carreau et pris un pain.

    [...]

| **23.** Quatrième année de bagne. | **24.** Gardiens des forçats.

IX. Nouveaux griefs

Quand vint l'heure de la sortie du bagne, quand Jean Valjean entendit à son oreille ce mot étrange : *tu es libre !* le moment
305 fut invraisemblable et inouï, un rayon de vive lumière, un rayon de la vraie lumière des vivants pénétra subitement en lui. Mais ce rayon ne tarda point à pâlir. Jean Valjean avait été ébloui de l'idée de la liberté. Il avait cru à une vie nouvelle. Il vit bien vite ce que c'était qu'une liberté à laquelle on donne
310 un passeport jaune.

[…]

Le lendemain de sa libération, à Grasse, il vit devant la porte d'une distillerie[25] de fleurs d'oranger des hommes qui déchargeaient des ballots[26]. Il offrit ses services. La besogne
315 pressait, on les accepta. Il se mit à l'ouvrage. Il était intelligent, robuste et adroit ; il faisait de son mieux ; le maître paraissait content. Pendant qu'il travaillait, un gendarme passa, le remarqua, et lui demanda ses papiers. Il fallut montrer le passeport jaune. Cela fait, Jean Valjean reprit son travail. Un
320 peu auparavant, il avait questionné l'un des ouvriers sur ce qu'ils gagnaient à cette besogne par jour : on lui avait répondu : *trente sous*. Le soir venu, comme il était forcé de repartir le lendemain matin, il se présenta devant le maître de la distillerie et le pria de le payer. Le maître ne proféra pas une parole,
325 et lui remit vingt-cinq sous. Il réclama. On lui répondit : *cela est assez bon pour toi*. Il insista. Le maître le regarda entre les yeux et lui dit : *Gare le bloc*[27].

Là encore il se considéra comme volé.

La société, l'état, en lui diminuant sa masse[28], l'avait volé
330 en grand. Maintenant, c'était le tour de l'individu qui le volait en petit.

---

25. Usine qui fabrique de l'eau de vie.
26. Paquets.

27. Attention, la prison.
28. Voir la note 5, page 24.

Libération n'est pas délivrance. On sort du bagne, mais non de la condamnation.

Voilà ce qui lui était arrivé à Grasse. On a vu de quelle façon il avait été accueilli à Digne.

X. L'homme réveillé

Donc, comme deux heures du matin sonnaient à l'horloge de la cathédrale, Jean Valjean se réveilla.

Ce qui le réveilla, c'est que le lit était trop bon. Il y avait vingt ans bientôt qu'il n'avait couché dans un lit, et quoiqu'il ne se fût pas déshabillé, la sensation était trop nouvelle pour ne pas troubler son sommeil.

Il avait dormi plus de quatre heures. Sa fatigue était passée. Il était accoutumé à ne pas donner beaucoup d'heures au repos.

Il ouvrit les yeux, et regarda un moment dans l'obscurité autour de lui, puis il les referma pour se rendormir.

Quand beaucoup de sensations diverses ont agité la journée, quand des choses préoccupent l'esprit, on s'endort, mais on ne se rendort pas. Le sommeil vient plus aisément qu'il ne revient. C'est ce qui arriva à Jean Valjean. Il ne put se rendormir, et il se mit à penser.

Il était dans un de ces moments où les idées qu'on a dans l'esprit sont troubles. Il avait une sorte de va-et-vient obscur dans le cerveau. Ses souvenirs anciens et ses souvenirs immédiats y flottaient pêle-mêle et s'y croisaient confusément, perdant leurs formes, se grossissant démesurément, puis disparaissant tout à coup comme dans une eau fangeuse[29] et agitée. Beaucoup de pensées lui venaient, mais il y en avait une qui se représentait continuellement et qui chassait toutes les autres. Cette pensée, nous allons la dire tout de suite : – il

| **29.** Trouble, boueuse.

360 avait remarqué les six couverts d'argent et la grande cuiller
que madame Magloire avait posés sur la table.

Ces six couverts d'argent l'obsédaient. – Ils étaient là. – À
quelques pas. – À l'instant où il avait traversé la chambre d'à
côté pour venir dans celle où il était, la vieille servante les mettait
365 dans un petit placard à la tête du lit. – Il avait bien remarqué
ce placard. – À droite, en entrant par la salle à manger. – Ils
étaient massifs. – Et de vieille argenterie. – Avec la grande
cuiller, on en tirerait au moins deux cents francs. – Le double
de ce qu'il avait gagné en dix-neuf ans. – Il est vrai qu'il eût
370 gagné davantage si *l'administration* ne l'avait pas *volé*.

Son esprit oscilla[30] tout une grande heure dans des fluctua-
tions[31] auxquelles se mêlait bien quelque lutte. Trois heures
sonnèrent. Il rouvrit les yeux, se dressa brusquement sur son
séant[32], étendit le bras et tâta son havresac[33] qu'il avait jeté
375 dans le coin de l'alcôve[34], puis il laissa pendre ses jambes
et poser ses pieds à terre, et se trouva, presque sans savoir
comment, assis sur son lit.

Il resta un certain temps rêveur dans cette attitude qui eût
eu quelque chose de sinistre pour quelqu'un qui l'eût aperçu
380 ainsi dans cette ombre, seul éveillé dans la maison endormie.
Tout à coup il se baissa, ôta ses souliers et les posa doucement
sur la natte près du lit, puis il reprit sa posture de rêverie et
redevint immobile.

[…]

385 Il se leva debout, hésita encore un moment, et écouta ;
tout se taisait dans la maison ; alors il marcha droit et à
petits pas vers la fenêtre qu'il entrevoyait. La nuit n'était pas
très obscure ; c'était une pleine lune sur laquelle couraient
de larges nuées chassées par le vent. Cela faisait au dehors

---

30. Hésita.
31. Changements.
32. Il s'assit.

33. Sac-à-dos.
34. Voir la note 6, page 25.

des alternatives d'ombre et de clarté, des éclipses, puis des éclaircies, et au dedans une sorte de crépuscule. Ce crépuscule, suffisant pour qu'on pût se guider, intermittent à cause des nuages, ressemblait à l'espèce de lividité qui tombe d'un soupirail[35] de cave devant lequel vont et viennent des passants. Arrivé à la fenêtre, Jean Valjean l'examina. Elle était sans barreaux, donnait sur le jardin et n'était fermée, selon la mode du pays, que d'une petite clavette[36]. Il l'ouvrit, mais, comme un air froid et vif entra brusquement dans la chambre, il la referma tout de suite. Il regarda le jardin de ce regard attentif qui étudie plus encore qu'il ne regarde. Le jardin était enclos d'un mur blanc assez bas, facile à escalader. Au fond, au delà, il distingua des têtes d'arbres également espacées, ce qui indiquait que ce mur séparait le jardin d'une avenue ou d'une ruelle plantée.

Ce coup d'œil jeté, il fit le mouvement d'un homme déterminé, marcha à son alcôve, prit son havresac, l'ouvrit, le fouilla, en tira quelque chose qu'il posa sur le lit, mit ses souliers dans une des poches, referma le tout, chargea le sac sur ses épaules, se couvrit de sa casquette dont il baissa la visière sur ses yeux, chercha son bâton en tâtonnant, et l'alla poser dans l'angle de la fenêtre, puis revint au lit et saisit résolûment l'objet qu'il y avait déposé. Cela ressemblait à une barre de fer courte, aiguisée comme un épieu à l'une de ses extrémités.

Il eût été difficile de distinguer dans les ténèbres pour quel emploi avait pu être façonné ce morceau de fer. C'était peut-être un levier ? C'était peut-être une massue ?

Au jour on eût pu reconnaître que ce n'était autre chose qu'un chandelier de mineur. On employait alors quelquefois les forçats à extraire de la roche des hautes collines qui environnent Toulon, et il n'était pas rare qu'ils eussent à leur

---

35. Ouverture pratiquée pour donner du jour et de l'air.

36. Petite cheville plate passée dans l'ouverture d'une plus grosse.

disposition des outils de mineur. Les chandeliers des mineurs sont en fer massif, terminés à leur extrémité inférieure par une pointe au moyen de laquelle on les enfonce dans le rocher.

425 Il prit ce chandelier dans sa main droite, et retenant son haleine, assourdissant son pas, il se dirigea vers la porte de la chambre voisine, celle de l'évêque, comme on sait. […]

XI. Ce qu'il fait

[…]

Cette chambre était dans un calme parfait. On y distinguait çà et là des formes confuses et vagues qui, au jour, étaient des
430 papiers épars sur une table, des in-folio[37] ouverts, des volumes empilés sur un tabouret, un fauteuil chargé de vêtements, un prie-Dieu[38], et qui à cette heure n'étaient plus que des coins ténébreux et des places blanchâtres. Jean Valjean avança avec précaution en évitant de se heurter aux meubles. Il entendait
435 au fond de la chambre la respiration égale et tranquille de l'évêque endormi.

Il s'arrêta tout à coup. Il était près du lit. Il y était arrivé plus tôt qu'il n'aurait cru.

La nature mêle quelquefois ses effets et ses spectacles à
440 nos actions avec une espèce d'à-propos sombre et intelligent, comme si elle voulait nous faire réfléchir. Depuis près d'une demi-heure un grand nuage couvrait le ciel. Au moment où Jean Valjean s'arrêta en face du lit, ce nuage se déchira, comme s'il l'eût fait exprès, et un rayon de lune, traversant la longue
445 fenêtre, vint éclairer subitement le visage pâle de l'évêque. Il dormait paisiblement. Il était presque vêtu dans son lit, à cause des nuits froides des Basses-Alpes, d'un vêtement de laine brune qui lui couvrait les bras jusqu'aux poignets. Sa

| **37.** Livres. | **38.** Siège bas sur lequel on s'agenouille pour prier.

tête était renversée sur l'oreiller dans l'attitude abandonnée du
repos ; il laissait pendre hors du lit sa main ornée de l'anneau
pastoral[39] et d'où étaient tombées tant de bonnes œuvres et de
saintes actions. Toute sa face s'illuminait d'une vague expression de satisfaction, d'espérance et de béatitude[40]. C'était plus
qu'un sourire et presque un rayonnement. Il y avait sur son
front l'inexprimable réverbération d'une lumière qu'on ne
voyait pas. L'âme des justes pendant le sommeil contemple
un ciel mystérieux.

Un reflet de ce ciel était sur l'évêque.

C'était en même temps une transparence lumineuse, car ce
ciel était au dedans de lui. Ce ciel, c'était sa conscience.

Au moment où le rayon de lune vint se superposer, pour
ainsi dire, à cette clarté intérieure, l'évêque endormi apparut
comme dans une gloire[41]. Cela pourtant resta doux et voilé
d'un demi-jour ineffable[42]. Cette lune dans le ciel, cette nature
assoupie, ce jardin sans un frisson, cette maison si calme,
l'heure, le moment, le silence, ajoutaient je ne sais quoi de
solennel et d'indicible[43] au vénérable[44] repos de ce sage, et
enveloppaient une sorte d'auréole majestueuse et sereine ces
cheveux blancs et ces yeux fermés, cette figure où tout était
espérance et où tout était confiance, cette tête de vieillard et
ce sommeil d'enfant.

Il y avait presque de la divinité dans cet homme ainsi auguste[45]
à son insu.

Jean Valjean, lui, était dans l'ombre, son chandelier de fer
à la main, debout, immobile, effaré de ce vieillard lumineux.
Jamais il n'avait rien vu de pareil. Cette confiance l'épouvantait.
Le monde moral n'a pas de plus grand spectacle que celui-là :

---

39. Anneau porté par un évêque en signe
d'alliance avec Dieu.
40. Bonheur dont jouissent les justes.
41. Cercle lumineux.

42. Sublime, indescriptible.
43. Inexprimable.
44. Qui inspire un profond respect.
45. Sacré.

une conscience troublée et inquiète, parvenue au bord d'une mauvaise action, et contemplant le sommeil d'un juste.

480 Ce sommeil, dans cet isolement, et avec un voisin tel que lui, avait quelque chose de sublime qu'il sentait vaguement, mais impérieusement[46].

Nul n'eût pu dire ce qui se passait en lui, pas même lui. Pour essayer de s'en rendre compte, il faut rêver ce qu'il y a de plus 485 violent en présence de ce qu'il y a de plus doux. Sur son visage même on n'eût rien pu distinguer avec certitude. C'était une sorte d'étonnement hagard. Il regardait cela. Voilà tout. Mais quelle était sa pensée ? il eût été impossible de le deviner. Ce qui était évident, c'est qu'il était ému et bouleversé. Mais de 490 quelle nature était cette émotion ?

Son œil ne se détachait pas du vieillard. La seule chose qui se dégageât clairement de son attitude et de sa physionomie, c'était une étrange indécision. On eût dit qu'il hésitait entre les deux abîmes, celui où l'on se perd et celui où l'on se sauve. 495 Il semblait prêt à briser ce crâne ou à baiser cette main.

Au bout de quelques instants, son bras gauche se leva lentement vers son front, et il ôta sa casquette, puis son bras retomba avec la même lenteur, et Jean Valjean rentra dans sa contemplation, sa casquette dans la main gauche, sa massue 500 dans la main droite, ses cheveux hérissés sur sa tête farouche.

L'évêque continuait de dormir dans une paix profonde sous ce regard effrayant.

Un reflet de lune faisait confusément visible au-dessus de la cheminée le crucifix qui semblait leur ouvrir les bras à 505 tous les deux, avec une bénédiction pour l'un et un pardon pour l'autre.

Tout à coup Jean Valjean remit sa casquette sur son front, puis marcha rapidement, le long du lit, sans regarder l'évêque,

---

| **46.** Sans pouvoir y résister.

Illustration de Flameng pour *Les Misérables*, XIXe siècle, musée Victor-Hugo, Paris.

droit au placard qu'il entrevoyait près du chevet ; il leva le
510 chandelier de fer comme pour forcer la serrure ; la clef y était ;
il l'ouvrit ; la première chose qui lui apparut fut le panier
d'argenterie ; il le prit, traversa la chambre à grands pas sans
précaution et sans s'occuper du bruit, gagna la porte, rentra
dans l'oratoire[47], ouvrit la fenêtre, saisit un bâton, enjamba
515 l'appui du rez-de-chaussée, mit l'argenterie dans son sac, jeta
le panier, franchit le jardin, sauta par-dessus le mur comme
un tigre, et s'enfuit.

XII. L'évêque travaille

*Le lendemain, Mme Magloire s'aperçoit du vol. Elle en informe
l'évêque, qui ne condamne pas Jean Valjean, estimant qu'il
est plus légitime que cette argenterie revienne à un pauvre
plutôt qu'à lui.*

[...]
Comme le frère et la sœur allaient se lever de table, on
520 frappa à la porte.
– Entrez, dit l'évêque.
La porte s'ouvrit. Un groupe étrange et violent apparut sur
le seuil. Trois hommes en tenaient un quatrième au collet[48].
Les trois hommes étaient des gendarmes ; l'autre était Jean
525 Valjean.
Un brigadier de gendarmerie, qui semblait conduire le groupe,
était près de la porte. Il entra et s'avança vers l'évêque en
faisant le salut militaire.
– Monseigneur… dit-il.
530 À ce mot Jean Valjean, qui était morne[49] et semblait abattu,
releva la tête d'un air stupéfait.

| **47.** Petite chapelle. | **48.** Col. | **49.** Triste.

– Monseigneur ! murmura-t-il. Ce n'est donc pas le curé ?…

– Silence ! dit un gendarme. C'est monseigneur l'évêque.

Cependant monseigneur Bienvenu[50] s'était approché aussi vivement que son grand âge le lui permettait.

– Ah ! vous voilà ! s'écria-t-il en regardant Jean Valjean. Je suis aise de vous voir. Eh bien mais ! je vous avais donné les chandeliers aussi, qui sont en argent comme le reste et dont vous pourrez bien avoir deux cents francs. Pourquoi ne les avez-vous pas emportés avec vos couverts ?

Jean Valjean ouvrit les yeux et regarda le vénérable évêque avec une expression qu'aucune langue humaine ne pourrait rendre.

– Monseigneur, dit le brigadier de gendarmerie, ce que cet homme disait était donc vrai ? Nous l'avons rencontré. Il allait comme quelqu'un qui s'en va. Nous l'avons arrêté pour voir. Il avait cette argenterie…

– Et il vous a dit, interrompit l'évêque en souriant, qu'elle lui avait été donnée par un vieux bonhomme de prêtre chez lequel il avait passé la nuit ? Je vois la chose. Et vous l'avez ramené ici ? C'est une méprise[51].

– Comme cela, reprit le brigadier, nous pouvons le laisser aller ?

– Sans doute, répondit l'évêque.

Les gendarmes lâchèrent Jean Valjean qui recula.

– Est-ce que c'est vrai qu'on me laisse ? dit-il d'une voix presque inarticulée et comme s'il parlait dans le sommeil.

– Oui, on te laisse, tu n'entends donc pas ? dit un gendarme.

– Mon ami, reprit l'évêque, avant de vous en aller, voici vos chandeliers. Prenez-les.

Il alla à la cheminée, prit les deux flambeaux d'argent et les apporta à Jean Valjean. Les deux femmes le regardaient faire

---

50. Surnom donné à M. Myriel en raison de son caractère charitable et bon.
51. Erreur.

sans un mot, sans un geste, sans un regard qui pût déranger l'évêque.

565   Jean Valjean tremblait de tous ses membres. Il prit les deux chandeliers machinalement et d'un air égaré.

– Maintenant, dit l'évêque, allez en paix. – À propos, quand vous reviendrez, mon ami, il est inutile de passer par le jardin. Vous pourrez toujours entrer et sortir par la porte de la rue. Elle n'est
570   fermée qu'au loquet jour et nuit.

Puis se tournant vers la gendarmerie :

– Messieurs, vous pouvez vous retirer.

Les gendarmes s'éloignèrent.

Jean Valjean était comme un homme qui va s'évanouir.

575   L'évêque s'approcha de lui, et lui dit à voix basse :

– N'oubliez pas, n'oubliez jamais que vous m'avez promis d'employer cet argent à devenir honnête homme.

Jean Valjean, qui n'avait aucun souvenir d'avoir rien promis, resta interdit[52]. L'évêque avait appuyé sur ces paroles en les
580   prononçant. Il reprit avec une sorte de solennité :

– Jean Valjean, mon frère, vous n'appartenez plus au mal, mais au bien. C'est votre âme que je vous achète ; je la retire aux pensées noires et à l'esprit de perdition, et je la donne à Dieu.

Première partie « Fantine », Livre deuxième
« La chute », extraits des chapitres III, VI, IX, X, XI, XII.

| **52.** Stupéfait et ahuri.

Questions

Repérer et analyser

Le cadre et l'action

1 Rappelez quelle ville sert de cadre à l'action.

2 **a.** Chez quel personnage Jean Valjean arrive-t-il ?
b. Combien de temps reste-t-il chez lui ?

3 **a.** À la suite de quelle circonstance et à quel moment retourne-t-il chez ce personnage ?
b. Dans quel chapitre la scène du retour est-elle racontée ?
c. Que se passe-t-il durant cette scène ?

Le narrateur et les choix narratifs

La présence du narrateur

> Même s'il n'est pas personnage de l'histoire, le narrateur peut intervenir dans son récit par des commentaires à la 1re personne du singulier ou du pluriel. Ces commentaires sont généralement au présent de l'indicatif.

4 **a.** Relevez les commentaires du narrateur (l. 1 à 7, 64 à 69 et 359).
b. Par quel pronom le narrateur se désigne-t-il ? En quoi peut-on dire qu'il implique le lecteur par le choix de ce pronom ?
c. Par quel autre procédé le narrateur interpelle-t-il le lecteur (l. 272 à 274) ?
d. Quel est l'intérêt pour le lecteur de chacun de ces commentaires ?

L'ordre du récit : le retour en arrière

> Le narrateur peut effectuer un retour en arrière, ou analepse. Le retour en arrière consiste à interrompre la narration pour raconter des faits antérieurs.

5 **a.** Quel chapitre est consacré à un retour en arrière ?
b. Citez les deux phrases par lesquelles le narrateur signale la fin du retour en arrière.
c. À quel chapitre reprend-il le cours du récit? Citez la phrase qui marque la reprise.
d. Quelle est l'intérêt de ce retour en arrière pour le lecteur ?
e. En quoi la présence d'un retour en arrière est-elle liée au point de vue omniscient ?

Le parcours de Jean Valjean

L'expérience du bagne

6 **a.** Quel événement conduit Jean Valjean au bagne (chapitre VI) ? De quel bagne s'agit-il ?

b. Combien d'années y reste-t-il ? Combien fait-il de tentatives d'évasion ? Quel âge a-t-il lorsqu'il est libéré ?

7 Qu'est-ce que le « passeport jaune » (l. 53-54) ?

Son nom

> Autrefois, on donnait pour nom de famille un prénom aux enfants orphelins nés de père ou de mère inconnue. Le nom renvoie au passé du personnage qu'il définit. Aussi, le personnage sans nom « véritable » est un misérable en puissance.

8 **a.** Comment le nom de « Valjean » est-il formé ? Est-ce un « véritable » nom ? À quelle condition sociale ce nom renvoie-t-il ?

b. Comment Valjean est-il désigné à Toulon ? Conserve-t-il son nom ?

Chez l'évêque

9 **a.** Quels adjectifs caractérisent l'expression du visage de Jean Valjean lorsqu'il arrive chez l'évêque (l. 8 à 11) ?

b. Quelle transformation s'opère dans son regard (l. 73 à 76 et l. 119 à 121) ? Quelle est la raison de cette transformation ?

10 **a.** Quelles sont les pensées qui assaillent Jean Valjean pendant la nuit ? Quel point de vue le narrateur adopte-t-il (l. 411 à 417) ?

b. Quel acte finit-il par commettre ?

L'arrestation et le retour chez l'évêque

11 **a.** Quels sont ses sentiments successifs lorsqu'il est confronté à l'évêque devant les gendarmes tout au long du chapitre XII ?

b. Quelle découverte fait-il dans ce chapitre concernant la fonction exercée par M. Myriel ?

M. Myriel

12 Quel accueil M. Myriel fait-il à Jean Valjean ?

13 **a.** Par quels moyens lui rend-il sa dignité sociale (l. 64 à 130) ?

b. Quel nom lui donne-t-il ? (l. 144) ? Comment expliquez-vous le choix de ce nom ?

14 Pourquoi ne le dénonce-t-il pas aux gendarmes ? Quelle mission lui confie-t-il (l. 581 à 584) ?

15 De quelles qualités M. Myriel fait-il preuve face à Jean Valjean dans l'ensemble de l'épisode ?

Les symboles

Un symbole est la représentation concrète d'une réalité morale, invisible, abstraite. Par exemple, la colombe est le symbole de la paix.

16 **a.** Relevez dans le chapitre XI les termes appartenant aux champs lexicaux de l'ombre et de la lumière. Montrez que l'ombre ou la lumière reflètent les sentiments, la conscience, l'état d'esprit de Jean Valjean.
b. Quel objet religieux se trouve éclairé par la lune ?

Victor Hugo, écrivain engagé

Le déterminisme social

Le déterminisme est une doctrine philosophique suivant laquelle toutes les actions humaines sont liées et déterminées par le passé. On parle de déterminisme social lorsque la vie des hommes est déterminée par leur milieu d'origine : les pauvres sont condamnés à le rester. Selon Victor Hugo, c'est l'instruction et l'éducation qui permettent d'échapper au déterminisme pour sortir de sa classe sociale.

17 Quel est le milieu social de Jean Valjean ?
18 **a.** Quels malheurs l'ont frappé durant son enfance ?
b. Quel était son métier ?
c. Pourquoi n'a-t-il jamais été amoureux ?
19 Retracez les différentes étapes qui l'ont conduit au vol du pain.

La justice et le bagne

20 **a.** Quelles sont les conditions de vie au bagne ?
b. Le bagne a-t-il permis à Jean Valjean de devenir meilleur ?

Les hypothèses de lecture

21 Quelle pourra être la portée sur Jean Valjean des dernières paroles de l'évêque ? Va-t-il selon vous s'enfoncer dans le mal ou marcher vers la lumière ?

Étudier la langue

Vocabulaire : les qualités et les défauts

 22 Donnez les noms correspondant aux qualités et défauts suivants :

a. clément	f. compatissant	k. sage
b. indulgent	g. coléreux	l. serein
c. doux	h. haineux	m. rancunier
d. bienveillant	i. rude	n. agressif.
e. paisible	j. humain	

Vocabulaire : le bagne et les galères

23 Recherchez l'origine du mot « galérien ».

Enquêter

Le bagne de Toulon

24 Faites une recherche sur le bagne de Toulon.

Écrire

Écrire un récit d'imagination

25 Vous avez été encouragé(e) par une personne qui vous a valorisé(e), respecté(e), et qui vous a accordé sa confiance. Racontez cette expérience.

Consignes d'écriture :

– menez le récit à la 1re personne et aux temps du passé ;

– présentez les circonstances, la personne qui vous a aidé(e), et en quoi elle l'a fait ;

– concluez sur les bénéfices que vous tirez de cette expérience.

Texte 3 – Petit-Gervais

« C'était la première fois qu'il pleurait depuis dix-neuf ans... »

XIII. Petit-Gervais

Jean Valjean quitte Digne et poursuit son chemin...

[...]

Comme le soleil déclinait au couchant, allongeant sur le sol l'ombre du moindre caillou, Jean Valjean était assis derrière un buisson dans une grande plaine rousse absolument déserte. Il n'y avait à l'horizon que les Alpes. Pas même le clocher d'un village lointain. Jean Valjean pouvait être à trois lieues de Digne. Un sentier qui coupait la plaine passait à quelques pas du buisson.

Au milieu de cette méditation qui n'eût pas peu contribué à rendre ses haillons[1] effrayants pour quelqu'un qui l'eût rencontré, il entendit un bruit joyeux.

Il tourna la tête, et vit venir par le sentier un petit savoyard[2] d'une dizaine d'années qui chantait, sa vielle[3] au flanc et sa boîte à marmotte[4] sur le dos ; un de ces doux et gais enfants qui vont de pays en pays, laissant voir leurs genoux par les trous de leur pantalon.

Tout en chantant l'enfant interrompait de temps en temps sa marche et jouait aux osselets[5] avec quelques pièces de monnaie qu'il avait dans sa main, toute sa fortune probablement. Parmi cette monnaie il y avait une pièce de quarante sous.

---

1. Vêtements déchirés.
2. Petit ramoneur originaire de Savoie.
3. Instrument à cordes traditionnel.

4. Les petits savoyards transportaient dans une boîte une marmotte, qu'ils montraient pour obtenir un peu d'argent.

5. Jeu dont la règle est de lancer des petits os puis de les rattraper sur le dos de la main.

L'enfant s'arrêta à côté du buisson sans voir Jean Valjean et fit sauter sa poignée de sous que jusque-là il avait reçue avec assez d'adresse tout entière sur le dos de sa main.

Cette fois la pièce de quarante sous lui échappa, et vint rouler
25 vers la broussaille jusqu'à Jean Valjean.

Jean Valjean posa le pied dessus.

Cependant l'enfant avait suivi sa pièce du regard, et l'avait vu.

Il ne s'étonna point et marcha droit à l'homme.

C'était un lieu absolument solitaire. Aussi loin que le regard
30 pouvait s'étendre, il n'y avait personne dans la plaine ni dans le sentier. On n'entendait que les petits cris faibles d'une nuée d'oiseaux de passage qui traversaient le ciel à une hauteur immense. L'enfant tournait le dos au soleil qui lui mettait des fils d'or dans les cheveux et qui empourprait d'une lueur
35 sanglante la face sauvage de Jean Valjean.

– Monsieur, dit le petit savoyard, avec cette confiance de l'enfance qui se compose d'ignorance et d'innocence, – ma pièce ?

– Comment t'appelles-tu ? dit Jean Valjean.
40 – Petit-Gervais, monsieur.

– Va-t'en, dit Jean Valjean.

– Monsieur, reprit l'enfant, rendez-moi ma pièce.

Jean Valjean baissa la tête et ne répondit pas.

L'enfant recommença :
45 – Ma pièce, monsieur !

L'œil de Jean Valjean resta fixé à terre.

– Ma pièce ! cria l'enfant, ma pièce blanche ! mon argent !

Il semblait que Jean Valjean n'entendit point. L'enfant le prit au collet[6] de sa blouse et le secoua. Et en même temps il faisait
50 effort pour déranger le gros soulier ferré posé sur son trésor.

– Je veux ma pièce ! ma pièce de quarante sous !

Petit-Gervais.

L'enfant pleurait. La tête de Jean Valjean se releva. Il était toujours assis. Ses yeux étaient troubles. Il considéra l'enfant avec une sorte d'étonnement, puis il étendit la main vers son bâton et cria d'une voix terrible : – Qui est là ?

– Moi, monsieur, répondit l'enfant. Petit-Gervais ! moi ! moi ! Rendez-moi mes quarante sous s'il vous plaît ! Ôtez votre pied, monsieur, s'il vous plaît !

Puis irrité, quoique tout petit, et devenant presque menaçant :

– Ah çà, ôterez-vous votre pied ? Ôtez donc votre pied, voyons.

– Ah ! c'est encore toi ! dit Jean Valjean, et se dressant brusquement tout debout, le pied toujours sur la pièce d'argent, il ajouta : – Veux-tu bien te sauver !

L'enfant effaré le regarda, puis commença à trembler de la tête aux pieds, et, après quelques secondes de stupeur, se mit à s'enfuir en courant de toutes ses forces sans oser tourner le cou ni jeter un cri.

70 Cependant à une certaine distance l'essoufflement le força
de s'arrêter, et Jean Valjean, à travers sa rêverie, l'entendit
qui sanglotait.

Au bout de quelques instants l'enfant avait disparu.

Le soleil s'était couché.

75 L'ombre se faisait autour de Jean Valjean. Il n'avait pas
mangé de la journée ; il est probable qu'il avait la fièvre.

Il était resté debout, et n'avait pas changé d'attitude depuis
que l'enfant s'était enfui. Son souffle soulevait sa poitrine à
des intervalles longs et inégaux. Son regard, arrêté à dix ou
80 douze pas devant lui, semblait étudier avec une attention
profonde la forme d'un vieux tesson de faïence bleue tombé
dans l'herbe. Tout à coup il tressaillit ; il venait de sentir le
froid du soir.

Il raffermit sa casquette sur son front, chercha machinalement
85 à croiser et à boutonner sa blouse, fit un pas, et se baissa pour
reprendre à terre son bâton.

En ce moment il aperçut la pièce de quarante sous que son
pied avait à demi enfoncée dans la terre et qui brillait parmi
les cailloux.

90 Ce fut comme une commotion galvanique[7]. – Qu'est-ce
que c'est que ça ? dit-il entre ses dents. Il recula de trois pas,
puis s'arrêta, sans pouvoir détacher son regard de ce point
que son pied avait foulé l'instant d'auparavant, comme si
cette chose qui luisait là dans l'obscurité eût été un œil ouvert
95 fixé sur lui.

Au bout de quelques minutes, il s'élança convulsivement vers
la pièce d'argent, la saisit, et, se redressant, se mit à regarder
au loin dans la plaine, jetant à la fois ses yeux vers tous les
points de l'horizon, debout et frissonnant comme une bête
100 fauve effarée qui cherche un asile[8].

| **7.** Choc électrique. | **8.** Refuge.

Il ne vit rien. La nuit tombait, la plaine était froide et vague, de grandes brumes violettes montaient dans la clarté crépusculaire.

Il dit : Ah ! et se mit à marcher rapidement dans une certaine direction, du côté où l'enfant avait disparu. Après une centaine de pas, il s'arrêta, regarda, et ne vit rien.

Alors il cria de toute sa force : Petit-Gervais ! Petit-Gervais ! Il se tut, et attendit.

Rien ne répondit.

La campagne était déserte et morne. Il était environné de l'étendue. Il n'y avait rien autour de lui qu'une ombre où se perdait son regard et un silence où sa voix se perdait.

Une bise glaciale soufflait, et donnait aux choses autour de lui une sorte de vie lugubre. Des arbrisseaux secouaient leurs petits bras maigres avec une furie incroyable. On eût dit qu'ils menaçaient et poursuivaient quelqu'un.

Il recommença à marcher, puis il se mit à courir, et de temps en temps il s'arrêtait, et criait dans cette solitude, avec une voix qui était ce qu'on pouvait entendre de plus formidable et de plus désolé : Petit-Gervais ! Petit-Gervais !

Certes, si l'enfant l'eût entendu, il eût eu peur et se fût bien gardé de se montrer. Mais l'enfant était sans doute déjà bien loin.

Il rencontra un prêtre qui était à cheval. Il alla à lui et lui dit :

– Monsieur le curé, avez-vous vu passer un enfant ?

– Non, dit le prêtre.

– Un nommé Petit-Gervais ?

– Je n'ai vu personne.

Il tira deux pièces de cinq francs de sa sacoche et les remit au prêtre.

– Monsieur le curé, voici pour vos pauvres. – Monsieur le curé, c'est un petit d'environ dix ans qui a une marmotte, je crois, et une vielle. Il allait. Un de ces savoyards, vous savez ?

– Je ne l'ai point vu.

135 – Petit-Gervais ? il n'est point des villages d'ici ? pouvez-vous me dire ?

– Si c'est comme vous dites, mon ami, c'est un petit enfant étranger. Cela passe dans le pays. On ne les connaît pas.

Jean Valjean prit violemment deux autres écus de cinq francs
140 qu'il donna au prêtre.

– Pour vos pauvres, dit-il.

Puis il ajouta avec égarement :

– Monsieur l'abbé, faites-moi arrêter. Je suis un voleur.

Le prêtre piqua des deux et s'enfuit très effrayé.

145 Jean Valjean se remit à courir dans la direction qu'il avait d'abord prise.

Il fit de la sorte un assez long chemin, regardant, appelant, criant, mais il ne rencontra plus personne. Deux ou trois fois il courut dans la plaine vers quelque chose qui lui faisait l'effet
150 d'un être couché ou accroupi ; ce n'était que des broussailles ou des roches à fleur de terre. Enfin, à un endroit où trois sentiers se croisaient, il s'arrêta. La lune s'était levée. Il promena sa vue au loin et appela une dernière fois : Petit-Gervais ! Petit-Gervais ! Petit-Gervais ! Son cri s'éteignit dans la brume, sans
155 même éveiller un écho. Il murmura encore : Petit-Gervais ! mais d'une voix faible et presque inarticulée. Ce fut là son dernier effort ; ses jarrets fléchirent brusquement sous lui comme si une puissance invisible l'accablait tout à coup du poids de sa mauvaise conscience ; il tomba épuisé sur une grosse pierre,
160 les poings dans ses cheveux et le visage dans ses genoux, et il cria : Je suis un misérable !

Alors son cœur creva et il se mit à pleurer. C'était la première fois qu'il pleurait depuis dix-neuf ans.

[…]

165 Son cerveau était dans un de ces moments violents et pourtant affreusement calmes où la rêverie est si profonde qu'elle

Gustave Brion : Jean
Valjean. Édition Hetzel et
Lacroix (xixᵉ siècle), musée
Victor-Hugo, Paris.

absorbe la réalité. On ne voit plus les objets qu'on a autour
de soi, et l'on voit comme en dehors de soi les figures qu'on
a dans l'esprit.

Il se contempla donc, pour ainsi dire, face à face, et en même
temps, à travers cette hallucination, il voyait dans une profondeur mystérieuse une sorte de lumière qu'il prit d'abord pour
un flambeau. En regardant avec plus d'attention cette lumière
qui apparaissait à sa conscience, il reconnut qu'elle avait la
forme humaine, et que ce flambeau était l'évêque.

Sa conscience considéra tour à tour ces deux hommes ainsi
placés devant elle, l'évêque et Jean Valjean. Il n'avait pas
fallu moins que le premier pour détremper le second. Par un
de ces effets singuliers qui sont propres à ces sortes d'extases,

180 à mesure que sa rêverie se prolongeait, l'évêque grandissait et resplendissait à ses yeux, Jean Valjean s'amoindrissait et s'effaçait. À un certain moment il ne fut plus qu'une ombre. Tout à coup il disparut. L'évêque seul était resté.

Il remplissait toute l'âme de ce misérable d'un rayonnement 185 magnifique.

Jean Valjean pleura longtemps. Il pleura à chaudes larmes, il pleura à sanglots, avec plus de faiblesse qu'une femme, avec plus d'effroi qu'un enfant.

Pendant qu'il pleurait, le jour se faisait de plus en plus dans 190 son cerveau, un jour extraordinaire, un jour ravissant et terrible à la fois. Sa vie passée, sa première faute, sa longue expiation[9], son abrutissement extérieur, son endurcissement intérieur, sa mise en liberté réjouie par tant de plans de vengeance, ce qui lui était arrivé chez l'évêque, la dernière chose qu'il avait faite, 195 ce vol de quarante sous à un enfant, crime d'autant plus lâche et d'autant plus monstrueux qu'il venait après le pardon de l'évêque, tout cela lui revint et lui apparut, clairement, mais dans une clarté qu'il n'avait jamais vue jusque-là. Il regarda sa vie, et elle lui parut horrible ; son âme, et elle lui parut affreuse. 200 Cependant un jour doux était sur cette vie et sur cette âme. Il lui semblait qu'il voyait Satan à la lumière du paradis.

Combien d'heures pleura-t-il ainsi ? que fit-il après avoir pleuré ? où alla-t-il ? on ne l'a jamais su. Il paraît seulement avéré que, dans cette même nuit, le voiturier qui faisait à cette 205 époque le service de Grenoble et qui arrivait à Digne vers trois heures du matin, vit en traversant la rue de l'évêché un homme dans l'attitude de la prière, à genoux sur le pavé, dans l'ombre, devant la porte de monseigneur Bienvenu[10].

Première partie « Fantine », Livre deuxième
« La chute », extraits du chapitre XIII.

| **9.** Punition. | **10.** Voir la note 50, page 43.

Questions

Repérer et analyser

Le cadre

1 **a.** Où l'action se déroule-t-elle ? À quel moment de la journée ?
b. Quelle image se dégage de ce lieu ?

La progression du récit

2 D'où Jean Valjean vient-il ? Que vient-il de lui arriver ?
3 **a.** Quel personnage rencontre-t-il ?
b. Quelle action commet-il ? Comment l'épisode se termine-t-il ?

Le dialogue

4 Qui sont les interlocuteurs du dialogue (l. 36 à 65) ?
5 **a.** En quoi la structure du dialogue est-elle particulière ? Pour répondre appuyez-vous :
– sur les répliques, gestes et attitudes de Jean Valjean (dans quel état d'esprit est-il ?) ;
– sur les répliques de Petit-Gervais et sur ses réactions.
b. Qui a le dessus à la fin du dialogue ?

Les symboles

L'ombre et la lumière

6 **a.** Quelle image le narrateur donne-t-il de Petit-Gervais (l. 12 à 38) ?
b. De quoi l'enfant est-il le symbole ? De quoi Jean Valjean est-il le symbole ? Appuyez-vous sur les oppositions de lumière et de couleur (l. 33 à 35).
7 Relevez dans les lignes 75 à 116 le champ lexical de la nuit et du froid. En quoi le paysage est-il en accord avec l'état de Valjean après son acte ?

L'œil

L'œil, organe de la perception visuelle, symbolise la perception intellectuelle : la conscience.

8 « (…) comme si cette chose qui luisait là dans l'obscurité eût été un œil ouvert fixé sur lui » (l. 93 à 95). Que symbolise ici l'œil ?

9 Relevez dans les lignes 189 à 201 le champ lexical de la lumière. De quelle lumière s'agit-il ? Justifiez votre réponse.

Le parcours de Jean Valjean

10 a. Jean Valjean vous semble-t-il avoir agi en état de parfaite conscience lorsqu'il a commis son acte ? Justifiez votre réponse. À quoi est-il comparé dans les lignes 96 à 100 ?
b. Par quoi a-t-il été poussé ? Aidez-vous des lignes 191 à 198.

11 a. Quand Valjean retrouve-t-il ses esprits ? Comment réagit-il ?
b. Quel est le sens du mot « misérable » ligne 161 ?

12 Sous quelle forme l'évêque est-il présent dans cet extrait ? Quel effet cette présence provoque-t-elle sur l'âme de Jean Valjean ? Relevez la phrase qui montre que le bien l'a emporté sur le mal.

13 a. Quel acte rend son humanité à Jean Valjean ?
b. Quels éléments montrent que Jean Valjean s'est converti au bien ? Appuyez-vous sur les lignes 131 à 146 et 191 à 201.

La visée et les hypothèses de lecture

14 En quoi cet épisode est-il décisif pour l'évolution du personnage de Jean Valjean ? Et pour la continuité du roman ?

Étudier la langue

Vocabulaire : autour du mot « conscience »

15 « sa mauvaise conscience » (l. 159) ; « Sa conscience considéra » (l. 176). Donnez le sens des expressions suivantes comportant le mot « conscience » : a. perdre conscience – b. reprendre conscience – c. avoir conscience d'avoir mal agi. – d. avoir quelque chose sur la conscience – e. agir selon sa conscience – f. avoir la conscience tranquille – g. avoir une conscience professionnelle

16 a. Sur quel adjectif sont formés les adverbes « consciemment » et « consciencieusement » ? Que signifient-ils ?
b. Utilisez chacun d'eux dans une phrase de votre composition.

Texte 4 – Fantine chez les Thénardier

« Fantine était belle... »

PARTIE 1, LIVRE TROISIÈME

II. Double quatuor

En 1817, quatre étudiants, venus à Paris pour y poursuivre leurs études, se rendent à une partie de campagne avec leurs maîtresses. Le narrateur nous présente l'une d'elle : Fantine.

[...]
Fantine était un de ces êtres comme il en éclôt, pour ainsi dire, au fond du peuple. Sortie des plus insondables épaisseurs de l'ombre sociale, elle avait au front le signe de l'anonyme
5 et de l'inconnu. Elle était née à Montreuil-sur-mer. De quels parents ? Qui pourrait le dire. On ne lui avait jamais connu ni père ni mère. Elle se nommait Fantine. Pourquoi Fantine ? On ne lui avait jamais connu d'autre nom. À l'époque de sa naissance, le Directoire[1] existait encore. Point de nom de
10 famille, elle n'avait pas de famille ; point de nom de baptême, l'église n'était plus là[2]. Elle s'appela comme il plut au premier passant qui la rencontra toute petite, allant pieds nus dans la rue. Elle reçut un nom comme elle recevait l'eau des nuées sur son front quand il pleuvait. On l'appela la petite Fantine.
15 Personne n'en savait davantage. Cette créature humaine était venue dans la vie comme cela. À dix ans, Fantine quitta la ville et s'alla mettre en service chez des fermiers des environs. À quinze ans, elle vint à Paris « chercher fortune ». Fantine

---

1. 1795 à 1799 : période de la Révolution française marquée par de grandes inégalités sociales.

2. Allusion à la déchristianisation mise en place par la Terreur (1793-94) et qui perdure sous le Directoire.

était belle et resta pure le plus longtemps qu'elle put. C'était
20 une jolie blonde avec de belles dents. Elle avait de l'or et des
perles pour dot[3], mais son or était sur sa tête et ses perles
étaient dans sa bouche.

Elle travailla pour vivre ; puis toujours pour vivre, car le
cœur a sa faim aussi, elle aima.
25 Elle aima Tholomyès[4].

Amourette pour lui, passion pour elle. [...]

III. Quatre à quatre

[...] Fantine, c'était la joie. Ses dents splendides avaient
évidemment reçu de Dieu une fonction, le rire. Elle portait à
sa main plus volontiers que sur sa tête son petit chapeau de
30 paille cousue, aux longues brides blanches. Ses épais cheveux
blonds, enclins à flotter et facilement dénoués et qu'il fallait
rattacher sans cesse, semblaient faits pour la fuite de Galatée[5]
sous les saules. Ses lèvres roses babillaient avec enchantement.
Les coins de sa bouche voluptueusement relevés, comme aux
35 mascarons[6] antiques d'Érigone, avaient l'air d'encourager les
audaces ; mais ses longs cils pleins d'ombre s'abaissaient discrètement sur ce brouhaha du bas du visage comme pour mettre
le holà[7]. Toute sa toilette avait on ne sait quoi de chantant et
de flambant. Elle avait une robe de barège[8] mauve, de petits
40 souliers-cothurnes[9] mordorés dont les rubans traçaient des
X sur son fin bas blanc à jour, et cette espèce de spencer[10]
en mousseline, invention marseillaise, dont le nom, canezou,

---

3. Biens qu'une femme apporte en se mariant.
4. Riche étudiant qui participe à la partie de campagne.
5. Prénom formé sur le grec *gala*, *galaktos* qui signifie « lait ». Dans la mythologie grecque, Galatée est une nymphe poursuivie par le cyclope Polyphème.

6. Figures fantastiques sculptées ornant les chapiteaux dans l'Antiquité.
7. Mettre fin.
8. Étoffe de laine légère.
9. Souliers fermés par un ruban montant jusqu'au mollet.
10. Veste courte en toile de coton fine et légère.

corruption du mot *quinze août* prononcé à la Canebière, signifie beau temps, chaleur et midi. [...]

Éclatante de face, délicate de profil, les yeux d'un bleu profond, les paupières grasses, les pieds cambrés et petits, les poignets et les chevilles admirablement emboîtés, la peau blanche laissant voir çà et là les arborescences azurées des veines, la joue puérile[11] et fraîche, le cou robuste des Junons éginétiques[12], la nuque forte et souple, les épaules modelées comme par Coustou[13], ayant au centre une voluptueuse fossette visible à travers la mousseline ; une gaîté glacée de rêverie ; sculpturale et exquise ; telle était Fantine ; et l'on devinait sous ces chiffons[14] une statue, et dans cette statue une âme.

Fantine était belle, sans trop le savoir. Les rares songeurs, prêtres mystérieux du beau, qui confrontent silencieusement toute chose à la perfection, eussent entrevu en cette petite ouvrière, à travers la transparence de la grâce parisienne, l'antique euphonie sacrée[15]. Cette fille de l'ombre avait de la race.

[...]

PARTIE 1, LIVRE QUATRIÈME

I. Une mère qui en rencontre une autre

Fantine a été séduite et abandonnée par un étudiant parisien, Tholomyès (voir p. 59). Elle est réduite à élever seule l'enfant illégitime née de cette liaison, la petite Cosette. Elle décide de quitter Paris pour aller travailler à Montreuil-sur-mer dans le Pas-de-Calais, sa ville d'origine. Sur la route, elle fait connaissance avec des aubergistes.

---

11. Enfantine.
12. Sculptures de marbre venant de l'île grecque d'Égine, représentant la déesse Junon.
13. Sculpteur français.
14. Vêtements, sans valeur péjorative.
15. L'harmonie parfaite selon les Grecs et les Romains de l'Antiquité.

Il y avait, dans le premier quart de ce siècle, à Montfermeil, près de Paris, une façon de gargote[16] qui n'existe plus aujourd'hui. Cette gargote était tenue par des gens appelés Thénardier, mari et femme. Elle était située dans la ruelle du

65 Boulanger. On voyait au-dessus de la porte une planche clouée à plat sur le mur. Sur cette planche était peint quelque chose qui ressemblait à un homme portant sur son dos un autre homme, lequel avait de grosses épaulettes de général dorées avec de larges étoiles argentées ; des taches rouges figuraient

70 du sang ; le reste du tableau était de la fumée et représentait probablement une bataille. Au bas on lisait cette inscription : AU SERGENT DE WATERLOO[17].

[…]

[…] À quelques pas, accroupie sur le seuil de l'auberge,

75 la mère[18], femme d'un aspect peu avenant[19] du reste, mais touchante en ce moment-là, balançait les deux enfants au moyen d'une longue ficelle, les couvant des yeux de peur d'accident avec cette expression animale et céleste propre à la maternité. […]

Une femme était devant elle, à quelques pas. Cette femme,

80 elle aussi, avait un enfant qu'elle portait dans ses bras.

Elle portait en outre un assez gros sac de nuit qui semblait fort lourd.

L'enfant de cette femme était un des plus divins êtres qu'on pût voir. C'était une fille de deux à trois ans. Elle eût pu jouter[20]

85 avec les deux autres pour la coquetterie de l'ajustement[21] ; elle avait un bavolet[22] de linge fin, des rubans à sa brassière et de la valenciennes[23] à son bonnet. Le pli de sa jupe relevée laissait voir sa cuisse blanche, potelée et ferme. Elle était admirablement

---

16. Auberge bon marché dont la nourriture est peu soignée.
17. Bataille opposant l'armée napoléonienne à l'Angleterre et à la Prusse. Cette défaite entraîna l'abdication et l'exil à Sainte-Hélène de Napoléon Ier.
18. Mme Thénardier.

19. Peu aimable.
20. Rivaliser.
21. L'habillement.
22. Coiffure de paysanne couvrant les côtés et le derrière de la tête.
23. Dentelle fine fabriquée à Valenciennes.

rose et bien portante. La belle petite donnait envie de mordre
dans les pommes de ses joues. On ne pouvait rien dire de ses
yeux, sinon qu'ils devaient être très grands et qu'ils avaient
des cils magnifiques. Elle dormait.

Elle dormait de ce sommeil d'absolue confiance propre à
son âge. Les bras des mères sont faits de tendresse ; les enfants
y dorment profondément.

Quant à la mère, l'aspect en était pauvre et triste. Elle avait
la mise d'une ouvrière qui tend à redevenir paysanne. Elle
était jeune. Était-elle belle ? peut-être ; mais avec cette mise il
n'y paraissait pas. Ses cheveux, d'où s'échappait une mèche
blonde, semblaient fort épais, mais disparaissaient sévèrement
sous une coiffe de béguine[24], laide, serrée, étroite, et nouée au
menton. Le rire montre les belles dents quand on en a ; mais
elle ne riait point. Ses yeux ne semblaient pas être secs depuis
très longtemps. Elle était pâle ; elle avait l'air très lasse et un
peu malade ; elle regardait sa fille endormie dans ses bras
avec cet air particulier d'une mère qui a nourri son enfant.
Un large mouchoir bleu, comme ceux où se mouchent les
invalides, plié en fichu, masquait lourdement sa taille. Elle
avait les mains hâlées et toutes piquées de taches de rousseur,
l'index durci et déchiqueté par l'aiguille, une mante[25] brune
de laine bourrue[26], une robe de toile et de gros souliers.
C'était Fantine.

C'était Fantine. Difficile à reconnaître. Pourtant, à l'exa-
miner attentivement, elle avait toujours sa beauté. Un pli triste,
qui ressemblait à un commencement d'ironie, ridait sa joue
droite. Quant à sa toilette, cette aérienne toilette de mousseline et de rubans qui semblait faite avec de la gaîté, de la
folie et de la musique, pleine de grelots et parfumée de lilas,
elle s'était évanouie comme ces beaux givres éclatants qu'on

---

24. Coiffe de religieuse. | **26.** Grossière.
25. Manteau ample et sans manches.

120 prend pour des diamants au soleil ; ils fondent et laissent la
branche toute noire.

[...]

– Vous avez là deux jolis enfants, madame.

Les créatures les plus féroces sont désarmées par la caresse
125 à leurs petits. La mère leva la tête et remercia, et fit asseoir la
passante sur le banc de la porte, elle-même étant sur le seuil.
Les deux femmes causèrent.

– Je m'appelle madame Thénardier, dit la mère des deux
petites. Nous tenons cette auberge.

130 Puis, toujours à sa romance[27], elle reprit entre ses dents :

Il le faut, je suis chevalier
Et je pars pour la Palestine.

Cette madame Thénardier était une femme rousse, charnue,
anguleuse ; le type femme-à-soldat dans toute sa disgrâce. Et,
135 chose bizarre, avec un air penché qu'elle devait à des lectures
romanesques. C'était une minaudière hommasse[28]. De vieux
romans qui se sont éraillés[29] sur des imaginations de gargotières
ont de ces effets-là. Elle était jeune encore ; elle avait à peine
trente ans. Si cette femme, qui était accroupie, se fût tenue
140 droite, peut-être sa haute taille et sa carrure de colosse ambulant propre aux foires, eussent-elles dès l'abord effarouché la
voyageuse, troublé sa confiance, et fait évanouir ce que nous
avons à raconter. Une personne qui est assise au lieu d'être
debout, les destinées tiennent à cela.

145 La voyageuse raconta son histoire, un peu modifiée :

Qu'elle était ouvrière ; que son mari était mort ; que le travail
lui manquait à Paris, et qu'elle allait en chercher ailleurs ; dans

---

27. Chanson sentimentale.
28. Qui fait des petites mines, des manières pour avoir l'air d'une
femme charmante, tout en ayant l'allure et les manières d'un homme.
29. Usés.

son pays ; qu'elle avait quitté Paris, le matin même, à pied ; que, comme elle portait son enfant, se sentant fatiguée, et ayant rencontré la voiture de Villemomble, elle y était montée ; que de Villemomble elle était venue à Montfermeil à pied, que la petite avait un peu marché, mais pas beaucoup, c'est si jeune, et qu'il avait fallu la prendre, et que le bijou s'était endormi.

Et sur ce mot elle donna à sa fille un baiser passionné qui la réveilla. L'enfant ouvrit les yeux, de grands yeux bleus comme ceux de sa mère, et regarda, quoi ? rien, tout, avec cet air sérieux et quelquefois sévère des petits enfants, qui est un mystère de leur lumineuse innocence devant nos crépuscules de vertus. On dirait qu'ils se sentent anges et qu'ils nous savent hommes. Puis l'enfant se mit à rire, et, quoique la mère la retint, glissa à terre avec l'indomptable énergie d'un petit être qui veut courir. Tout à coup elle aperçut les deux autres sur leur balançoire, s'arrêta court, et tira la langue, signe d'admiration.

La mère Thénardier détacha ses filles, les fit descendre de l'escarpolette[30], et dit :

– Amusez-vous toutes les trois.

Ces âges-là s'apprivoisent vite, et au bout d'une minute les petites Thénardier jouaient avec la nouvelle venue à faire des trous dans la terre, plaisir immense.

Cette nouvelle venue était très gaie ; la bonté de la mère est écrite dans la gaîté du marmot ; elle avait pris un brin de bois qui lui servait de pelle, et elle creusait énergiquement une fosse bonne pour une mouche. Ce que fait le fossoyeur devient riant, fait par l'enfant.

Les deux femmes continuaient de causer.

– Comment s'appelle votre mioche ?

– Cosette.

| **30.** Balançoire.

Cosette, lisez Euphrasie. La petite se nommait Euphrasie.
Mais d'Euphrasie la mère avait fait Cosette, par ce doux et gracieux instinct des mères et du peuple qui change Josefa en Pepita et Françoise en Sillette. C'est là un genre de dérivés qui dérange et déconcerte toute la science des étymologistes. Nous avons connu une grand'mère qui avait réussi à faire de Théodore, Gnon.

– Quel âge a-t-elle ?

– Elle va sur trois ans.

– C'est comme mon aînée.

Cependant les trois petites filles étaient groupées dans une posture d'anxiété profonde et de béatitude[31] ; un événement avait lieu ; un gros ver venait de sortir de terre ; et elles avaient peur, et elles étaient en extase.

Leurs fronts radieux se touchaient ; on eût dit trois têtes dans une auréole.

– Les enfants, s'écria la mère Thénardier, comme ça se connaît tout de suite ! les voilà qu'on jurerait trois sœurs !

Ce mot fut l'étincelle qu'attendait probablement l'autre mère. Elle saisit la main de la Thénardier, la regarda fixement, et lui dit :

– Voulez-vous me garder mon enfant ?

La Thénardier eut un de ces mouvements surpris qui ne sont ni le consentement ni le refus.

La mère de Cosette poursuivit :

– Voyez-vous, je ne peux pas emmener ma fille au pays. L'ouvrage ne le permet pas. Avec un enfant, on ne trouve pas à se placer. Ils sont si ridicules dans ce pays-là. C'est le bon Dieu qui m'a fait passer devant votre auberge. Quand j'ai vu vos petites si jolies et si propres et si contentes, cela m'a bouleversée. J'ai dit : voilà une bonne mère. C'est ça ; ça

—

31. Ravissement.

fera trois sœurs. Et puis, je ne serai pas longtemps à revenir. Voulez-vous me garder mon enfant ?

– Il faudrait voir, dit la Thénardier.

– Je donnerais six francs par mois.

Ici une voix d'homme cria du fond de la gargote :

– Pas à moins de sept francs. Et six mois payés d'avance.

– Six fois sept quarante-deux, dit la Thénardier.

– Je les donnerai, dit la mère.

– Et quinze francs en dehors pour les premiers frais, ajouta la voix d'homme.

– Total cinquante-sept francs, dit la madame Thénardier. Et à travers ces chiffres, elle chantonnait vaguement :

Il le faut, disait un guerrier.

– Je les donnerai, dit la mère, j'ai quatre-vingts francs. Il me restera de quoi aller au pays. En allant à pied. Je gagnerai de l'argent là-bas, et dès que j'en aurai un peu, je reviendrai chercher l'amour.

La voix d'homme reprit :

– La petite a un trousseau[32] ?

– C'est mon mari, dit la Thénardier.

– Sans doute elle a un trousseau, le pauvre trésor. J'ai bien vu que c'était votre mari. Et un beau trousseau encore ! un trousseau insensé. Tout par douzaines ; et des robes de soie comme une dame. Il est là dans mon sac de nuit.

– Il faudra le donner, repartit la voix d'homme.

– Je crois bien que je le donnerai ! dit la mère. Ce serait cela qui serait drôle si je laissais ma fille toute nue !

La face du maître apparut.

– C'est bon, dit-il.

Le marché fut conclu. La mère passa la nuit à l'auberge, donna son argent et laissa son enfant, renoua son sac de nuit

| **32.** Habits et linge donnés à l'enfant.

dégonflé du trousseau et léger désormais, et partit le lendemain matin, comptant revenir bientôt. On arrange tranquillement ces départs-là, mais ce sont des désespoirs.

245   Une voisine des Thénardier rencontra cette mère comme elle s'en allait, et s'en revint en disant :

– Je viens de voir une femme qui pleure dans la rue, que c'est un déchirement.

Quand la mère de Cosette fut partie, l'homme dit à la femme :

250   – Cela va me payer mon effet de cent dix francs qui échoit demain. Il me manquait cinquante francs. Sais-tu que j'aurais eu l'huissier et un protêt[33] ? Tu as fait là une bonne souricière[34] avec tes petites.

– Sans m'en douter, dit la femme.

Première partie « Fantine »,

Livre troisième « En l'année 1817 »,
extraits des chapitres II et III.

Livre quatrième « Confier c'est quelquefois
livrer », extraits du chapitre I.

---

33. Acte dressé par un huissier constatant le refus de payer une somme due.
34. Piège.

Questions

Repérer et analyser

Le parcours de Fantine

Le nom et l'origine sociale

1 **a.** De quel milieu social Fantine est-elle issue ?

b. Pourquoi se prénomme-t-elle ainsi ? Relevez une comparaison qui souligne la part du hasard dans le choix de son prénom (l. 8 à 15).

Le premier portrait

2 **a.** Faites la liste des détails physiques qui constituent le portrait de Fantine (l. 1 à 60). Relevez les termes mélioratifs employés pour caractériser la jeune femme.

b. Quels éléments de son physique constituent sa richesse ? Pour répondre, relevez et expliquez les deux métaphores des lignes 20 à 22.

3 **a.** Dans les lignes 45 à 54, relevez les termes qui renvoient à la sculpture. Quel effet le narrateur cherche-t-il à produire ?

b. À quels personnages féminins de l'Antiquité Fantine est-elle comparée ? Qu'a-t-elle en commun avec eux ?

4 Relevez les éléments qui constituent sa tenue vestimentaire. Quelle impression se dégage ?

Le second portrait

5 **a.** Quels sont les principaux éléments décrits dans ce second portrait (l. 96 à 121) ?

b. Quelles ressemblances et quelles différences voyez-vous entre ce second portrait et le premier ?

c. Comment expliquez-vous ce changement ? Expliquez la comparaison des lignes 113 à 121.

Fantine et son enfant

6 Quel jeune homme Fantine aima-t-elle ? Que dit le narrateur de cette passion ?

7 Comment Cosette est-elle vêtue ? Comparez sa tenue avec celle de Fantine. Qu'en déduisez-vous sur la façon dont Fantine s'occupe de son enfant ?

8 Quel nom Fantine a-t-elle donné à Cosette à sa naissance ? Pourquoi l'a-t-elle changé ?

9 Comment Fantine réagit-elle lorsqu'elle se sépare de Cosette ? Que ressent-elle ?

La rencontre entre Fantine et les Thénardier

Le cadre et les personnages

10 Dans quelle ville et dans quel lieu la rencontre se déroule-t-elle ?

11 **a.** Qui sont les Thénardier ?

b. Quel portrait le narrateur fait-il de Mme Thénardier ? Citez le texte.

Le discours rapporté

> Le narrateur peut rapporter les paroles ou les pensées des personnages selon plusieurs modes :
> – en les citant entre guillemets (discours direct). Ex : « Je viendrai ».
> – en les intégrant à la narration à l'aide d'un verbe introducteur, de parole ou de pensée, suivi d'une conjonction de subordination (style indirect). Ex : Il lui dit qu'il viendrait.

12 **a.** Qui sont les différents interlocuteurs du dialogue l. 125 à 238 ? À quel moment précis M. Thénardier intervient-il ?

b. Quelles informations le dialogue fournit-il au lecteur concernant :

– la demande que Fantine fait aux Thénardier ;

– les sacrifices qu'elle est prête à faire pour sa fille ;

– la mentalité des Thénardier ?

c. Dans quel passage les paroles de Fantine sont-elles rapportées au style indirect ? Quel est l'intérêt de cet emploi ?

d. Comment Fantine justifie-t-elle sa démarche auprès des Thénardier ?

e. Comment Fantine modifie-t-elle son histoire ? Pourquoi le fait-elle ?

Le monde de l'enfance

13 **a.** Qui sont les enfants présents dans cette scène ? Quel âge ont-ils ?

b. À quoi jouent-ils ?

c. Relevez les commentaires du narrateur qui montrent qu'il connaît bien les enfants. Quels sentiments éprouve-t-il à leur égard ?

Les hypothèses de lecture

14 **a.** En quoi ce passage est-il un moment important du roman ?
b. Quel avenir se dessine pour Cosette ? pour Fantine ?
c. Quel pourra être le rôle des Thénardier ?

Étudier la langue

Vocabulaire : les suffixes péjoratifs

15 **a.** Comment est formé le mot « hommasse » (l. 136) ?
b. Formez à l'aide d'un suffixe (-asse, -âtre, -ard-, -aille) les termes
péjoratifs correspondant aux mots :

– fade	– cailloux
– blanc	– flemme
– tiède	– douce
– papier	– trouille

Écrire

Exercice de réécriture

16 Réécrivez au style direct le passage des lignes 146 à 153 en
effectuant les modifications qui s'imposent.
Vous pourrez commencer ainsi :
Fantine raconta son histoire : « Je…. ».

Jeux d'enfants

17 Vous regardez un ou plusieurs enfants jouer.
Décrivez-le(s) en quelques lignes.
Consignes d'écriture :
– précisez les circonstances ;
– décrivez le jeu, les attitudes et les expressions, citez les paroles
échangées ;
– introduisez quelques commentaires.

Texte 5 – M. Madeleine

« L'enfant grandit, et sa misère aussi... »

PARTIE 1, LIVRE QUATRIÈME

III. L'Alouette

Cosette n'a pas encore cinq ans quand elle devient la servante martyre des Thénardier...

Il ne suffit pas d'être méchant pour prospérer[1]. La gargote[2] allait mal.

Grâce aux cinquante-sept francs de la voyageuse, Thénardier avait pu éviter un protêt[3] et faire honneur à sa signature[4]. Le
5   mois suivant ils eurent encore besoin d'argent ; la femme porta à Paris et engagea au Mont-de-Piété[5] le trousseau de Cosette pour une somme de soixante francs. Dès que cette somme fut dépensée, les Thénardier s'accoutumèrent à ne plus voir dans la petite fille qu'un enfant qu'ils avaient chez eux par charité,
10 et la traitèrent en conséquence. Comme elle n'avait plus de trousseau[6], on l'habilla des vieilles jupes et des vieilles chemises des petites Thénardier, c'est-à-dire de haillons. On la nourrit des restes de tout le monde, un peu mieux que le chien et un peu plus mal que le chat. Le chat et le chien étaient du reste
15 ses commensaux[7] habituels ; Cosette mangeait avec eux sous la table dans une écuelle de bois pareille à la leur.

---

1. S'enrichir.
2. Voir la note 16, page 62.
3. Voir la note 33, page 68.
4. Payer en temps voulu en respectant l'engagement signé.

5. Établissement de crédit où l'on prête de l'argent contre des biens remis pour garantir la dette.
6. Voir la note 32, page 67.
7. Compagnons de table.

La mère qui s'était fixée, comme on le verra plus tard, à Montreuil-sur-mer, écrivait, ou, pour mieux dire, faisait écrire tous les mois afin d'avoir des nouvelles de son enfant. Les Thénardier répondaient invariablement : Cosette est à merveille.

Les six premiers mois révolus, la mère envoya sept francs pour le septième mois, et continua assez exactement ses envois de mois en mois. L'année n'était pas finie que Thénardier dit : – Une belle grâce qu'elle nous fait là ! que veut-elle que nous fassions avec ses sept francs ? Et il écrivit pour exiger douze francs. La mère, à laquelle ils persuadaient que son enfant était heureuse « et venait bien[8] », se soumit et envoya les douze francs.

Certaines natures ne peuvent aimer d'un côté sans haïr de l'autre. La mère Thénardier aimait passionnément ses deux filles à elle, ce qui fit qu'elle détesta l'étrangère. Il est triste de songer que l'amour d'une mère peut avoir de vilains aspects. Si peu de place que Cosette tînt chez elle, il lui semblait que cela était pris aux siens, et que cette petite diminuait l'air que ses filles respiraient. Cette femme, comme beaucoup de femmes de sa sorte, avait une somme de caresses et une somme de coups et d'injures à dépenser chaque jour. Si elle n'avait pas eu Cosette, il est certain que ses filles, tout idôlatrées qu'elles étaient, auraient tout reçu ; mais l'étrangère leur rendit le service de détourner les coups sur elle. Ses filles n'eurent que les caresses. Cosette ne faisait pas un mouvement qui ne fît pleuvoir sur sa tête une grêle de châtiments violents et immérités. Doux être faible qui ne devait rien comprendre à ce monde ni à Dieu, sans cesse punie, grondée, rudoyée, battue et voyant à côté d'elle deux petites créatures comme elle, qui vivaient dans un rayon d'aurore !

| **8.** Grandissait bien.

La Thénardier étant méchante pour Cosette, Éponine et Azelma furent méchantes. Les enfants, à cet âge, ne sont que des exemplaires de la mère. Le format est plus petit, voilà tout.

Une année s'écoula, puis une autre.

On disait dans le village :

– Ces Thénardier sont de braves gens. Ils ne sont pas riches, et ils élèvent un pauvre enfant qu'on leur a abandonné chez eux !

On croyait Cosette oubliée par sa mère.

Cependant le Thénardier, ayant appris par on ne sait quelles voies obscures que l'enfant était probablement bâtard et que la mère ne pouvait l'avouer, exigea quinze francs par mois, disant que « la créature » grandissait et « *mangeait* », et menaçant de la renvoyer. « Qu'elle ne m'embête pas ! s'écriait-il, je lui bombarde[9] son mioche tout au beau milieu de ses cachotteries. Il me faut de l'augmentation. » La mère paya les quinze francs.

D'année en année, l'enfant grandit, et sa misère aussi.

Tant que Cosette fut toute petite, elle fut le souffre-douleur des deux autres enfants ; dès qu'elle se mit à se développer un peu, c'est-à-dire avant même qu'elle eût cinq ans, elle devint la servante de la maison.

Cinq ans, dira-t-on, c'est invraisemblable. Hélas, c'est vrai. La souffrance sociale commence à tout âge. N'avons-nous pas vu, récemment, le procès d'un nommé Dumolard, orphelin devenu bandit, qui, dès l'âge de cinq ans, disent les documents officiels, étant seul au monde « travaillait pour vivre, et volait ».

On fit faire à Cosette les commissions, balayer les chambres, la cour, la rue, laver la vaisselle, porter même des fardeaux.

Émile-Antoine Bayard (1837-1891) : Cosette. Éditions Hugues, musée Victor-Hugo, Paris.

Les Thénardier se crurent d'autant plus autorisés à agir ainsi
80 que la mère qui était toujours à Montreuil-sur-mer commença
à mal payer. Quelques mois restèrent en souffrance[10].

Si cette mère fût revenue à Montfermeil au bout de ces trois
années, elle n'eût point reconnu son enfant. Cosette, si jolie
et si fraîche à son arrivée dans cette maison, était maintenant
85 maigre et blême. Elle avait je ne sais quelle allure inquiète.
Sournoise ! disaient les Thénardier.

L'injustice l'avait faite hargneuse et la misère l'avait rendue
laide. Il ne lui restait plus que ses beaux yeux qui faisaient
peine, parce que, grands comme ils étaient, il semblait qu'on
90 y vît une plus grande quantité de tristesse.

C'était une chose navrante de voir, l'hiver, ce pauvre enfant,
qui n'avait pas encore six ans, grelottant sous de vieilles loques
de toile trouées, balayer la rue avant le jour avec un énorme
balai dans ses petites mains rouges et une larme dans ses
95 grands yeux.

Dans le pays on l'appelait l'Alouette. Le peuple, qui aime
les figures, s'était plu à nommer de ce nom ce petit être pas
plus gros qu'un oiseau, tremblant, effarouché et frissonnant,
éveillé le premier chaque matin dans la maison et dans le
100 village, toujours dans la rue ou dans les champs avant l'aube.

Seulement la pauvre Alouette ne chantait jamais.

| **10.** Impayés.

PARTIE 1, LIVRE CINQUIÈME

I. Histoire d'un progrès dans les verroteries noires

Fantine a trouvé du travail à Montreuil-sur-mer…

Cette mère cependant qui, au dire des gens de Montfermeil, semblait avoir abandonné son enfant, que devenait-elle ? où était-elle ? que faisait-elle ?

5   Après avoir laissé sa petite Cosette aux Thénardier, elle avait continué son chemin et était arrivée à Montreuil-sur-mer.

C'était, on se le rappelle, en 1818.

Fantine avait quitté sa province depuis une dizaine d'années. Montreuil-sur-mer avait changé d'aspect. Tandis que Fantine
10   descendait lentement de misère en misère, sa ville natale avait prospéré.

Depuis deux ans environ, il s'y était accompli un de ces faits industriels qui sont les grands événements des petits pays.

Ce détail importe, et nous croyons utile de le développer ;
15   nous dirions presque, de le souligner.

De temps immémorial[11], Montreuil-sur-mer avait pour industrie spéciale l'imitation des jais[12] anglais et des verroteries noires[13] d'Allemagne. Cette industrie avait toujours végété[14], à cause de la cherté des matières premières qui réagissait sur
20   la main-d'œuvre. Au moment où Fantine revint à Montreuil-sur-Mer, une transformation inouïe s'était opérée dans cette production des « articles noirs ». Vers la fin de 1815, un homme, un inconnu, était venu s'établir dans la ville et avait eu l'idée de substituer, dans cette fabrication, la gomme laque à la
25   résine et, pour les bracelets en particulier, les coulants[15] en

---

11. Si ancien qu'il n'en reste aucun souvenir.
12. Pierres noires et brillantes.

13. Petits ouvrages en verre travaillé.
14. Ne s'était pas enrichie.
15. Sorte d'anneau.

tôle simplement rapprochée aux coulants en tôle soudée. Ce tout petit changement avait été une révolution.

Ce tout petit changement en effet avait prodigieusement réduit le prix de la matière première, ce qui avait permis, première-
130 ment, d'élever le prix de la main-d'œuvre, bienfait pour le pays ; deuxièmement, d'améliorer la fabrication, avantage pour le consommateur ; troisièmement, de vendre à meilleur marché tout en triplant le bénéfice, profit pour le manufacturier[16].

Ainsi pour une idée trois résultats.

135 En moins de trois ans, l'auteur de ce procédé était devenu riche, ce qui est bien, et avait tout fait riche autour de lui, ce qui est mieux. Il était étranger au département. De son origine, on ne savait rien ; de ses commencements, peu de chose.

On contait qu'il était venu dans la ville avec fort peu d'argent,
140 quelques centaines de francs tout au plus.

C'est de ce mince capital, mis au service d'une idée ingénieuse, fécondé par l'ordre et par la pensée, qu'il avait tiré sa fortune et la fortune de tout ce pays.

À son arrivée à Montreuil-sur-mer, il n'avait que les vête-
145 ments, la tournure[17] et le langage d'un ouvrier.

Il paraît que, le jour même où il faisait obscurément son entrée dans la petite ville de Montreuil-sur-mer, à la tombée d'un soir de décembre, le sac au dos et le bâton d'épine à la main, un gros incendie venait d'éclater à la maison commune.
150 Cet homme s'était jeté dans le feu, et avait sauvé, au péril de sa vie, deux enfants qui se trouvaient être ceux du capitaine de gendarmerie ; ce qui fait qu'on n'avait pas songé à lui demander son passeport. Depuis lors, on avait su son nom. Il s'appelait *le père Madeleine*.

| **16.** Patron. | **17.** L'allure.

II. Madeleine

55 C'était un homme d'environ cinquante ans, qui avait l'air préoccupé et qui était bon. Voilà tout ce qu'on en pouvait dire.

Grâce aux progrès rapides de cette industrie qu'il avait si admirablement remaniée, Montreuil-sur-mer était devenu un centre d'affaires considérable. L'Espagne, qui consomme 60 beaucoup de jais noir, y commandait chaque année des achats immenses. Montreuil-sur-mer, pour ce commerce, faisait presque concurrence à Londres et à Berlin. Les bénéfices du père Madeleine étaient tels que, dès la deuxième année, il avait pu bâtir une grande fabrique dans laquelle il y avait 65 deux vastes ateliers, l'un pour les hommes, l'autre pour les femmes. Quiconque avait faim pouvait s'y présenter, et était sûr de trouver là de l'emploi et du pain. Le père Madeleine demandait aux hommes de la bonne volonté, aux femmes des mœurs pures, à tous de la probité[18]. Il avait divisé les 70 ateliers afin de séparer les sexes et que les filles et les femmes pussent rester sages. Sur ce point, il était inflexible. C'était le seul où il fût en quelque sorte intolérant. Il était d'autant plus fondé à cette sévérité que, Montreuil-sur-mer étant une ville de garnison[19], les occasions de corruption abondaient. 75 Du reste sa venue avait été un bienfait, et sa présence était une providence. Avant l'arrivée du père Madeleine, tout languissait dans le pays ; maintenant tout y vivait de la vie saine du travail. Une forte circulation échauffait tout et pénétrait partout. Le chômage et la misère étaient inconnus. Il n'y avait pas 80 de poche si obscure où il n'y eût un peu d'argent, pas de logis si pauvre où il n'y eût un peu de joie.

Le père Madeleine employait tout le monde. Il n'exigeait qu'une chose : soyez honnête homme ! soyez honnête fille !

| **18.** Honnêteté. | **19.** Ville dans laquelle séjournent des troupes militaires.

Comme nous l'avons dit, au milieu de cette activité dont il
185 était la cause et le pivot, le père Madeleine faisait sa fortune,
mais, chose assez singulière dans un simple homme de
commerce, il ne paraissait point que ce fût là son principal
souci. Il semblait qu'il songeât beaucoup aux autres et peu à
lui. En 1820, on lui connaissait une somme de six cent trente
190 mille francs placée à son nom chez Laffitte ; mais avant de
se réserver ces six cent trente mille francs, il avait dépensé
plus d'un million pour la ville et pour les pauvres.

L'hôpital était mal doté ; il y avait fondé dix lits. Montreuil-
sur-mer est divisé en ville haute et ville basse. La ville basse, qu'il
195 habitait, n'avait qu'une école, méchante masure qui tombait
en ruine ; il en avait construit deux, une pour les filles, l'autre
pour les garçons. Il allouait[20] de ses deniers aux deux institu-
teurs une indemnité double de leur maigre traitement officiel,
et un jour, à quelqu'un qui s'en étonnait, il dit : « Les deux
200 premiers fonctionnaires de l'état, c'est la nourrice et le maître
d'école. » Il avait créé à ses frais une salle d'asile, chose alors
presque inconnue en France, et une caisse de secours pour les
ouvriers vieux et infirmes. Sa manufacture étant un centre,
un nouveau quartier où il y avait bon nombre de familles
205 indigentes[21] avait rapidement surgi autour de lui ; il y avait
établi une pharmacie gratuite.

[…]

Première partie « Fantine »,

Livre quatrième « Confier, c'est
quelquefois livrer », chapitre III.

Livre cinquième « La descente »,
chapitre I et extraits du chapitre II.

| **20.** Donnait. | **21.** très pauvres.

Questions

Repérer et analyser

Le cadre

1 Rappelez dans quelle ville et en quel lieu habitent les Thénardier.

2 **a.** Dans quelle ville Fantine se trouve-t-elle pendant que Cosette est chez les Thénardier ?

b. En quelle année est-elle arrivée dans cette ville (l. 101 à 115) ?

c. En quoi la ville a-t-elle changé d'aspect (l. 112 à 133) ?

Le parcours de Cosette

L'enfant martyre

3 Combien d'années se sont écoulées depuis l'arrivée de Cosette ? Quel âge a-t-elle maintenant ? Pourquoi le narrateur insiste-t-il sur ce point (l. 48 à 70) ?

4 **a.** Montrez en citant le texte que les Thénardier assimilent Cosette à un animal (l. 3 à 16).

b. Quels mauvais traitements Cosette subit-elle chez les Thénardier ?

5 Quel comportement les filles Thénardier ont-elles avec Cosette? Sur qui prennent-elles exemple ?

Les commentaires du narrateur

6 Quels sentiments le narrateur exprime-t-il concernant Cosette (l. 91 à 95) ? Appuyez-vous sur des adjectifs précis.

7 Quel est le surnom donné à Cosette ? Quelle explication le narrateur donne-t-il de ce surnom ? Quelle restriction formule-t-il ?

Fantine et les Thénardier

8 **a.** Pour quelles raisons Fantine croit-elle qu'il n'y a pas lieu de s'inquiéter à propos de Cosette (l. 17 à 29) ?

b. Quel problème finit-elle par rencontrer (l. 57 à 81) ?

9 **a.** Par quel besoin constant des Thénardier le texte est-il rythmé (l. 1 à 81) ? Justifiez votre réponse.

b. Sous quels prétextes extorquent-ils de l'argent à Fantine ?

c. Quelle découverte les pousse à exiger d'elle davantage d'argent ? Quelle finit par en être la conséquence ?

Un plaidoyer contre la misère

Le mot « misérable » a chez Hugo une double signification : il désigne à la fois les pauvres et les malfaiteurs ; selon lui, ces deux catégories son liées car, dit-il, la misère pousse au crime ou tout au moins l'explique.

10 a. Quels sont les effets de la misère selon Hugo (l. 71 à 76) ?

b. Quel exemple le narrateur donne-t-il ? En quoi est-il au service de la thèse d'Hugo, selon laquelle la misère et le crime vont souvent de pair ?

11 Montrez que Cosette est victime du déterminisme social (notion définie p. 47). Pour répondre :

– relevez dans les lignes 91 à 95 les adjectifs qui s'opposent ;

– dites quelles sont les conséquences de l'injustice et de la misère sur l'aspect physique et moral de Cosette (citez le texte).

Le parcours de Jean Valjean

Son identité

12 Relevez les mots et expressions qui désignent le père Madeleine dans les lignes 122 à 137. Quel point de vue le narrateur adopte-t-il pour parler de lui ?

13 a. Que savent les habitants de Montreuil-sur-mer du passé du personnage ?

b. Comment ont-ils appris son nom ? Ce nom a-t-il pu être vérifié ?

c. La symbolique du nom est particulièrement importante dans *Les Misérables*, car le nom définit le personnage. Que symbolise donc le nom de « Madeleine » ? (Pour vous aider : Marie-Madeleine est un personnage biblique qui apparaît dans le Nouveau Testament. Prostituée repentie, elle fut sauvée de la lapidation par Jésus.)

L'ascension sociale

14 a. À quelle catégorie sociale le père Madeleine appartenait-il lors de son arrivée à Montreuil-sur-mer ? Citez le texte.

b. Par quel moyen et en combien de temps a-t-il fait fortune ?

c. Quelle est la phase finale de son ascension sociale ?

Un bienfaiteur de l'humanité

15 Quelle unique qualité le père Madeleine exige-t-il de ses ouvriers ?

16 Le père Madeleine cherche-t-il à s'enrichir pour lui-même ?

Les hypothèses de lecture

17 Le lecteur peut-il deviner qui est réellement M. Madeleine ?

18 Que va-t-il advenir selon vous de Fantine ?

Étudier la langue

Conjugaison : le verbe balayer

19 « C'était une chose navrante de voir, l'hiver, ce pauvre enfant [...] balayer la rue avant le jour. » (l. 91 à 95)

Conjuguez le verbe balayer à la 1re et à la 3e personne du singulier et à la 1re personne du pluriel (je/elle/nous), à l'indicatif présent, à l'imparfait, et au futur.

Vocabulaire : le portrait de Cosette

20 « Cosette, si jolie et si fraîche à son arrivée dans cette maison, était maintenant maigre et blême. » (l. 83 à 85)

a. Trouvez les trois intrus parmi les adjectifs suivants, et justifiez votre réponse : *frêle, fluette, mince, chétive, potelée, menue, décharnée, osseuse, squelettique, robuste, solide, forte.*

b. Classez les adjectifs suivants, qualifiant le teint, en deux champs lexicaux opposés : *blême, éclatant, frais, pâle, livide, blafard, hâlé, gris, coloré, terne, rose, de pêche, de papier mâché.*

Écrire

Écrire un récit d'imagination

21 « Si cette mère fût revenue à Montfermeil au bout de ces trois années, elle n'eût point reconnu son enfant. » (l. 82-83)

Fantine vient faire une visite aux Thénardier, sans les avoir prévenus. Imaginez les retrouvailles avec Cosette.

Consignes d'écriture :

– votre récit sera à la 3e personne ;

– décrivez Cosette telle que la voit Fantine à son arrivée ;

– imaginez le dialogue entre la mère et l'enfant puis entre Fantine et les Thénardier, en tenant compte de la situation des personnages.

Texte 6 – L'accident du père Fauchelevent

« L'œil de faucon de Javert... »

V. Vagues éclairs à l'horizon

M. Madeleine, qui multiplie les bonnes actions, est devenu maire. Sa bonté, sa générosité, sa disponibilité lui valent le respect « complet, unanime, cordial » de ses concitoyens...

[...]

Un seul homme, dans la ville et dans l'arrondissement, se déroba absolument à cette contagion[1], et, quoi que fît le père Madeleine, y demeura rebelle, comme si une sorte d'instinct,
5 incorruptible et imperturbable, l'éveillait et l'inquiétait. Il semblerait en effet qu'il existe dans certains hommes un véritable instinct bestial, pur et intègre comme tout instinct, qui crée les antipathies[2] et les sympathies, qui sépare fatalement une nature d'une autre nature, qui n'hésite pas, qui ne se trouble, ne se tait
10 et ne se dément jamais, clair dans son obscurité, infaillible[3], impérieux[4], réfractaire[5] à tous les conseils de l'intelligence et à tous les dissolvants de la raison[6], et qui, de quelque façon que les destinées soient faites, avertit secrètement l'homme-chien de la présence de l'homme-chat, et l'homme-renard de
15 la présence de l'homme-lion.

Souvent, quand M. Madeleine passait dans une rue, calme, affectueux, entouré des bénédictions de tous, il arrivait qu'un homme de haute taille, vêtu d'une redingote gris de fer, armé d'une grosse canne et coiffé d'un chapeau rabattu,

---

1. Il s'agit de la sympathie et du respect suscités par monsieur Madeleine.
2. Haines.
3. Qui ne se trompe pas.

4. Voir la note 46, page 40.
5. Rebelle.
6. À tout ce qui détruit la raison.

se retournait brusquement derrière lui, et le suivait des yeux jusqu'à ce qu'il eût disparu, croisant les bras, secouant lentement la tête, et haussant sa lèvre supérieure avec sa lèvre inférieure jusqu'à son nez, sorte de grimace significative qui pourrait se traduire par : « Mais qu'est-ce que c'est que cet homme-là ? – Pour sûr je l'ai vu quelque part. – En tout cas, je ne suis toujours pas sa dupe[7]. »

Ce personnage, grave d'une gravité presque menaçante, était de ceux qui, même rapidement entrevus, préoccupent l'observateur.

Il se nommait Javert, et il était de la police.

Il remplissait à Montreuil-sur-mer les fonctions pénibles, mais utiles, d'inspecteur. Il n'avait pas vu les commencements de Madeleine. Javert devait le poste qu'il occupait à la protection de M. Chabouillet, le secrétaire du ministre d'état comte Anglès, alors préfet de police à Paris. Quand Javert était arrivé à Montreuil-sur-mer, la fortune du grand manufacturier[8] était déjà faite, et le père Madeleine était devenu monsieur Madeleine.

[...]

Javert était né dans une prison d'une tireuse de cartes dont le mari était aux galères. En grandissant, il pensa qu'il était en dehors de la société et désespéra d'y rentrer jamais. Il remarqua que la société maintient irrémissiblement[9] en dehors d'elle deux classes d'hommes, ceux qui l'attaquent et ceux qui la gardent ; il n'avait le choix qu'entre ces deux classes ; en même temps il se sentait je ne sais quel fond de rigidité, de régularité et de probité[10], compliqué d'une inexprimable haine pour cette race de bohèmes[11] dont il était. Il entra dans la police.

---

7. Victime de tromperies.
8. Voir la note 16, page 78.
9. De manière impardonnable.

10. Honnêteté.
11. Bohémiens, gitans.

50   Il y réussit. À quarante ans il était inspecteur.

Il avait dans sa jeunesse été employé dans les chiourmes[12] du midi.

Avant d'aller plus loin, entendons-nous sur ce mot face humaine que nous appliquions tout à l'heure à Javert.

55   La face humaine de Javert consistait en un nez camard[13], avec deux profondes narines vers lesquelles montaient sur ses deux joues d'énormes favoris[14]. On se sentait mal à l'aise la première fois qu'on voyait ces deux forêts et ces deux cavernes. Quand Javert riait, ce qui était rare et terrible, ses
60   lèvres minces s'écartaient, et laissaient voir, non seulement ses dents, mais ses gencives, et il se faisait autour de son nez un plissement épaté et sauvage comme sur un mufle de bête fauve. Javert sérieux était un dogue ; lorsqu'il riait, c'était un tigre. Du reste, peu de crâne, beaucoup de mâchoire, les
65   cheveux cachant le front et tombant sur les sourcils, entre les deux yeux un froncement central permanent comme une étoile de colère, le regard obscur, la bouche pincée et redou-table, l'air du commandement féroce.

Cet homme était composé de deux sentiments très simples,
70   et relativement très bons, mais qu'il faisait presque mauvais à force de les exagérer : le respect de l'autorité, la haine de la rébellion ; et à ses yeux le vol, le meurtre, tous les crimes, n'étaient que des formes de la rébellion. Il enveloppait dans une sorte de foi aveugle et profonde tout ce qui a une fonc-
75   tion dans l'état, depuis le premier ministre jusqu'au garde champêtre[15]. Il couvrait de mépris, d'aversion[16] et de dégoût tout ce qui avait franchi une fois le seuil légal du mal. Il était absolu et n'admettait pas d'exceptions. D'une part il disait :

---

12. Les bagnes.
13. Aplati.
14. Partie de la barbe qu'on laisse pousser de chaque côté du visage.

15. Agent municipal faisant respecter les règlements de la police rurale.
16. Haine.

– Le fonctionnaire ne peut se tromper ; le magistrat n'a jamais tort. – D'autre part il disait : – Ceux-ci sont irrémédiablement[17] perdus. Rien de bon n'en peut sortir. – Il partageait pleinement l'opinion de ces esprits extrêmes qui attribuent à la loi humaine je ne sais quel pouvoir de faire ou, si l'on veut, de constater des damnés, et qui mettent un Styx[18] au bas de la société. Il était stoïque[19], sérieux, austère[20] ; rêveur triste ; humble et hautain[21] comme les fanatiques. Son regard était une vrille. Cela était froid et cela perçait. Toute sa vie tenait dans ces deux mots : veiller et surveiller. Il avait introduit la ligne droite dans ce qu'il y a de plus tortueux au monde ; il avait la conscience de son utilité, la religion de ses fonctions, et il était espion comme on est prêtre. Malheur à qui tombait sous sa main ! Il eût arrêté son père s'évadant du bagne et dénoncé sa mère en rupture de ban[22]. Et il l'eût fait avec cette sorte de satisfaction intérieure que donne la vertu. Avec cela une vie de privations, l'isolement, l'abnégation[23], la chasteté, jamais une distraction. C'était le devoir implacable, la police comprise comme les Spartiates comprenaient Sparte[24], un guet[25] impitoyable, une honnêteté farouche, un mouchard marmoréen[26], Brutus[27] dans Vidocq[28].

[...]

Javert était comme un œil toujours fixé sur M. Madeleine. Œil plein de soupçon et de conjectures[29]. M. Madeleine avait fini par s'en apercevoir, mais il sembla que cela fût insigni-

---

17. Définitivement.
18. Dans la mythologie grecque, l'un des fleuves des Enfers.
19. D'une grande fermeté.
20. Sévère.
21. D'une fierté méprisante.
22. En infraction avec la loi.
23. Le sacrifice de soi.
24. Allusion à la sévère éducation guerrière des habitants de cette ville grecque dans l'Antiquité.
25. Surveillance.
26. Un espion d'une froideur comparable à celle du marbre.
27. Homme politique de l'Antiquité romaine. Il poignarda César, qui le considérait comme son propre fils, en 44 av. J.-C.
28. Bagnard évadé, il devint espion de la police (1809), puis chef de la Sûreté.
29. Hypothèses.

fiant pour lui. Il ne fit pas même une question à Javert, il ne
105 le cherchait ni ne l'évitait, et il portait, sans paraître y faire
attention, ce regard gênant et presque pesant. Il traitait Javert
comme tout le monde, avec aisance et bonté.

[...]

Javert était évidemment quelque peu déconcerté[30] par le
110 complet naturel et la tranquillité de M. Madeleine.

Un jour pourtant son étrange manière d'être parut faire
impression sur M. Madeleine. Voici à quelle occasion.

VI. Le père Fauchelevent

M. Madeleine passait un matin dans une ruelle non pavée
de Montreuil-sur-mer. Il entendit du bruit et vit un groupe à
115 quelque distance. Il y alla. Un vieux homme, nommé le père
Fauchelevent, venait de tomber sous sa charrette dont le cheval
s'était abattu.

Ce Fauchelevent était un des rares ennemis qu'eût encore
M. Madeleine à cette époque. Lorsque Madeleine était arrivé
120 dans le pays, Fauchelevent, ancien tabellion[31] et paysan
presque lettré, avait un commerce qui commençait à aller
mal. Fauchelevent avait vu ce simple ouvrier qui s'enrichissait,
tandis que lui, maître, se ruinait. Cela l'avait rempli de jalousie,
et il avait fait ce qu'il avait pu en toute occasion pour nuire à
125 Madeleine. Puis la faillite était venue, et, vieux, n'ayant plus à
lui qu'une charrette et un cheval, sans famille et sans enfants
du reste, pour vivre il s'était fait charretier.

Le cheval avait les deux cuisses cassées et ne pouvait se
relever. Le vieillard était engagé entre les roues. La chute
130 avait été tellement malheureuse que toute la voiture pesait
sur sa poitrine. La charrette était assez lourdement chargée.

| **30.** Troublé. | **31.** Officier qui aide un notaire.

Le père Fauchelevent poussait des râles lamentables. On avait essayé de le tirer, mais en vain. Un effort désordonné, une aide maladroite, une secousse à faux pouvaient l'achever. Il était impossible de le dégager autrement qu'en soulevant la voiture par-dessous. Javert, qui était survenu au moment de l'accident, avait envoyé cherché un cric.

M. Madeleine arriva. On s'écarta avec respect.

– À l'aide ! criait le vieux Fauchelevent. Qui est-ce qui est bon enfant pour sauver le vieux ?

M. Madeleine se tourna vers les assistants :

– A-t-on un cric ?

– On en est allé quérir[32] un, répondit un paysan.

– Dans combien de temps l'aura-t-on ?

– On est allé au plus près, au lieu Flachot, où il y a un maré-chal[33] ; mais c'est égal, il faudra bien un bon quart d'heure.

– Un quart d'heure ! s'écria Madeleine.

Il avait plu la veille, le sol était détrempé, la charrette s'enfon-çait dans la terre à chaque instant et comprimait de plus en plus la poitrine du vieux charretier. Il était évident qu'avant cinq minutes il aurait les côtes brisées.

– Il est impossible d'attendre un quart d'heure, dit Madeleine aux paysans qui regardaient.

– Il faut bien !

– Mais il ne sera plus temps ! Vous ne voyez donc pas que la charrette s'enfonce ?

– Dame !

– Écoutez, reprit Madeleine, il y a encore assez de place sous la voiture pour qu'un homme s'y glisse et la soulève avec son dos. Rien qu'une demi-minute, et l'on tirera le pauvre homme. Y a-t-il ici quelqu'un qui ait des reins et du cœur ? Cinq louis d'or à gagner !

| **32.** Chercher. | **33.** Maréchal-ferrant, qui ferre les chevaux.

Personne ne bougea dans le groupe.

– Dix louis, dit Madeleine.

165 Les assistants baissaient les yeux. Un d'eux murmura :

– Il faudrait être diablement fort. Et puis, on risque de se faire écraser !

– Allons ! recommença Madeleine, vingt louis !

Même silence.

170 – Ce n'est pas la bonne volonté qui leur manque, dit une voix.

M. Madeleine se retourna, et reconnut Javert. Il ne l'avait pas aperçu en arrivant.

Javert continua :

– C'est la force. Il faudrait être un terrible homme pour faire 175 la chose de lever une voiture comme cela sur son dos.

Puis, regardant fixement M. Madeleine, il poursuivit en appuyant sur chacun des mots qu'il prononçait :

– Monsieur Madeleine, je n'ai jamais connu qu'un seul homme capable de faire ce que vous demandez là.

180 Madeleine tressaillit.

Javert ajouta avec un air d'indifférence, mais sans quitter des yeux Madeleine :

– C'était un forçat.

– Ah ! dit Madeleine.

185 – Du bagne de Toulon.

Madeleine devint pâle.

Cependant la charrette continuait à s'enfoncer lentement. Le père Fauchelevent râlait et hurlait :

– J'étouffe ! Ça me brise les côtes ! Un cric ! quelque chose ! 190 Ah !

Madeleine regarda autour de lui :

– Il n'y a donc personne qui veuille gagner vingt louis et sauver la vie à ce pauvre vieux ?

Aucun des assistants ne remua. Javert reprit :

195 – Je n'ai jamais connu qu'un homme qui pût remplacer un cric. C'était ce forçat.

– Ah ! voilà que ça m'écrase ! cria le vieillard.

Madeleine leva la tête, rencontra l'œil de faucon de Javert toujours attaché sur lui, regarda les paysans immobiles, et sourit tristement. Puis, sans dire une parole, il tomba à genoux, et avant même que la foule eût eu le temps de jeter un cri, il était sous la voiture.

Il y eut un affreux moment d'attente et de silence.

On vit Madeleine presque à plat ventre sous ce poids effrayant essayer deux fois en vain de rapprocher ses coudes de ses genoux. On lui cria : – Père Madeleine ! retirez-vous de là ! – Le vieux Fauchelevent lui-même lui dit : – Monsieur Madeleine ! allez-vous-en ! C'est qu'il faut que je meure, voyez-vous ! Laissez-moi ! Vous allez vous faire écraser aussi ! – Madeleine ne répondit pas.

Les assistants haletaient. Les roues avaient continué de s'enfoncer, et il était déjà devenu presque impossible que Madeleine sortît de dessous la voiture.

Tout à coup on vit l'énorme masse s'ébranler, la charrette se soulevait lentement, les roues sortaient à demi de l'ornière. On entendit une voix étouffée qui criait : Dépêchez-vous ! aidez ! C'était Madeleine qui venait de faire un dernier effort.

Ils se précipitèrent. Le dévouement d'un seul avait donné de la force et du courage à tous. La charrette fut enlevée par vingt bras. Le vieux Fauchelevent était sauvé.

Madeleine se releva. Il était blême, quoique ruisselant de sueur. Ses habits étaient déchirés et couverts de boue. Tous pleuraient. Le vieillard lui baisait les genoux et l'appelait le bon Dieu. Lui, il avait sur le visage je ne sais quelle expression de souffrance heureuse et céleste, et il fixait son œil tranquille sur Javert qui le regardait toujours.

Première partie « Fantine », Livre cinquième
« La descente », extraits des chapitres V et VI.

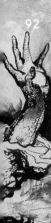

Questions

Repérer et analyser

Le portrait de Javert

Portrait physique

1 Quelle première image le narrateur donne-t-il de Javert (l. 16 à 29) ?

2 **a.** À quels animaux est-il assimilé (l. 55 à 68) ? Appuyez-vous sur les métaphores et les comparaisons.

b. Quelle est la symbolique des dents ?

3 Quels termes caractérisent son regard (l. 85 à 88 ; 198 à 202) ? Quels aspects du personnage ces termes mettent-ils en valeur ?

Portrait moral

4 Quels sentiments le commissaire Javert éprouve-t-il à l'égard de ceux qui ont commis le mal ? Quelle certitude a-t-il les concernant ces derniers ?

5 **a.** Toute la vie de Javert tenait dans deux mots : lesquels ?

b. Relevez une phrase qui montre que Javert considère sa fonction comme une religion.

c. Jusqu'à quelle extrémité peut aller le fanatisme de Javert ?

Le déterminisme social

6 Dans quel lieu et de quels parents Javert est-il né ?

7 **a.** Quelles sont pour lui les deux classes d'hommes exclues par la société ?

b. À quelle classe d'exclus Javert appartient-il de par sa naissance ?

c. Pourquoi Javert entre-t-il dans la police ?

Le parcours de Jean Valjean

Un acte héroïque

8 **a.** Qui est Fauchelevent ?

b. Quelle relation Fauchelevent entretient-il avec M. Madeleine avant son accident?

9 **a.** De quel accident Fauchelevent est-il victime ?

b. Quels éléments rendent le sauvetage du père Fauchelevent particulièrement difficile ?

10 **a.** Pourquoi M. Madeleine propose-t-il d'abord de l'argent avant d'agir lui-même ?

b. Pourquoi finit-il par se décider ?

c. De quelle qualité Jean Valjean fait-il preuve en accomplissant le sauvetage ?

d. Quelle est alors la réaction de ceux qui assistent à la scène ? Citez le texte.

11 Comment Fauchelevent considère-t-il Jean Valjean désormais ?

12 L'oxymore

L'oxymore est une figure de style qui consiste en une alliance de deux termes contradictoires. Ex : un jeune vieillard.

Expliquez l'oxymore appliqué à Jean Valjean : « Lui, il avait sur le visage je ne sais quelle expression de souffrance heureuse et céleste […]. » (l. 225)

Jean Valjean et Javert

13 **a.** Comment Javert fait-il savoir à Jean Valjean qu'il l'a reconnu (l. 170 à 186) ?

b. Quelle est la réaction de M. Madeleine à ses propos concernant le forçat ?

14 **a.** Montrez, en citant le texte, que le dialogue entre M. Madeleine et Javert se fait par le regard (l. 176 à 226).

b. En quoi le jeu de regard s'apparente-t-il à un duel ? Qui, de Jean Valjean ou de Javert, a le dessus?

c. Pourquoi Javert ne peut-il dénoncer Jean Valjean ?

La visée et les hypothèses de lecture

15 **a.** Quels éléments supplémentaires cet épisode fournit-il au lecteur concernant la véritable identité de M. Madeleine ?

b. Quelle menace pèse sur lui ? À quelle suite vous attendez-vous concernant les relations entre Javert et Jean Valjean ?

Étudier la langue

Vocabulaire : les métaphores animales

16 « Javert sérieux était un dogue ; lorsqu'il riait, c'était un tigre. » (l. 63-64)
Associe chaque nom d'animal à l'adjectif qui exprime la qualité ou le défaut correspondant.

Liste 1	Liste 2
a. une vipère	1. doux
b. un ours	2. jaloux
c. une mule	3. paresseux
d. un agneau	4. lent
e. un loir	5. méchant
f. une tigresse	6. bourru
g. un porc	7. bavard
h. un chameau	8. sale
i. un escargot	9. sobre
j. une pie	10. têtu

Écrire

Écrire un article de presse

17 Un journaliste rapporte le sauvetage dans le journal de Montreuil-sur-mer. Rédigez un court article.
Consignes d'écriture :
– donnez un titre à l'article ;
– rédigez au système temps présent (présent, passé composé, imparfait…) ;
– vous pouvez commencer par : « Hier matin, notre maire M. Madeleine a risqué courageusement sa vie en … »

Texte 7 – Fantine vend ses cheveux et ses dents

« Où avez-vous eu ces louis d'or ?... »

X. Suite du succès

Fauchelevent, dont le genou est paralysé, ne peut plus exercer son métier. M. Madeleine le place dans un couvent de femmes à Paris, où il devient jardinier. Fantine, quant à elle, travaille dans les ateliers de M. Madeleine, mais elle finit par susciter des jalousies. Madame Victurnien, une vieille fille bigote et avide de commérages, découvre l'existence de Cosette, ce qui vaut à Fantine d'être, sur le champ, chassée de son emploi. Commence alors pour elle la chute...

Elle avait été congédiée vers la fin de l'hiver ; l'été se passa, mais l'hiver revint. Jours courts, moins de travail. L'hiver, point de chaleur, point de lumière, point de midi, le soir touche au matin, brouillard, crépuscule, la fenêtre est grise, on n'y voit pas clair. Le ciel est un soupirail[1]. Toute la journée est une cave. Le soleil a l'air d'un pauvre. L'affreuse saison ! L'hiver change en pierre l'eau du ciel et le cœur de l'homme. Ses créanciers[2] la harcelaient[3].

Fantine gagnait trop peu. Ses dettes avaient grossi. Les Thénardier, mal payés, lui écrivaient à chaque instant des lettres dont le contenu la désolait et dont le port la ruinait. Un jour ils lui écrivirent que sa petite Cosette était toute nue par le froid qu'il faisait, qu'elle avait besoin d'une jupe de laine, et qu'il fallait au moins que la mère envoyât dix francs

---

1. Voir la note 35, page 37. | **3.** Réclamaient sans cesse l'argent dû.
2. Personne à qui est dû de l'argent.

Évelyne Bouix (Fantine) dans *Les Misérables*, film de Robert Hossein, 1982.

15 pour cela. Elle reçut la lettre, et la froissa dans ses mains tout
le jour. Le soir elle entra chez un barbier qui habitait le coin
de la rue, et défit son peigne. Ses admirables cheveux blonds
lui tombèrent jusqu'aux reins.
– Les beaux cheveux ! s'écria le barbier.

20 – Combien m'en donneriez-vous ? dit-elle.

– Dix francs.

– Coupez-les.

Elle acheta une jupe de tricot et l'envoya aux Thénardier.

Cette jupe fit les Thénardier furieux. C'était de l'argent
25 qu'ils voulaient. Ils donnèrent la jupe à Éponine. La pauvre
Alouette continua de frissonner.

Fantine pensa : – Mon enfant n'a plus froid. Je l'ai habillé
de mes cheveux. – Elle mettait de petits bonnets ronds qui
cachaient sa tête tondue et avec lesquels elle était encore jolie.
30 [...]

Un jour elle reçut des Thénardier une lettre ainsi conçue :

« Cosette est malade d'une maladie qui est dans le pays. Une
fièvre miliaire, qu'ils appellent. Il faut des drogues⁴ chères.
Cela nous ruine et nous ne pouvons plus payer. Si vous ne
35 nous envoyez pas quarante francs avant huit jours, la petite
est morte. »

[...]

Comme elle passait sur la place, elle vit beaucoup de monde
qui entourait une voiture de forme bizarre, sur l'impériale⁵
40 de laquelle pérorait⁶ tout debout un homme vêtu de rouge.
C'était un bateleur⁷ dentiste en tournée, qui offrait au public
des râteliers⁸ complets, des opiats⁹, des poudres et des élixirs.

Fantine se mêla au groupe et se mit à rire comme les autres
de cette harangue¹⁰ où il y avait de l'argot pour la canaille et
45 du jargon pour les gens comme il faut. L'arracheur de dents
vit cette belle fille qui riait, et s'écria tout à coup : – Vous avez
de jolies dents, la fille qui riez là. Si vous voulez me vendre
vos deux palettes, je vous donne de chaque un napoléon d'or.

---

4. Médicaments.
5. Dessus d'une voiture pouvant recevoir
des voyageurs.
6. Parlait avec prétention.

7. Marchand ambulant.
8. Dentiers.
9. Dentifrice.
10. Discours destiné à persuader.

– Qu'est-ce que c'est que ça, mes palettes ? demanda Fantine.

50   – Les palettes, reprit le professeur dentiste, c'est les dents de devant, les deux d'en haut.

– Quelle horreur ! s'écria Fantine.

– Deux napoléons ! grommela la vieille édentée qui était là. Qu'en voilà une qui est heureuse !

55   Fantine s'enfuit, et se boucha les oreilles pour ne pas entendre la voix enrouée de l'homme qui lui criait : – Réfléchissez, la belle ! deux napoléons, ça peut servir. Si le cœur vous en dit, venez ce soir à l'auberge du *Tillac d'argent*, vous m'y trouverez.

60   Fantine rentra, elle était furieuse et conta la chose à sa bonne voisine Marguerite :

– Comprenez-vous cela ? ne voilà-t-il pas un abominable homme ? comment laisse-t-on des gens comme cela aller dans le pays ! M'arracher mes deux dents de devant ! mais je serais 65 horrible ! Les cheveux repoussent, mais les dents ! Ah ! le monstre d'homme ! j'aimerais mieux me jeter d'un cinquième la tête la première sur le pavé ! Il m'a dit qu'il serait ce soir au *Tillac d'argent*.

– Et qu'est-ce qu'il offrait ? demanda Marguerite.

70   – Deux napoléons.

– Cela fait quarante francs.

– Oui, dit Fantine, cela fait quarante francs.

Elle resta pensive, et se mit à son ouvrage. Au bout d'un quart d'heure, elle quitta sa couture et alla relire la lettre des 75 Thénardier sur l'escalier.

En rentrant, elle dit à Marguerite qui travaillait près d'elle :

– Qu'est-ce que c'est donc que cela, une fièvre miliaire ? Savez-vous ?

80   – Oui, répondit la vieille fille, c'est une maladie.

– Ça a donc besoin de beaucoup de drogues ?

– Oh ! des drogues terribles[11].

– Où ça vous prend-il ?

– C'est une maladie qu'on a comme ça.

85   – Cela attaque donc les enfants ?

– Surtout les enfants.

– Est-ce qu'on en meurt ?

– Très bien, dit Marguerite.

Fantine sortit et alla encore une fois relire la lettre sur
90 l'escalier.

Le soir elle descendit, et on la vit qui se dirigeait du côté de
la rue de Paris où sont les auberges.

Le lendemain matin, comme Marguerite entrait dans la
chambre de Fantine avant le jour, car elles travaillaient toujours
95 ensemble et de cette façon n'allumaient qu'une chandelle
pour deux, elle trouva Fantine assise sur son lit, pâle, glacée.
Elle ne s'était pas couchée. Son bonnet était tombé sur ses
genoux. La chandelle avait brûlé toute la nuit et était presque
entièrement consumée.

100 Marguerite s'arrêta sur le seuil, pétrifiée de cet énorme
désordre, et s'écria :

– Seigneur ! la chandelle qui est toute brûlée ! il s'est passé
des événements !

Puis elle regarda Fantine qui tournait vers elle sa tête sans
105 cheveux.

Fantine depuis la veille avait vieilli de dix ans.

– Jésus ! fit Marguerite, qu'est-ce que vous avez, Fantine ?

– Je n'ai rien, répondit Fantine. Au contraire. Mon enfant
ne mourra pas de cette affreuse maladie, faute de secours. Je
110 suis contente.

En parlant ainsi, elle montrait à la vieille fille deux napoléons
qui brillaient sur la table.

| **11.** Très puissantes.

– Ah, Jésus Dieu ! dit Marguerite. Mais c'est une fortune !
Où avez-vous eu ces louis d'or ?

115   – Je les ai eus, répondit Fantine.

En même temps elle sourit. La chandelle éclairait son visage.
C'était un sourire sanglant. Une salive rougeâtre lui souillait
le coin des lèvres, et elle avait un trou noir dans la bouche.

Les deux dents étaient arrachées.

120   Elle envoya les quarante francs à Montfermeil.

Du reste c'était une ruse des Thénardier pour avoir de
l'argent. Cosette n'était pas malade.

[…]

XI. « Christus nos liberavit »[12]

Qu'est-ce que c'est que cette histoire de Fantine ? C'est la
125   société achetant une esclave.

À qui ? À la misère.

À la faim, au froid, à l'isolement, à l'abandon, au dénûment.
Marché douloureux. Une âme pour un morceau de pain. La
misère offre, la société accepte.

130   La sainte loi de Jésus-Christ gouverne notre civilisation,
mais elle ne la pénètre pas encore. On dit que l'esclavage
a disparu de la civilisation européenne. C'est une erreur. Il
existe toujours, mais il ne pèse plus que sur la femme, et il
s'appelle prostitution.

135   Il pèse sur la femme, c'est-à-dire sur la grâce, sur la faiblesse,
sur la beauté, sur la maternité. Ceci n'est pas une des moindres
hontes de l'homme.

Au point de ce douloureux drame où nous sommes arrivés,
il ne reste plus rien à Fantine de ce qu'elle a été autrefois. Elle
140   est devenue marbre en devenant boue. Qui la touche a froid.

| **12.** « Le Christ nous a libérés ».

Elle passe, elle vous subit et elle vous ignore ; elle est la figure déshonorée et sévère. La vie et l'ordre social lui ont dit leur dernier mot. Il lui est arrivé tout ce qui lui arrivera. Elle a tout ressenti, tout supporté, tout éprouvé, tout souffert, tout perdu, tout pleuré. Elle est résignée de cette résignation qui ressemble à l'indifférence comme la mort ressemble au sommeil. Elle n'évite plus rien. Elle ne craint plus rien. Tombe sur elle toute la nuée et passe sur elle tout l'océan ! que lui importe ! c'est une éponge imbibée.

Elle le croit du moins, mais c'est une erreur de s'imaginer qu'on épuise le sort et qu'on touche le fond de quoi que ce soit.

Hélas ! qu'est-ce que toutes ces destinées ainsi poussées pêle-mêle ? où vont-elles ? pourquoi sont-elles ainsi ?

Celui qui sait cela voit toute l'ombre.

Il est seul. Il s'appelle Dieu.

> Première partie « Fantine », Livre cinquième
> « La descente », extraits des chapitres X et XI.

Questions

Repérer et analyser

Le cadre

1 **a.** En quelle saison l'action se déroule-t-elle ?
b. Pourquoi cette saison est-elle particulièrement affreuse dans le cadre de l'histoire ?

La ruse des Thénardier

2 Comment les Thénardier harcèlent-ils Fantine et parviennent-ils à la tromper ? Que lui font-ils croire ?
3 Identifiez le passage qui constitue la lettre. Quelle nouvelle demande les Thénardier formulent-ils ?

Le sacrifice de Fantine

4 Quel est le seul bonheur de Fantine, sa raison de vivre ? Justifiez votre réponse.
5 Quelle est la raison pour laquelle Fantine ne peut-elle plus payer les Thénardier ?
6 Relisez ce passage tiré du texte 4 : « son or était sur sa tête et ses perles étaient dans sa bouche. » (l. 20-22 p. 60)
En quoi annonçait-il cet épisode ?
7 **a.** Fantine hésite-t-elle à vendre ses cheveux ? En est-il de même pour ses dents ?
b. Retrouvez les différentes étapes du cheminement de la pensée de Fantine.
8 **a.** Dans les lignes 119 à 129, relevez les différents éléments qui créent un effet de dramatisation. Appuyez-vous sur la lumière et les couleurs.
b. Quel est l'effet produit par la phrase suivante : « Cosette n'était pas malade » (l. 122) ?

Un plaidoyer contre la misère

9 Qui est responsable de la misère de Fantine ? Citez le texte.

10 **a.** Relevez les mots et expressions dans les lignes 138 à 149 qui montrent que la déchéance de Fantine l'a rendue indifférente, presque morte.

b. Expliquez la métaphore : « c'est une éponge imbibée » (l. 149).

11 L'accumulation

> L'accumulation est une suite de termes de même nature et de même fonction grammaticale.

Relevez l'accumulation qui figure dans les lignes 143 à 145. Quel est l'effet produit ?

12 Qui détient l'explication des destinées humaines ? Citez le texte. En quoi peut-on parler d'espoir ?

Écrire

Exercice de réécriture

13 **a.** Transposez les lignes 12 à 15 au style direct. Vous retrouverez ainsi le texte de la lettre envoyée à Fantine.

b. Inversement, réécrivez la lettre (l. 32 à 36) au style indirect. Vous commencerez ainsi : « Ils lui écrivirent que … »

Texte 8 – L'affaire Champmathieu

« Vous ne me reconnaissez pas, dit-il ?... »

III. Une tempête sous un crâne

Le lecteur a sans doute deviné que M. Madeleine n'est autre que Jean Valjean. [...]

Nous n'avons que peu de chose à ajouter à ce que le lecteur connaît déjà de ce qui était arrivé à Jean Valjean depuis l'aven-
5 ture de Petit-Gervais. À partir de ce moment, on l'a vu, il fut un autre homme. Ce que l'évêque avait voulu faire de lui, il l'exécuta. Ce fut plus qu'une transformation, ce fut une transfiguration[1].

Il réussit à disparaître, vendit l'argenterie de l'évêque, ne
10 gardant que les flambeaux, comme souvenir, se glissa de ville en ville, traversa la France, vint à Montreuil-sur-mer, eut l'idée que nous avons dite, accomplit ce que nous avons raconté, parvint à se faire insaisissable et inaccessible, et désormais, établi à Montreuil-sur-mer, heureux de sentir sa conscience
15 attristée par son passé et la première moitié de son existence démentie par la dernière, il vécut paisible, rassuré et espérant, n'ayant plus que deux pensées : cacher son nom, et sanctifier[2] sa vie ; échapper aux hommes, et revenir à Dieu.

[...]

*Javert qui « était comme un œil toujours fixé sur M. Made-
leine », est convaincu d'avoir reconnu en lui l'ancien forçat.
Il le dénonce à la préfecture de police où l'on s'étonne de sa
démarche. En effet, Champmathieu, un voleur de pommes,*

| **1.** Transformation miraculeuse. | **2.** Rendre sainte.

*a été pris pour Jean Valjean. Récidiviste, il risque le bagne à
perpétuité. Écrasé sous le poids de ce qu'il croit être une méprise,
Javert se rend auprès de M. Madeleine, à qui il confesse son
erreur. Ce dernier est en proie à un horrible cas de conscience :
doit-il laisser condamner un innocent ?*

20   Il reculait maintenant avec une égale épouvante devant les
deux résolutions qu'il avait prises tour à tour. Les deux idées
qui le conseillaient lui paraissaient aussi funestes[3] l'une que
l'autre. – Quelle fatalité ! quelle rencontre que ce Champmathieu pris pour lui ! Être précipité justement par le moyen
25 que la providence[4] paraissait d'abord avoir employé pour
l'affermir !

Il y eut un moment où il considéra l'avenir. Se dénoncer,
grand Dieu ! se livrer ! Il envisagea avec un immense désespoir
tout ce qu'il faudrait quitter, tout ce qu'il faudrait reprendre.
30 Il faudrait donc dire adieu à cette existence si bonne, si pure,
si radieuse, à ce respect de tous, à l'honneur, à la liberté ! Il
n'irait plus se promener dans les champs, il n'entendrait plus
chanter les oiseaux au mois de mai, il ne ferait plus l'aumône
aux petits enfants ! Il ne sentirait plus la douceur des regards
35 de reconnaissance et d'amour fixés sur lui ! Il quitterait cette
maison qu'il avait bâtie, cette chambre, cette petite chambre !
Tout lui paraissait charmant à cette heure. Il ne lirait plus dans
ces livres, il n'écrirait plus sur cette petite table de bois blanc ! Sa
vieille portière[5], la seule servante qu'il eût, ne lui monterait plus
40 son café le matin. Grand Dieu ! au lieu de cela, la chiourme[6], le
carcan[7], la veste rouge, la chaîne au pied, la fatigue, le cachot,
le lit de camp, toutes ces horreurs connues ! À son âge, après
avoir été ce qu'il était ! Si encore il était jeune ! Mais, vieux, être
tutoyé par le premier venu, être fouillé par le garde-chiourme[8],

---

3. Terribles.
4. Le sort, le destin.
5. Concierge.

6. Le bagne.
7. Collier de fer porté par les forçats.
8. Voir la note 24, page 33.

45 recevoir le coup de bâton de l'argousin[9] ! avoir les pieds nus dans
des souliers ferrés ! tendre matin et soir sa jambe au marteau du
rondier[10] qui visite la manille[11] ! subir la curiosité des étrangers
auxquels on dirait : *Celui-là, c'est le fameux Jean Valjean, qui
a été maire à Montreuil-sur-mer !* Le soir, ruisselant de sueur,
50 accablé de lassitude, le bonnet vert sur les yeux, remonter deux
à deux, sous le fouet du sergent, l'escalier-échelle du bagne
flottant[12] ! Oh ! quelle misère ! La destinée peut-elle donc être
méchante comme un être intelligent et devenir monstrueuse
comme le cœur humain !

55   Et, quoi qu'il fît, il retombait toujours sur ce poignant dilemme[13]
qui était au fond de sa rêverie : – rester dans le paradis, et y
devenir démon ! rentrer dans l'enfer, et y devenir ange !

Que faire, grand Dieu ! que faire ?

[…]

X. Le système des dénégations

*Après un douloureux combat intérieur, Jean Valjean décide
de se rendre à Arras, où a lieu le procès de Champmathieu…*

60 […]

Une rumeur éclata dans le public et gagna presque le jury.
Il était évident que l'homme[14] était perdu.

– Huissiers, dit le président, faites faire silence. Je vais clore
les débats.

65   En ce moment un mouvement se fit tout à côté du président.
On entendit une voix qui criait :

– Brevet[15], Chenildieu[15], Cochepaille[15] ! regardez de ce
côté-ci.

---

9. Surveillant des forçats.
10. Gardien qui fait des rondes.
11. Anneau auquel on fixait la chaîne.
12. Pontons sur lesquels on détenait
les forçats, à Toulon.

13. Choix difficile ou douloureux.
14. Il s'agit de l'accusé Champmathieu.
15. Témoins dans le procès, ils sont aussi
d'anciens bagnards connus de
Jean Valjean.

Gravure anonyme : illustration, édition Hetzel et Lacroix, musée Victor-Hugo, Paris.

Tous ceux qui entendirent cette voix se sentirent glacés, tant
70 elle était lamentable et terrible. Les yeux se tournèrent vers
le point d'où elle venait. Un homme, placé parmi les spectateurs privilégiés qui étaient assis derrière la cour, venait de se
lever, avait poussé la porte à hauteur d'appui qui séparait le
tribunal du prétoire[16], et était debout au milieu de la salle. Le
75 président, l'avocat général, M. Bamatabois, vingt personnes,
le reconnurent, et s'écrièrent à la fois :

– Monsieur Madeleine !

XI. Champmathieu de plus en plus étonné

C'était lui en effet. La lampe du greffier éclairait son visage. Il
tenait son chapeau à la main, il n'y avait aucun désordre dans
80 ses vêtements, sa redingote était boutonnée avec soin. Il était
très pâle et il tremblait légèrement. Ses cheveux, gris encore
au moment de son arrivée à Arras, étaient maintenant tout à
fait blancs. Ils avaient blanchi depuis une heure qu'il était là.

Toutes les têtes se dressèrent. La sensation fut indescriptible.
85 Il y eut dans l'auditoire un instant d'hésitation. La voix avait
été si poignante, l'homme qui était là paraissait si calme, qu'au
premier abord on ne comprit pas. On se demanda qui avait
crié. On ne pouvait croire que ce fût cet homme tranquille
qui eût jeté ce cri effrayant.

90 Cette indécision ne dura que quelques secondes. Avant même
que le président et l'avocat général eussent pu dire un mot,
avant que les gendarmes et les huissiers eussent pu faire un
geste, l'homme que tous appelaient encore en ce moment
M. Madeleine s'était avancé vers les témoins Cochepaille,
95 Brevet et Chenildieu.

– Vous ne me reconnaissez pas ? dit-il.

Tous trois demeurèrent interdits[17] et indiquèrent par un
signe de tête qu'ils ne le connaissaient point.

| **16.** Salle d'audience d'un tribunal. | **17.** Stupéfaits et ahuris.

Cochepaille intimidé fit le salut militaire. M. Madeleine se tourna vers les jurés et vers la cour et dit d'une voix douce :

– Messieurs les jurés, faites relâcher l'accusé. Monsieur le président, faites-moi arrêter. L'homme que vous cherchez, ce n'est pas lui, c'est moi. Je suis Jean Valjean. […]

Il se tourna vers les trois forçats :

– Eh bien, je vous reconnais, moi ! Brevet ! vous rappelez-vous ?…

Il s'interrompit, hésita un moment, et dit :

– Te rappelles-tu ces bretelles en tricot à damier que tu avais au bagne ?

Brevet eut comme une secousse de surprise et le regarda de la tête aux pieds d'un air effrayé. Lui continua :

– Chenildieu, qui te surnommais toi-même Je-nie-Dieu, tu as toute l'épaule droite brûlée profondément, parce que tu t'es couché un jour l'épaule sur le réchaud plein de braise, pour effacer les trois lettres T.F.P.[18], qu'on y voit toujours cependant. Réponds, est-ce vrai ?

– C'est vrai, dit Chenildieu.

Il s'adressa à Cochepaille :

– Cochepaille, tu as près de la saignée du bras gauche une date gravée en lettres bleues avec de la poudre brûlée. Cette date, c'est celle du débarquement de l'empereur à Cannes, *1er mars 1815*. Relève ta manche.

Cochepaille releva sa manche, tous les regards se penchèrent autour de lui sur son bras nu. Un gendarme approcha une lampe ; la date y était.

Le malheureux homme se tourna vers l'auditoire et vers les juges avec un sourire dont ceux qui l'ont vu sont encore navrés lorsqu'ils y songent. C'était le sourire du triomphe, c'était aussi le sourire du désespoir.

– Vous voyez bien, dit-il, que je suis Jean Valjean.

| **18.** Travaux forcés à perpétuité.

Il n'y avait plus dans cette enceinte ni juges, ni accusateurs, ni gendarmes ; il n'y avait que des yeux fixes et des cœurs émus. Personne ne se rappelait plus le rôle que chacun pouvait avoir à jouer ; l'avocat général oubliait qu'il était là pour requérir[19], le président qu'il était là pour présider, le défenseur qu'il était là pour défendre. Chose frappante, aucune question ne fut faite, aucune autorité n'intervint. Le propre des spectacles sublimes, c'est de prendre toutes les âmes et de faire de tous les témoins des spectateurs. Aucun peut-être ne se rendait compte de ce qu'il éprouvait ; aucun, sans doute, ne se disait qu'il voyait resplendir là une grande lumière ; tous intérieurement se sentaient éblouis.

Il était évident qu'on avait sous les yeux Jean Valjean. Cela rayonnait. L'apparition de cet homme avait suffi pour remplir de clarté cette aventure si obscure le moment d'auparavant. Sans qu'il fût besoin d'aucune explication désormais, toute cette foule, comme par une sorte de révélation électrique, comprit tout de suite et d'un seul coup d'œil cette simple et magnifique histoire d'un homme qui se livrait pour qu'un autre homme ne fût pas condamné à sa place. Les détails, les hésitations, les petites résistances possibles se perdirent dans ce vaste fait lumineux.

Impression qui passa vite, mais qui dans l'instant fut irrésistible.

– Je ne veux pas déranger davantage l'audience, reprit Jean Valjean. Je m'en vais, puisqu'on ne m'arrête pas. J'ai plusieurs choses à faire. Monsieur l'avocat général sait qui je suis, il sait où je vais, il me fera arrêter quand il voudra. [...]

> Première partie « Fantine », Livre septième « L'affaire Champmathieu », extraits des chapitres III, X et XI.

| **19.** Prononcer l'accusation.

Questions

Repérer et analyser

Le narrateur

1 Quelle information le narrateur donne-t-il au lecteur sur l'identité de M. Madeleine ? A-t-il créé un réel suspense ? Justifiez votre réponse.

2 À quelle personne le narrateur s'exprime-t-il ? Relevez dans les lignes 1 à 19 les expressions qui montrent qu'il guide le lecteur.

3 Pourquoi, selon vous, le narrateur a-t-il choisi de conserver le nom de « M. Madeleine » (l. 77) ? Aidez-vous de la leçon p. 46.

Le parcours de Jean Valjean

La transformation morale

4 **a.** Relevez les mots et expressions qui montrent que Jean Valjean a opéré une véritable conversion.

b. Qui est à l'origine de ce changement ? Citez le texte.

Le dilemme

> On parle de dilemme lorsqu'un personnage est confronté à un cas de conscience dans lequel il y a conflit entre deux propositions contradictoires et qu'il doit prendre une décision, qui sera nécessairement cruelle.

5 « Que faire, grand Dieu ! que faire ? » (l. 58) Quel point de vue le narrateur adopte-t-il ici et dans tout le passage qui précède (l. 21 à 58) ? Quel est l'effet produit sur le lecteur ?

6 **a.** Devant quel choix Jean Valjean se trouve-t-il ? Citez le texte.

b. En quoi ce choix constitue-t-il pour lui un dilemme ? Justifiez votre réponse en citant le texte.

7 Expliquez les phrases suivantes : « rester dans le paradis et y devenir un démon ! rentrer dans l'enfer, et y devenir un ange ! » (l. 56-57)

La voie vers le bien

8 Quel choix Jean Valjean a-t-il fait ?

9 Quelles preuves irréfutables de son identité et donc de sa culpabilité M. Madeleine apporte-t-il ?

10 Relevez le champ lexical de la lumière dans les lignes 143 à 152. Quel en est le symbole ?

11 En quoi l'aspect physique de Jean Valjean témoigne-t-il de l'effort qu'il a dû faire (l. 79 à 83) ?

12 Relevez les mots et expressions qui montrent que Jean Valjean se tient à la disposition de la justice.

Une scène théâtrale

Le cadre

13 **a.** Relevez les indications de lieu dans les lignes 61 à 77. Où la scène se déroule-t-elle ?

b. Où les personnages sont-ils à peu près situés dans l'espace ?

c. En quoi ce lieu peut-il s'apparenter à un théâtre ?

Le coup de théâtre

14 Quelle révélation constitue un coup de théâtre ?

15 Comment le narrateur entretient-il le suspense et rend-il l'arrivée de M. Madeleine spectaculaire (l. 65 à 77) ?

16 Quelles sont les réactions de l'auditoire avant la révélation (l. 69 à 89) et après (l. 131 à 154) ?

Les hypothèses de lecture

17 Quel effet ce passage produit-il sur le lecteur ? A quelle suite vous attendez-vous concernant Jean Valjean alias M. Madeleine ?

Étudier la langue

Vocabulaire : la justice

18 **a.** Expliquez les mots et expressions suivants :

- l'accusé
- le chef d'inculpation
- la présomption d'innocence
- l'avocat général
- le greffier
- l'huissier
- les jurés
- la cour

b. Quels délits sont jugés dans un tribunal correctionnel ? en cour d'assises ?

Écrire

Un dilemme

19 Il vous est déjà arrivé d'être face à un dilemme (choisir ou non de se sacrifier pour rendre un service ou faire plaisir à quelqu'un, par exemple). Racontez.

Consignes d'écriture :

– rédigez votre récit à la 1re personne et aux temps du passé ;

– exposez la situation ;

– expliquez comment vous avez pris votre décision après avoir pesé le pour et le contre.

Se documenter

Le déroulement d'un procès en cour d'assises

La cour d'assises juge les personnes accusées de crime (meurtre, viol, etc.), de tentative et de complicité de crime. Un procès en cour d'assises se décompose en plusieurs étapes :

– tirage au sort de neuf jurés (parmi une liste de 21 citoyens désignés) ;

– lecture de la liste des témoins ;

– lecture de l'acte d'accusation par le greffier ;

– interrogatoire de l'accusé par le président du tribunal ;

– audition des témoins ;

– réquisitoire du ministère public suivi de la demande de peine ;

– plaidoirie de l'avocat ;

– lecture par le président des questions auxquelles le jury doit répondre ;

– délibération et vote des juges et des jurés ;

– comparution de l'accusé et énoncé du verdict : acquittement ou condamnation.

Texte 9 – La mort de Fantine
« Elle était morte... »

II. Fantine heureuse

L'odieux chantage des Thénardier à l'égard de Fantine se poursuit : ils lui réclament cent francs, menaçant de chasser Cosette. Pour payer, Fantine se prostitue. Sa santé se dégrade. Un soir où il a neigé, un bourgeois désœuvré l'insulte et lui plonge une poignée de neige dans le dos. La jeune femme se rue sur lui, mais elle est immédiatement arrêtée par Javert. Survient alors M. Madeleine, qui la fait libérer et la prend sous sa protection. Il la fait transporter dans l'infirmerie de sa propre maison où elle reçoit les soins de la dévouée sœur Simplice. Il découvre qu'elle a été renvoyée de sa fabrique sans qu'il en ait été informé. Il lui promet de payer ses dettes, d'aller chercher Cosette et de l'aider à reconstruire une vie heureuse auprès de son enfant. C'est alors que survient l'affaire Champmathieu. M. Madeleine se présente au procès, se dénonce comme étant Jean Valjean et se tient à la disposition de la police (voir le texte 8). Il rentre à Montreuil-sur-mer et se rend au chevet de Fantine dont l'état de santé a empiré. Celle-ci pense que M. Madeleine revient, non pas d'Arras, mais de Montfermeil avec Cosette.

[...]

– Avez-vous fait un bon voyage, monsieur le maire ? Oh ! comme vous êtes bon d'avoir été me la chercher ! Dites-moi seulement comment elle est. A-t-elle bien supporté la route ?
5 Hélas ! elle ne me reconnaîtra pas ! Depuis le temps, elle m'a oubliée, pauvre chou ! Les enfants, cela n'a pas de mémoire. C'est comme des oiseaux. Aujourd'hui cela voit une chose

et demain une autre, et cela ne pense plus à rien. Avait-elle du linge blanc seulement ? Ces Thénardier la tenaient-ils proprement ? Comment la nourrissait-on ? Oh ! comme j'ai souffert, si vous saviez ! de me faire toutes ces questions-là dans le temps de ma misère ! Maintenant, c'est passé. Je suis joyeuse. Oh ! que je voudrais donc la voir ! Monsieur le maire, l'avez-vous trouvée jolie ? N'est-ce pas qu'elle est belle, ma fille ? Vous devez avoir eu bien froid dans cette diligence. Est-ce qu'on ne pourrait pas l'amener rien qu'un petit moment ? On la remporterait tout de suite après. Dites ! vous qui êtes le maître, si vous vouliez !

Il lui prit la main : – Cosette est belle, dit-il, Cosette se porte bien, vous la verrez bientôt, mais apaisez-vous. Vous parlez trop vivement, et puis vous sortez vos bras du lit, et cela vous fait tousser.

En effet, des quintes de toux interrompaient Fantine presque à chaque mot.

[...]

Elle se mit à compter sur ses doigts.

– ... Un, deux, trois, quatre..., elle a sept ans. Dans cinq ans. Elle aura un voile blanc, des bas à jour[1], elle aura l'air d'une petite femme. Ô ma bonne sœur, vous ne savez pas comme je suis bête, voilà que je pense à la première communion de ma fille !

Et elle se mit à rire.

Il avait quitté la main de Fantine. Il écoutait ces paroles comme on écoute un vent qui souffle, les yeux à terre, l'esprit plongé dans des réflexions sans fond. Tout à coup elle cessa de parler, cela lui fit lever machinalement la tête. Fantine était devenue effrayante.

| **1.** Bas dont les fils du tissu ont été tirés pour laisser apparaître des ouvertures décoratives.

Elle ne parlait plus, elle ne respirait plus ; elle s'était soulevée
à demi sur son séant[2], son épaule maigre sortait de sa chemise,
40 son visage, radieux le moment d'auparavant, était blême, et elle
paraissait fixer sur quelque chose de formidable, devant elle, à
l'autre extrémité de la chambre, son œil agrandi par la terreur.

– Mon Dieu ! s'écria-t-il. Qu'avez-vous, Fantine ?

Elle ne répondit pas, elle ne quitta point des yeux l'objet
45 quelconque qu'elle semblait voir, elle lui toucha le bras d'une
main et de l'autre lui fit signe de regarder derrière lui.

Il se retourna, et vit Javert.

IV. L'autorité reprend ses droits

La Fantine n'avait point vu Javert depuis le jour où M. le
maire l'avait arrachée à cet homme. Son cerveau malade ne
50 se rendit compte de rien, seulement elle ne douta pas qu'il ne
revînt la chercher. Elle ne put supporter cette figure affreuse,
elle se sentit expirer[3], elle cacha son visage de ses deux mains
et cria avec angoisse :

– Monsieur Madeleine, sauvez-moi !

55 Jean Valjean, – nous ne le nommerons plus désormais autrement, – s'était levé. Il dit à Fantine de sa voix la plus douce
et la plus calme :

– Soyez tranquille. Ce n'est pas pour vous qu'il vient.

Puis, il s'adressa à Javert et lui dit :

60 – Je sais ce que vous voulez.

[...]

Javert avança au milieu de la chambre et cria :

– Ah çà ! viendras-tu ?

La malheureuse regarda autour d'elle. Il n'y avait personne
65 que la religieuse et monsieur le maire. À qui pouvait s'adresser
ce tutoiement abject[4] ? À elle seulement. Elle frissonna.

| **2.** Voir la note 32, page 36. | **3.** Rendre le dernier souffle. | **4.** Abominable, infâme.

Michel Bouquet (Javert) dans *Les Misérables*, film de Robert Hossein, 1982.

Alors elle vit une chose inouïe, tellement inouïe que jamais rien de pareil ne lui était apparu dans les plus noirs délires de la fièvre.

Elle vit le mouchard[5] Javert saisir au collet[6] monsieur le maire ; elle vit monsieur le maire courber la tête. Il lui sembla que le monde s'évanouissait.

Javert, en effet, avait pris Jean Valjean au collet.

– Monsieur le maire ! cria Fantine.

Javert éclata de rire, de cet affreux rire qui lui déchaussait toutes les dents.

– Il n'y a plus de monsieur le maire ici !

Jean Valjean n'essaya pas de déranger la main qui tenait le col de sa redingote. Il dit :

– Javert…

Javert l'interrompit : – Appelle-moi monsieur l'inspecteur.

– Monsieur, reprit Jean Valjean, je voudrais vous dire un mot en particulier.

| **5.** Espion. | **6.** Col.

– Tout haut ! parle tout haut ! répondit Javert ; on me parle
85 tout haut à moi !

Jean Valjean continua en baissant la voix :

– C'est une prière que j'ai à vous faire…

– Je te dis de parler tout haut.

– Mais cela ne doit être entendu que de vous seul…

90 – Qu'est-ce que cela me fait ? je n'écoute pas !

Jean Valjean se tourna vers lui et lui dit rapidement et très
bas :

– Accordez-moi trois jours ! trois jours pour aller chercher
l'enfant de cette malheureuse femme ! Je payerai ce qu'il faudra.
95 Vous m'accompagnerez si vous voulez.

– Tu veux rire ! cria Javert. Ah çà ! je ne te croyais pas bête !
Tu me demandes trois jours pour t'en aller ! Tu dis que c'est
pour aller chercher l'enfant de cette fille ! Ah ! ah ! c'est bon !
voilà qui est bon !

100 Fantine eut un tremblement.

– Mon enfant ! s'écria-t-elle, aller chercher mon enfant ! Elle
n'est donc pas ici ! Ma sœur, répondez-moi, où est Cosette ? Je
veux mon enfant ! Monsieur Madeleine ! monsieur le maire !

Javert frappa du pied.

105 – Voilà l'autre, à présent ! Te tairas-tu, drôlesse ! Gredin de
pays où les galériens sont magistrats et où les filles publiques[7]
sont soignées comme des comtesses ! Ah mais ! tout ça va
changer ; il était temps !

Il regarda fixement Fantine et ajouta en reprenant à poignée
110 la cravate, la chemise et le collet de Jean Valjean :

– Je te dis qu'il n'y a point de monsieur Madeleine et qu'il
n'y a point de monsieur le maire. Il y a un voleur, il y a un
brigand, il y a un forçat appelé Jean Valjean ! c'est lui que je
tiens ! voilà ce qu'il y a !

| **7.** Prostituées.

Fantine se dressa en sursaut, appuyée sur ses bras roides[8] et sur ses deux mains, elle regarda Jean Valjean, elle regarda Javert, elle regarda la religieuse, elle ouvrit la bouche comme pour parler, un râle[9] sortit du fond de sa gorge, ses dents claquèrent, elle étendit les bras avec angoisse, ouvrant convulsivement les mains, et cherchant autour d'elle comme quelqu'un qui se noie, puis elle s'affaissa subitement sur l'oreiller. Sa tête heurta le chevet du lit et vint retomber sur sa poitrine, la bouche béante, les yeux ouverts et éteints.

Elle était morte.

Jean Valjean posa sa main sur la main de Javert qui le tenait, et l'ouvrit comme il eût ouvert la main d'un enfant, puis il dit à Javert :

– Vous avez tué cette femme.

– Finirons-nous ! cria Javert furieux. Je ne suis pas ici pour entendre des raisons. Économisons tout ça. La garde est en bas. Marchons tout de suite, ou les poucettes[10] !

Il y avait dans un coin de la chambre un vieux lit en fer en assez mauvais état qui servait de lit de camp aux sœurs quand elles veillaient. Jean Valjean alla à ce lit, disloqua en un clin d'œil le chevet déjà fort délabré, chose facile à des muscles comme les siens, saisit à poigne-main[11] la maîtresse-tringle[12], et considéra Javert. Javert recula vers la porte.

Jean Valjean, sa barre de fer au poing, marcha lentement vers le lit de Fantine. Quand il y fut parvenu, il se retourna, et dit à Javert d'une voix qu'on entendait à peine :

– Je ne vous conseille pas de me déranger en ce moment.

Ce qui est certain, c'est que Javert tremblait.

Il eut l'idée d'aller appeler la garde, mais Jean Valjean pouvait profiter de cette minute pour s'évader. Il resta donc, saisit

---

8. Raides.
9. Bruit de la respiration d'une personne qui est sur le point de mourir.
10. Menottes.
11. À pleine main, fermement.
12. La tringle principale.

145 sa canne par le petit bout, et s'adossa au chambranle[13] de
la porte sans quitter du regard Jean Valjean.

Jean Valjean posa son coude sur la pomme du chevet du lit et
son front sur sa main, et se mit à contempler Fantine immobile
et étendue. Il demeura ainsi, absorbé, muet, et ne songeant
150 évidemment plus à aucune chose de cette vie. Il n'y avait plus
rien sur son visage et dans son attitude qu'une inexprimable
pitié. Après quelques instants de cette rêverie, il se pencha vers
Fantine et lui parla à voix basse.

Que lui dit-il ? Que pouvait dire cet homme qui était
155 réprouvé[14] à cette femme qui était morte ? Qu'était-ce que
ces paroles ? Personne sur la terre ne les a entendues. La morte
les entendit-elle ? Il y a des illusions touchantes qui sont peut-
être des réalités sublimes. Ce qui est hors de doute, c'est que
la sœur Simplice, unique témoin de la chose qui se passait, a
160 souvent raconté qu'au moment où Jean Valjean parla à l'oreille
de Fantine, elle vit distinctement poindre un ineffable sourire
sur ces lèvres pâles et dans ces prunelles vagues, pleines de
l'étonnement du tombeau.

Jean Valjean prit dans ses deux mains la tête de Fantine et
165 l'arrangea sur l'oreiller comme une mère eût fait pour son
enfant, il lui rattacha le cordon de sa chemise et rentra ses
cheveux sous son bonnet. Cela fait, il lui ferma les yeux.

La face de Fantine en cet instant semblait étrangement éclairée.

La mort, c'est l'entrée dans la grande lueur.

170 La main de Fantine pendait hors du lit. Jean Valjean s'age-
nouilla devant cette main, la souleva doucement, et la baisa.

Puis il se redressa, et, se tournant vers Javert :

– Maintenant, dit-il, je suis à vous.

Première partie « Fantine », Livre huitième
« Contre-coup », extraits des chapitres II et IV.

| **13.** À l'encadrement. | **14.** Rejeté par la société.

Questions

Repérer et analyser

La progression dramatique

Les personnages et l'action

1 Dans quel lieu l'action se déroule-t-elle ?

2 Qui sont les personnages présents au début de la scène ?

3 **a.** Quel personnage arrive ensuite ?

b. Comment le narrateur ménage-t-il le suspense pour présenter l'entrée de ce personnage (l. 38 à 47) ?

c. Quelle est la raison de sa présence sur les lieux ? En quoi l'arrivée de ce personnage est-elle à redouter ?

4 Quel événement tragique survient ?

Les jeux de regard

5 Montrez que les jeux de regard rythment l'action. Pour répondre, complétez le tableau :

Qui regarde qui ?	Action/événement correspondant
Fantine regarde .... (l. 44 à 46)	
Jean Valjean regarde .... (l. 44 à 46)	
Javert regarde .... (l. 109-110)	
Fantine regarde successivement ...., ... et .... (l. 115 à 117) ?	
Javert regarde ...., Jean Valjean regarde .... (l. 143 à 149) ?	

Fantine

6 **a.** Quel personnage est au centre du discours de Fantine (l. 1 à 31) ?

b. Quels types de phrases utilise-t-elle de façon dominante ? Que traduisent-elles de ses préoccupations et de son état d'esprit ?

7 Quel est l'état physique de Fantine ? Citez des indices du texte.

8 Pourquoi Fantine se met-elle à rire (l. 32) ?

9 Que croit Fantine en voyant Javert ? À quelle occasion a-t-elle eu affaire à lui ? Aidez-vous du hors-texte.

10 Quelles paroles, et de quel personnage, provoquent la mort de Fantine ? Expliquez pourquoi.

Le parcours de Jean Valjean

L'identité retrouvée

11 **a.** Quelle information le narrateur fournit-il au lecteur concernant le nom sous lequel il désignera désormais M. Madeleine ?

b. Relevez la réplique par laquelle Javert démasque Jean Valjean.

Jean Valjean et Fantine

12 Quelle relation affective Jean Valjean entretient-il avec Fantine ? Appuyez-vous sur les lignes 19 à 22, et sur la comparaison des lignes 164 à 167.

13 **a.** Jean Valjean s'adresse à Fantine morte (l. 154 à 156). Montrez que le narrateur abandonne ici le point de vue omniscient. Que ne dit-il pas au lecteur ? Quel est l'intérêt selon vous de ce choix du narrateur ?

b. Relevez l'expression qui traduirait une réaction de Fantine.

Le face à face avec Javert

14 **a.** Lequel des deux personnages est dans un premier temps en position d'infériorité dans les lignes 64 à 131 ? Justifiez votre réponse.

b. Quelle requête Jean Valjean fait-il à Javert ? Quelle est la réponse de Javert ?

15 **a.** À quel moment la situation s'inverse-t-elle ? Quel événement est à l'origine de ce changement de situation ?

b. Avec quelle arme Jean Valjean s'impose-t-il ? Citez le texte.

c. Comment le face-à-face se termine-t-il ?

Le personnage de Javert

16 **a.** Quels gestes, quelles paroles de Javert témoignent de sa violence à l'égard de Jean Valjean ?

b. En quoi le sourire de Javert est-il effrayant (l. 75) ?

17 Sur quel ton et en quels termes s'adresse-t-il à Fantine ?

La mort, motif romanesque

18 Relevez le passage dans lequel le narrateur décrit l'agonie de Fantine. La description est-elle réaliste ? Quel est l'effet produit sur le lecteur ?

19 Par quels gestes Jean Valjean rend-il sa dignité et son honneur à Fantine (l. 164 à 173) ?

20 Quelle vision le narrateur donne-t-il de la mort (l. 169) ?

La visée et les hypothèses de lecture

21 Qui sont, dans ce texte, les misérables sur le plan social ? Qui est misérable sur le plan humain et moral ?

22 À quelle suite pouvez-vous vous attendre ? Que va-t-il advenir de Jean Valjean ?

Étudier la langue

Grammaire : l'accord du participe passé

23 a. « Fantine n'avait point vu Javert depuis le jour où il l'avait arrachée à cet homme » (l. 48-49)
Justifiez l'accord du participe passé.

b. Écrivez les verbes suivants entre parenthèses au participe passé, en respectant les règles d'accord :
– Fantine veut savoir si Cosette est bien (traiter).
– Fantine espère que Cosette ne l'a pas (oublier).
– Les paroles de Fantine sont (interrompre) par des quintes de toux.
– Fantine est (effrayer) à la vue de Javert.
– Jean Valjean a (prendre) entre ses deux mains la tête de Fantine et l'a (arranger) sur l'oreiller.
– Javert a (saisir) Jean Valjean au collet.

Écrire

Rédiger une réplique

24 Imaginez les paroles que Jean Valjean a dites à Fantine.
Commencez ainsi : « Il se pencha vers Fantine et lui parla à voix basse ».

Texte 10 – Jean Valjean rencontre Cosette

« Elle allait devant elle, éperdue... »

II. Deux portraits complétés

Le narrateur brosse le portrait des Thénardier, le couple d'aubergistes à qui Cosette a été confiée (voir le texte 4).

On n'a encore aperçu dans ce livre les Thénardier que de profil ; le moment est venu de tourner autour de ce couple et de le regarder sous toutes ses faces.

Thénardier venait de dépasser ses cinquante ans ; madame
5 Thénardier touchait à la quarantaine, qui est la cinquantaine de la femme ; de façon qu'il y avait équilibre d'âge entre la femme et le mari.

Les lecteurs ont peut-être, dès sa première apparition, conservé quelque souvenir de cette Thénardier, grande, blonde,
10 rouge, grasse, charnue, carrée, énorme et agile ; elle tenait, nous l'avons dit, de la race de ces sauvagesses colosses qui se cambrent dans les foires avec des pavés pendus à leur chevelure. Elle faisait tout dans le logis, les lits, les chambres, la lessive, la cuisine, la pluie, le beau temps, le diable. Elle
15 avait pour tout domestique Cosette ; une souris au service d'un éléphant. Tout tremblait au son de sa voix, les vitres, les meubles et les gens. Son large visage, criblé de taches de rousseur, avait l'aspect d'une écumoire[1]. Elle avait de la barbe. C'était l'idéal d'un fort de la halle[2] habillé en fille. Elle
20 jurait[3] splendidement ; elle se vantait de casser une noix d'un

---

1. Ustensile de cuisine percé de trous.   3. Proférait des grossièretés.
2. Employé d'un marché.

coup de poing. Sans les romans qu'elle avait lus, et qui, par moments, faisaient bizarrement reparaître la mijaurée[4] sous l'ogresse, jamais l'idée ne fût venue à personne de dire d'elle : c'est une femme. Cette Thénardier était comme le produit de la greffe d'une donzelle[5] sur une poissarde[6]. Quand on l'entendait parler, on disait : C'est un gendarme ; quand on la regardait boire, on disait : C'est un charretier[7] ; quand on la voyait manier Cosette, on disait : C'est le bourreau. Au repos, il lui sortait de la bouche une dent.

Le Thénardier était un homme petit, maigre, blême, angu-leux, osseux, chétif[8], qui avait l'air malade et qui se portait à merveille ; sa fourberie[9] commençait là. Il souriait habituel-lement par précaution, et était poli à peu près avec tout le monde, même avec le mendiant auquel il refusait un liard[10]. Il avait le regard d'une fouine et la mine d'un homme de lettres. Il ressemblait beaucoup aux portraits de l'abbé Delille[11]. Sa coquetterie consistait à boire avec les rouliers[12]. Personne n'avait jamais pu le griser[13]. Il fumait dans une grosse pipe. Il portait une blouse et sous sa blouse un vieil habit noir. Il avait des prétentions à la littérature et au matérialisme[14]. Il y avait des noms qu'il prononçait souvent, pour appuyer les choses quelconques qu'il disait, Voltaire, Raynal, Parny[15], et, chose bizarre, saint Augustin[16]. Il affirmait avoir « un système[17] ». Du reste fort escroc. Un filousophe. Cette nuance existe. On se souvient qu'il prétendait avoir servi[18] ; il contait avec quelque

---

4. Femme qui fait des manières qui la rendent ridicule.
5. Femme prétentieuse et ridicule.
6. Marchande de poisson au langage grossier.
7. Homme grossier.
8. Peu robuste.
9. Hypocrisie.
10. Très peu d'argent.
11. Abbé laïc et poète du XVIIIe siècle.
12. Transporteurs de marchandises.

13. Saouler.
14. Doctrine philosophique d'après laquelle il n'existe d'autre substance que la matière ; personne intéressée par l'argent.
15. Philosophes et hommes de lettres anticléricaux du XVIIIe siècle.
16. Évêque africain et philosophe du IVe siècle, dont les écrits eurent une influence considérable.
17. Ensemble d'idées formant une philosophie.
18. Avoir été soldat.

45 luxe qu'à Waterloo, étant sergent dans un 6ᵉ ou un 9ᵉ léger
quelconque, il avait, seul contre un escadron[19] de hussards[20]
de la Mort, couvert de son corps et sauvé à travers la mitraille
« un général dangereusement blessé ». De là, venait, pour son
mur, sa flamboyante enseigne, et, pour son auberge, dans le
50 pays, le nom de « cabaret du sergent de Waterloo ». Il était
libéral[21], classique et bonapartiste[22]. Il avait souscrit[23] pour
le champ d'Asile[24]. On disait dans le village qu'il avait étudié
pour être prêtre.

Nous croyons qu'il avait simplement étudié en Hollande
55 pour être aubergiste. Ce gredin de l'ordre composite[25] était,
selon les probabilités, quelque Flamand de Lille en Flandre,
Français à Paris, Belge à Bruxelles, commodément à cheval
sur deux frontières. Sa prouesse à Waterloo, on la connaît.
Comme on voit, il l'exagérait un peu. Le flux et le reflux,
60 le méandre, l'aventure, était l'élément de son existence ;
conscience déchirée entraîne vie décousue ; et vraisembla-
blement, à l'orageuse époque du 18 juin 1815, Thénardier
appartenait à cette variété de cantiniers[26] maraudeurs[27] dont
nous avons parlé, battant l'estrade[28], vendant à ceux-ci, volant
65 ceux-là, et roulant en famille, homme, femme et enfants, dans
quelque carriole boiteuse, à la suite des troupes en marche,
avec l'instinct de se rattacher toujours à l'armée victorieuse.
Cette campagne faite, ayant, comme il disait, « du quibus[29] »,
il était venu ouvrir gargote[30] à Montfermeil.

---

19. Subdivision d'un régiment
de cavalerie.
20. Soldats de la cavalerie légère.
21. Partisan de la liberté politique et de
conscience, opposé aux monarchistes
et aux conservateurs.
22. Partisan de Napoléon Bonaparte,
attaché à ses idées et au régime impérial
qu'il avait fondé.
23. S'était engagé à donner de l'argent.

24. Colonie fondée au Texas par
des bonapartistes exilés.
25. Image qui souligne les diverses
facettes du caractère de Thénardier.
26. Personnes qui tiennent une cantine
militaire.
27. Voleurs.
28. Courant les chemins.
29. De l'argent.
30. Voir la note 16, page 62.

Ce quibus, composé des bourses et des montres, des bagues
d'or et des croix d'argent récoltées au temps de la moisson
dans les sillons ensemencés de cadavres, ne faisait pas un
gros total et n'avait pas mené bien loin ce vivandier[31] passé
gargotier.

Thénardier avait ce je ne sais quoi de rectiligne dans le
geste qui, avec un juron, rappelle la caserne et, avec un signe
de croix, le séminaire[32]. Il était beau parleur. Il se laissait
croire savant. Néanmoins, le maître d'école avait remarqué
qu'il faisait – « des cuirs »[33]. Il composait la carte à payer des
voyageurs avec supériorité, mais des yeux exercés y trouvaient
parfois des fautes d'orthographe. Thénardier était sournois,
gourmand, flâneur et habile. Il ne dédaignait pas ses servantes,
ce qui faisait que sa femme n'en avait plus. Cette géante était
jalouse. Il lui semblait que ce petit homme maigre et jaune
devait être l'objet de la convoitise universelle.

Thénardier, par-dessus tout, homme d'astuce et d'équilibre,
était un coquin du genre tempéré. Cette espèce est la pire ;
l'hypocrisie s'y mêle.

[…]

Cet homme et cette femme, c'était ruse et rage mariés
ensemble, attelage hideux et terrible.

Pendant que le mari ruminait et combinait, la Thénardier,
elle, ne pensait pas aux créanciers[34] absents, n'avait souci
d'hier ni de demain, et vivait avec emportement, toute dans
la minute.

Tels étaient ces deux êtres. Cosette était entre eux, subis-
sant leur double pression, comme une créature qui serait à
la fois broyée par une meule et déchiquetée par une tenaille.
L'homme et la femme avaient chacun une manière différente ;

---

31. Personne qui suivait les troupes
militaires pour leur vendre des vivres.
32. Établissement religieux.

33. Erreurs de langage.
34. Voir la note 2, page 95.

Gravure de Perrichon
et Gustave Brion :
Les Thénardier.
Édition Hetzel et Lacroix,
musée Victor-Hugo.

100 Cosette était rouée de coups, cela venait de la femme ; elle
allait pieds nus l'hiver, cela venait du mari.

Cosette montait, descendait, lavait, brossait, frottait, balayait, courait, trimait[35], haletait, remuait des choses lourdes,
et, toute chétive, faisait les grosses besognes. Nulle pitié ; une
105 maîtresse farouche, un maître venimeux. La gargote Thénardier était comme une toile où Cosette était prise et tremblait.
L'idéal de l'oppression était réalisé par cette domesticité
sinistre. C'était quelque chose comme la mouche servante
des araignées.

110 La pauvre enfant, passive, se taisait.

| **35.** Travaillait dur.

Quand elles se trouvent ainsi, dès l'aube, toutes petites, toutes nues, parmi les hommes, que se passe-t-il dans ces âmes qui viennent de quitter Dieu ?

V. La petite toute seule

Quatre voyageurs arrivent chez les Thénardier. La Thénardier ordonne alors à Cosette de se rendre à la source, dans le bois, en pleine nuit pour puiser de l'eau. Elle lui confie une pièce de quinze sous afin qu'elle achète un pain en revenant. C'est la nuit de Noël, et en quittant l'auberge pour accomplir sa corvée, Cosette contemple une magnifique poupée dans la vitrine illuminée d'une boutique.

Cosette traversa ainsi le labyrinthe de rues tortueuses et désertes qui termine du côté de Chelles le village de Montfermeil. Tant qu'elle eut des maisons et même seulement des murs des deux côtés de son chemin, elle alla assez hardiment. De temps en temps, elle voyait le rayonnement d'une chandelle à travers la fente d'un volet, c'était de la lumière et de la vie, il y avait là des gens, cela la rassurait. Cependant, à mesure qu'elle avançait, sa marche se ralentissait comme machinalement. Quand elle eut passé l'angle de la dernière maison, Cosette s'arrêta. Aller au delà de la dernière boutique, cela avait été difficile ; aller plus loin que la dernière maison, cela devenait impossible. Elle posa le seau à terre, plongea sa main dans ses cheveux et se mit à se gratter lentement la tête, geste propre aux enfants terrifiés et indécis. Ce n'était plus Montfermeil, c'étaient les champs. L'espace noir et désert était devant elle. Elle regarda avec désespoir cette obscurité où il n'y avait plus personne, où il y avait des bêtes, où il y avait peut-être des revenants. Elle regarda bien, et elle entendit les bêtes qui marchaient dans l'herbe, et elle vit distinctement

les revenants qui remuaient dans les arbres. Alors elle ressaisit le seau, la peur lui donna de l'audace : Bah ! dit-elle, je lui
135 dirai qu'il n'y avait plus d'eau ! Et elle rentra résolument dans Montfermeil.

À peine eut-elle fait cent pas qu'elle s'arrêta encore, et se remit à se gratter la tête. Maintenant, c'était la Thénardier qui lui apparaissait ; la Thénardier hideuse avec sa bouche d'hyène
140 et la colère flamboyante dans les yeux. L'enfant jeta un regard lamentable en avant et en arrière. Que faire ? que devenir ? où aller ? Devant elle le spectre de la Thénardier ; derrière elle tous les fantômes de la nuit et des bois. Ce fut devant la Thénardier qu'elle recula. Elle reprit le chemin de la source
145 et se mit à courir. Elle sortit du village en courant, elle entra dans le bois en courant, ne regardant plus rien, n'écoutant plus rien. Elle n'arrêta sa course que lorsque la respiration lui manqua, mais elle n'interrompit point sa marche. Elle allait devant elle, éperdue.
150 Tout en courant, elle avait envie de pleurer.

Le frémissement nocturne de la forêt l'enveloppait tout entière. Elle ne pensait plus, elle ne voyait plus. L'immense nuit faisait face à ce petit être. D'un côté, toute l'ombre ; de l'autre, un atome.
155 Il n'y avait que sept ou huit minutes de la lisière du bois à la source. Cosette connaissait le chemin pour l'avoir fait bien souvent le jour. Chose étrange, elle ne se perdit pas. Un reste d'instinct la conduisait vaguement. Elle ne jetait cependant les yeux ni à droite ni à gauche, de crainte de voir des choses
160 dans les branches et dans les broussailles. Elle arriva ainsi à la source.

C'était une étroite cuve naturelle creusée par l'eau dans un sol glaiseux, profonde d'environ deux pieds, entourée de mousses et de ces grandes herbes gaufrées qu'on appelle
165 collerettes de Henri IV, et pavée de quelques grosses pierres. Un ruisseau s'en échappait avec un petit bruit tranquille.

Cosette ne prit pas le temps de respirer. Il faisait très noir, mais elle avait l'habitude de venir à cette fontaine. Elle chercha de la main gauche dans l'obscurité un jeune chêne incliné sur la source qui lui servait ordinairement de point d'appui, rencontra une branche, s'y suspendit, se pencha et plongea le seau dans l'eau. Elle était dans un moment si violent que ses forces étaient triplées. Pendant qu'elle était ainsi penchée, elle ne fit pas attention que la poche de son tablier se vidait dans la source. La pièce de quinze sous tomba dans l'eau. Cosette ne la vit ni ne l'entendit tomber. Elle retira le seau presque plein et le posa sur l'herbe.

Cela fait, elle s'aperçut qu'elle était épuisée de lassitude. Elle eût bien voulu repartir tout de suite ; mais l'effort de remplir le seau avait été tel qu'il lui fut impossible de faire un pas. Elle fut bien forcée de s'asseoir. Elle se laissa tomber sur l'herbe et y demeura accroupie.

Elle ferma les yeux, puis elle les rouvrit, sans savoir pourquoi, mais ne pouvant faire autrement.

À côté d'elle l'eau agitée dans le seau faisait des cercles qui ressemblaient à des serpents de feu blanc.

Au-dessus de sa tête, le ciel était couvert de vastes nuages noirs qui étaient comme des pans de fumée. Le tragique masque de l'ombre semblait se pencher vaguement sur cet enfant. [...]

Sans se rendre compte de ce qu'elle éprouvait, Cosette se sentait saisir par cette énormité noire de la nature. Ce n'était plus seulement de la terreur qui la gagnait, c'était quelque chose de plus terrible même que la terreur. Elle frissonnait. Les expressions manquent pour dire ce qu'avait d'étrange ce frisson qui la glaçait jusqu'au fond du cœur. Son œil était devenu farouche. Elle croyait sentir qu'elle ne pourrait peut-être pas s'empêcher de revenir là à la même heure le lendemain.

200   Alors, par une sorte d'instinct, pour sortir de cet état singulier qu'elle ne comprenait pas, mais qui l'effrayait, elle se mit à compter à haute voix un, deux, trois, quatre, jusqu'à dix, et, quand elle eut fini, elle recommença. Cela lui rendit la perception vraie des choses qui l'entouraient. Elle sentit le
205   froid à ses mains qu'elle avait mouillées en puisant de l'eau. Elle se leva. La peur lui était revenue, une peur naturelle et insurmontable. Elle n'eut plus qu'une pensée, s'enfuir ; s'enfuir à toutes jambes, à travers bois, à travers champs, jusqu'aux maisons, jusqu'aux fenêtres, jusqu'aux chandelles allumées.
210   Son regard tomba sur le seau qui était devant elle. Tel était l'effroi que lui inspirait la Thénardier qu'elle n'osa pas s'enfuir sans le seau d'eau. Elle saisit l'anse à deux mains. Elle eut de la peine à soulever le seau.

Elle fit ainsi une douzaine de pas, mais le seau était plein,
215   il était lourd, elle fut forcée de le reposer à terre. Elle respira un instant, puis elle enleva l'anse de nouveau, et se remit à marcher, cette fois un peu plus longtemps. Mais il fallut s'arrêter encore. Après quelques secondes de repos, elle repartit. Elle marchait penchée en avant, la tête baissée,
220   comme une vieille ; le poids du seau tendait et roidissait[36] ses bras maigres ; l'anse de fer achevait d'engourdir et de geler ses petites mains mouillées ; de temps en temps elle était forcée de s'arrêter, et chaque fois qu'elle s'arrêtait l'eau froide qui débordait du seau tombait sur ses jambes nues.
225   Cela se passait au fond d'un bois, la nuit, en hiver, loin de tout regard humain ; c'était un enfant de huit ans. Il n'y avait que Dieu en ce moment qui voyait cette chose triste.

Et sans doute sa mère, hélas !

Car il est des choses qui font ouvrir les yeux aux mortes
230   dans leur tombeau.

| **36.** Raidissait.

François Pompom (1855-1933) : *Cosette*, **sculpture, 1888 (plâtre).**
Musée Victor-Hugo, Paris.

Elle soufflait avec une sorte de râlement douloureux ; des sanglots lui serraient la gorge, mais elle n'osait pas pleurer, tant elle avait peur de la Thénardier, même loin. C'était son habitude de se figurer toujours que la Thénardier était là.

235   Cependant elle ne pouvait pas faire beaucoup de chemin de la sorte, et elle allait bien lentement. Elle avait beau diminuer la durée des stations et marcher entre chaque le plus longtemps possible, elle pensait avec angoisse qu'il lui faudrait plus d'une heure pour retourner ainsi à Montfermeil et que la Thénardier

240   la battrait. Cette angoisse se mêlait à son épouvante d'être seule dans le bois la nuit. Elle était harassée de fatigue et n'était pas encore sortie de la forêt. Parvenue près d'un vieux châtaignier qu'elle connaissait, elle fit une dernière halte plus longue que les autres pour se bien reposer, puis elle rassembla toutes ses

245   forces, reprit le seau et se remit à marcher courageusement. Cependant le pauvre petit être désespéré ne put s'empêcher de s'écrier : Ô mon Dieu ! mon Dieu !

En ce moment, elle sentit tout à coup que le seau ne pesait plus rien. Une main, qui lui parut énorme, venait de saisir

250   l'anse et la soulevait vigoureusement. Elle leva la tête. Une grande forme noire, droite et debout, marchait auprès d'elle dans l'obscurité. C'était un homme qui était arrivé derrière elle et qu'elle n'avait pas entendu venir. Cet homme, sans dire un mot, avait empoigné l'anse du seau qu'elle portait.

255   Il y a des instincts pour toutes les rencontres de la vie. L'enfant n'eut pas peur.

VII. Cosette côte à côte
dans l'ombre avec l'inconnu

Cosette, nous l'avons dit, n'avait pas eu peur.

L'homme lui adressa la parole. Il parlait d'une voix grave et presque basse.

– Mon enfant, c'est bien lourd pour vous ce que vous portez là.

Cosette leva la tête et répondit :

– Oui, monsieur.

– Donnez, reprit l'homme. Je vais vous le porter.

Cosette lâcha le seau. L'homme se mit à cheminer près d'elle.

– C'est très lourd en effet, dit-il entre ses dents.

Puis il ajouta :

– Petite, quel âge as-tu ?

– Huit ans, monsieur.

– Et viens-tu de loin comme cela ?

– De la source qui est dans le bois.

– Et est-ce loin où tu vas ?

– À un bon quart d'heure d'ici.

L'homme resta un moment sans parler, puis il dit brusquement :

– Tu n'as donc pas de mère ?

– Je ne sais pas, répondit l'enfant.

Avant que l'homme eût eu le temps de reprendre la parole, elle ajouta :

– Je ne crois pas. Les autres en ont. Moi, je n'en ai pas.

Et après un silence, elle reprit :

– Je crois que je n'en ai jamais eu.

L'homme s'arrêta, il posa le seau à terre, se pencha et mit ses deux mains sur les deux épaules de l'enfant, faisant effort pour la regarder et voir son visage dans l'obscurité.

La figure maigre et chétive[37] de Cosette se dessinait vaguement à la lueur livide du ciel.

– Comment t'appelles-tu ? dit l'homme.

– Cosette.

| **37.** De faible constitution.

L'homme eut comme une secousse électrique. Il la regarda
encore, puis il ôta ses mains de dessus les épaules de Cosette,
saisit le seau, et se remit à marcher.

Au bout d'un instant il demanda :

295   – Petite, où demeures-tu ?

– À Montfermeil, si vous connaissez.

– C'est là que nous allons ?

– Oui, monsieur.

Il fit encore une pause, puis recommença :

300   – Qui est-ce donc qui t'a envoyée à cette heure chercher de
l'eau dans le bois ?

– C'est madame Thénardier.

L'homme repartit d'un son de voix qu'il voulait s'efforcer de rendre indifférent, mais où il y avait pourtant un tremble-
5 ment singulier :

– Qu'est-ce qu'elle fait, ta madame Thénardier ?

– C'est ma bourgeoise[38], dit l'enfant. Elle tient l'auberge.

– L'auberge ? dit l'homme. Eh bien, je vais aller y loger cette nuit. Conduis-moi.

10 – Nous y allons, dit l'enfant.

L'homme marchait assez vite. Cosette le suivait sans peine. Elle ne sentait plus la fatigue. De temps en temps, elle levait les yeux vers cet homme avec une sorte de tranquillité et d'abandon inexprimables. Jamais on ne lui avait appris à se tourner vers
15 la providence et à prier. Cependant elle sentait en elle quelque chose qui ressemblait à de l'espérance et à de la joie et qui s'en allait vers le ciel.

Quelques minutes s'écoulèrent. L'homme reprit :

– Est-ce qu'il n'y a pas de servante chez madame Thénardier ?

20 – Non, monsieur.

– Est-ce que tu es seule ?

– Oui, monsieur.

Il y eut encore une interruption. Cosette éleva la voix :

– C'est-à-dire il y a deux petites filles.

25 – Quelles petites filles ?

– Ponine et Zelma.

L'enfant simplifiait de la sorte les noms romanesques chers à la Thénardier.

– Qu'est-ce que c'est que Ponine et Zelma ?

30 – Ce sont les demoiselles de madame Thénardier. Comme qui dirait ses filles.

– Et que font-elles, celles-là ?

| **38.** Ma patronne.

– Oh ! dit l'enfant, elles ont de belles poupées, des choses où il y a de l'or, tout plein d'affaires. Elles jouent, elles s'amusent.

335 – Toute la journée ?

– Oui, monsieur.

– Et toi ?

– Moi, je travaille.

– Toute la journée ?

340 L'enfant leva ses grands yeux où il y avait une larme qu'on ne voyait pas à cause de la nuit, et répondit doucement :

– Oui, monsieur.

Elle poursuivit après un intervalle de silence :

– Des fois, quand j'ai fini l'ouvrage et qu'on veut bien, je 345 m'amuse aussi.

– Comment t'amuses-tu ?

– Comme je peux. On me laisse. Mais je n'ai pas beaucoup de joujoux. Ponine et Zelma ne veulent pas que je joue avec leurs poupées. Je n'ai qu'un petit sabre en plomb, pas plus 350 long que ça.

L'enfant montrait son petit doigt.

– Et qui ne coupe pas ?

– Si, monsieur, dit l'enfant, ça coupe la salade et les têtes de mouches.

355 Ils atteignirent le village ; Cosette guida l'étranger dans les rues. Ils passèrent devant la boulangerie ; mais Cosette ne songea pas au pain qu'elle devait rapporter. L'homme avait cessé de lui faire des questions et gardait maintenant un silence morne. Quand ils eurent laissé l'église derrière 360 eux, l'homme, voyant toutes ces boutiques en plein vent, demanda à Cosette :

– C'est donc la foire ici ?

– Non, monsieur, c'est Noël.

Comme ils approchaient de l'auberge, Cosette lui toucha 365 le bras timidement.

– Monsieur ?

– Quoi, mon enfant ?

– Nous voilà tout près de la maison.

– Eh bien ?

– Voulez-vous me laisser reprendre le seau à présent ?

– Pourquoi ?

– C'est que, si madame voit qu'on me l'a porté, elle me battra.

L'homme lui remit le seau. Un instant après, ils étaient à la porte de la gargote.

VIII. Désagrément de recevoir chez soi
un pauvre qui est peut-être un riche

Cosette et l'étranger pénètrent dans la gargote. L'inconnu demande le gîte et le couvert. La fillette, qui a oublié d'acheter le pain et qui ne retrouve plus la pièce de quinze sous confiée par la Thénardier, est menacée d'être battue. C'est alors que l'étranger fait semblant d'avoir trouvé la pièce par terre et en donne une autre à la Thénardier, qui ordonne ensuite à Cosette de tricoter des bas pour ses filles. L'inconnu achète le travail de la petite pour qu'elle puisse jouer.

[...]

Tout à coup Cosette s'interrompit. Elle venait de se retourner et d'apercevoir la poupée des petites Thénardier qu'elles avaient quittée pour le chat et laissée à terre à quelques pas de la table de cuisine.

Alors elle laissa tomber le sabre emmailloté qui ne lui suffisait qu'à demi, puis elle promena lentement ses yeux autour de la salle. La Thénardier parlait bas à son mari, et comptait de la monnaie, Ponine et Zelma jouaient avec le chat, les voya-

385 geurs mangeaient, ou buvaient, ou chantaient, aucun regard
n'était fixé sur elle. Elle n'avait pas un moment à perdre. Elle
sortit de dessous la table en rampant sur ses genoux et sur ses
mains, s'assura encore une fois qu'on ne la guettait pas, puis
se glissa vivement jusqu'à la poupée, et la saisit. Un instant
390 après elle était à sa place, assise, immobile, tournée seulement
de manière à faire de l'ombre sur la poupée qu'elle tenait dans
ses bras. Ce bonheur de jouer avec une poupée était tellement
rare pour elle qu'il avait toute la violence d'une volupté[39].

Personne ne l'avait vue, excepté le voyageur, qui mangeait
395 lentement son maigre souper.

Cette joie dura près d'un quart d'heure.

Mais, quelque précaution que prît Cosette, elle ne s'apercevait pas qu'un des pieds de la poupée – *passait,* – et que le
feu de la cheminée l'éclairait très vivement. Ce pied rose et
400 lumineux qui sortait de l'ombre frappa subitement le regard
d'Azelma qui dit à Éponine :

– Tiens ! ma sœur !

Les deux petites filles s'arrêtèrent, stupéfaites. Cosette avait
osé prendre la poupée !

405 Éponine se leva, et, sans lâcher le chat, alla vers sa mère et
se mit à la tirer par sa jupe.

– Mais laisse-moi donc ! dit la mère. Qu'est-ce que tu me
veux ?

– Mère, dit l'enfant, regarde donc !

410 Et elle désignait du doigt Cosette.

Cosette, elle, tout entière aux extases[40] de la possession, ne
voyait et n'entendait plus rien.

Le visage de la Thénardier prit cette expression particulière
qui se compose du terrible mêlé aux riens de la vie et qui a fait
415 nommer ces sortes de femmes : mégères.

| **39.** Plaisir très intense. | **40.** Joies extrêmes.

Cette fois, l'orgueil blessé exaspérait encore sa colère. Cosette avait franchi tous les intervalles, Cosette avait attenté[41] à la poupée de « ces demoiselles ».

Une czarine[42] qui verrait un mougick[43] essayer le grand cordon bleu de son impérial fils n'aurait pas une autre figure.

Elle cria d'une voix que l'indignation enrouait :

– Cosette !

Cosette tressaillit comme si la terre eût tremblé sous elle. Elle se retourna.

– Cosette, répéta la Thénardier.

Cosette prit la poupée et la posa doucement à terre avec une sorte de vénération[44] mêlée de désespoir. Alors, sans la quitter des yeux, elle joignit les mains, et, ce qui est effrayant à dire dans un enfant de cet âge, elle se les tordit ; puis, ce que n'avait pu lui arracher aucune des émotions de la journée, ni la course dans le bois, ni la pesanteur du seau d'eau, ni la perte de l'argent, ni la vue du martinet, ni même la sombre parole qu'elle avait entendu dire à la Thénardier, – elle pleura. Elle éclata en sanglots.

Cependant le voyageur s'était levé.

– Qu'est-ce donc ? dit-il à la Thénardier.

– Vous ne voyez pas ? dit la Thénardier en montrant du doigt le corps du délit[45] qui gisait aux pieds de Cosette.

– Hé bien, quoi ? reprit l'homme.

– Cette gueuse, répondit la Thénardier, s'est permis de toucher à la poupée des enfants !

– Tout ce bruit pour cela ! dit l'homme. Et bien, quand elle jouerait avec cette poupée ?

– Elle y a touché avec ses mains sales ! poursuivit la Thénardier, avec ses affreuses mains !

---

41. Commis un crime en prenant la poupée.
42. Impératrice de Russie.
43. Paysan russe.

44. Adoration.
45. Objet constituant le « crime » de Cosette.

Ici Cosette redoubla ses sanglots.

– Te tairas-tu ? cria la Thénardier.

L'homme alla droit à la porte de la rue, l'ouvrit et sortit.

Dès qu'il fut sorti, la Thénardier profita de son absence pour
450 allonger sous la table à Cosette un grand coup de pied qui fit
jeter à l'enfant les hauts cris.

La porte se rouvrit, l'homme reparut, il portait dans ses
deux mains la poupée fabuleuse dont nous avons parlé[46], et
que tous les marmots du village contemplaient depuis le matin,
455 et il la posa debout devant Cosette en disant :

– Tiens, c'est pour toi.

Il faut croire que, depuis plus d'une heure qu'il était là,
au milieu de sa rêverie, il avait confusément remarqué cette
boutique de bimbeloterie[47] éclairée de lampions et de chan-
460 delles si splendidement qu'on l'apercevait à travers la vitre du
cabaret comme une illumination.

Cosette leva les yeux, elle avait vu venir l'homme à elle avec
cette poupée comme eût vu venir le soleil, elle entendit ces
paroles inouïes : *c'est pour toi*, elle le regarda, elle regarda
465 la poupée, puis elle recula lentement, et s'alla cacher tout au
fond sous la table dans le coin du mur.

Elle ne pleurait plus, elle ne criait plus, elle avait l'air de ne
plus oser respirer.

[...]

470 – Eh bien, Cosette, dit la Thénardier d'une voix qui voulait
être douce et qui était toute composée de ce miel aigre des
méchantes femmes, est-ce que tu ne prends pas ta poupée ?

Cosette se hasarda à sortir de son trou.

– Ma petite Cosette, reprit la Thénardier d'un air caressant,
475 monsieur te donne une poupée. Prends-la. Elle est à toi.

| **46.** Voir chapeau, p. 129. | **47.** De petits objets décoratifs.

Cosette considérait la poupée merveilleuse avec une sorte de terreur. Son visage était encore inondé de larmes, mais ses yeux commençaient à s'emplir, comme le ciel au crépuscule du matin, des rayonnements étranges de la joie. Ce qu'elle éprouvait en ce moment-là était un peu pareil à ce qu'elle eût ressenti si on lui eût dit brusquement : Petite, vous êtes la reine de France.

Il lui semblait que si elle touchait à cette poupée, le tonnerre en sortirait.

Ce qui était vrai jusqu'à un certain point, car elle se disait que la Thénardier gronderait, – et la battrait.

Pourtant l'attraction l'emporta. Elle finit par s'approcher, et murmura timidement en se tournant vers la Thénardier :

– Est-ce que je peux, madame ?

Aucune expression ne saurait rendre cet air à la fois désespéré, épouvanté et ravi.

– Pardi ! fit la Thénardier, c'est à toi. Puisque monsieur te la donne.

– Vrai, monsieur ? reprit Cosette, est-ce que c'est vrai ? c'est à moi, la dame ?

L'étranger paraissait avoir les yeux pleins de larmes. Il semblait être à ce point d'émotion où l'on ne parle pas pour ne pas pleurer. Il fit un signe de tête à Cosette, et mit la main de « la dame » dans sa petite main.

Deuxième partie « Cosette », Livre troisième
« Accomplissement de la promesse faite à la morte »,
extraits des chapitres II, V, VII et VIII.

Questions

Repérer et analyser

Le narrateur et la conduite du récit

1 Relevez dans les lignes 1 à 10 et 453 les expressions par lesquelles le narrateur guide le lecteur dans sa lecture.

Le portrait des Thénardier

Mme Thénardier

2 a. Relevez les termes qui caractérisent le physique de Mme Thénardier (l. 8 à 28).
b. Quels éléments renvoient à la masculinité ?
c. À qui ou à quoi est-elle assimilée (objets, animaux, êtres humains) lignes 8 à 13 ? Quelle image le narrateur donne-t-il d'elle ?
3 Que ressent-elle pour son époux ? Pourquoi est-ce étonnant, voire comique ? Citez le texte.

Le Thénardier

4 a. Relevez les expressions qui caractérisent Thénardier, physiquement et moralement.
b. À quel animal est-il assimilé ? Pourquoi ?
5 a. Quels sont ses défauts (l. 29 à 88) ?
b. Le néologisme

> Un néologisme est un mot nouveau que l'on peut s'amuser à créer.

Comment expliquez-vous la formation du mot « filousophe » (l. 43) ?
6 Expliquez l'expression « un coquin du genre tempéré » (l. 87). Quelle est la conclusion exprimée par le narrateur quant à cette espèce d'homme ?

Le couple Thénardier

7 Quel est l'âge de chacun des époux Thénardier ? De quelle façon leur différence d'âge est-elle gommée ?
8 Quels termes soulignent le caractère indissociable de ce couple malfaisant ?

9 Comment le couple se complète-t-il :
a. sur le plan des tâches et des responsabilités ?
b. sur le plan de son comportement envers Cosette (l. 96 à 101) ?

Le parcours de Cosette

L'enfant martyre
10 Relevez dans les lignes 96 à 109 les comparaisons qui évoquent le supplice infligé à Cosette.

L'énumération
Une énumération est une succession de termes de même nature grammaticale. L'énumération crée un effet de profusion.

11 Relevez l'énumération à partir de la ligne 102. Quels sont les éléments énumérés ? Quel effet cette énumération produit-elle ?

L'épreuve de la fontaine
12 Quelle corvée la Thénardier a-t-elle imposée à Cosette ? Aidez-vous du hors-texte.
13 **a.** Reconstituez l'itinéraire de l'enfant. Quels endroits sont rassurants ? Lesquels sont effrayants ? Pourquoi ? Justifiez votre réponse en citant le texte (l. 114 à 136).
b. À quel moment Cosette rebrousse-t-elle chemin ? Expliquez l'expression : « La peur lui donna de l'audace » (l. 134).
14 Quel objet Cosette perd-elle ?
15 Relevez dans les lignes 178 à 247 les expressions qui montrent que Cosette est dominée par la frayeur et la fatigue.
16 Montrez que la nature devient terrifiante aux yeux de l'enfant (l. 185 à 192).

Cosette et l'homme
17 Selon quel point de vue « l'homme » rencontré par Cosette est-il décrit (l. 248 à 254) ?
18 Quelle est la réaction de l'homme lorsque Cosette lui apprend son prénom (l. 290) ? Pour quelle raison réagit-il ainsi ?
19 Quelles informations Cosette fournit-elle sur sa vie quotidienne ?

L'épisode de la poupée

20 Dans quel lieu l'épisode se déroule-t-il ? À quelle époque de l'année ?

21 a. Avec quoi Cosette joue-t-elle (l. 381 à 393) ? Comment réussit-elle à s'emparer de ce jouet ?

b. Que représente-t-il pour elle ?

22 Que se passe-t-il lorsqu'elle est démasquée ? Quelle est l'attitude des petites Thénardier puis de la Thénardier ? Relevez les mots humiliants, les gestes violents.

23 Pourquoi « le voyageur » sort-il soudain de l'auberge ? Où va-t-il ?

24 Quels sentiments Cosette éprouve-t-elle lorsqu'elle reçoit la poupée ?

25 a. Montrez que l'attitude de la Thénardier change à ce moment-là du tout au tout : quels termes employait-elle pour désigner Cosette à la ligne 440 ? Comment la désigne-t-elle à la ligne 474 ?

b. Comment expliquez-vous ce changement d'attitude ?

La visée et les hypothèses de lecture

26 Que dénonce Hugo dans ce passage ?

27 a. En quoi la rencontre de Cosette et de l'homme marque-t-elle un temps fort dans le roman ?

b. Qui est cet homme ? Quels indices permettent de l'identifier ?

c. À quelle suite vous attendez-vous ? Émettez des hypothèses.

Étudier la langue

Grammaire : les fonctions de l'adjectif

« Le Thénardier était un homme petit, maigre, blême, anguleux, osseux, chétif, qui avait l'air malade. » (l. 29-30)

« La pauvre enfant, passive, se taisait. » (l. 110)

28 a. Relevez les adjectifs dans les phrases ci-dessus.

b. Lequel est attribut du sujet ? Lesquels sont épithètes du nom ? Lequel est mis en apposition au nom ?

Vocabulaire : les qualités et les défauts

29 À partir des adjectifs ci-dessous, donnez les noms exprimant la qualité ou le défaut correspondant. Utilisez les suffixes *-esse, -ise, -ance, -ice, -té, -rie*.

a. aimable

b. avare

c. médisant

d. humble

e. fourbe

f. généreux

g. irritable

h. scélérat

i. vantard

j. sournois

k. escroc

l. tendre

m. bienveillant

n. ponctuel

o. prévenant

p. rude

q. grossier

Écrire

Un cadeau de rêve

30 On vous a offert un magnifique cadeau dont vous aviez envie depuis longtemps. Évoquez votre surprise et vos émotions.

Consignes d'écriture :

– rédigez le texte à la 1re personne et aux temps du passé ;

– présentez les circonstances et décrivez l'objet ;

– utilisez le lexique des émotions (surprise, joie, émerveillement, etc.) ;

– employez des types de phrases variés.

Texte 11 – Jean Valjean se cache avec Cosette

« Ne dis pas un mot et n'aie pas peur... »

PARTIE 2, LIVRE QUATRIÈME

V. Une pièce de cinq francs qui tombe à terre fait du bruit

Dans la nuit, l'étranger glisse dans le sabot de Cosette un louis d'or. Le lendemain matin, moyennant une forte somme d'argent, il la sauve des Thénardier en l'emmenant avec lui. Cet inconnu n'est autre que Jean Valjean, qui, arrêté et condamné aux travaux forcés à perpétuité suite à l'affaire Champmathieu (voir les textes 8 et 9), est retourné au bagne de Toulon, duquel il a réussi à s'évader. Depuis, il veut accomplir la promesse faite à Fantine : prendre en charge Cosette et la rendre heureuse. Jean Valjean, accompagné de la fillette, arrive à Paris. Tous deux trouvent refuge dans une maison isolée, la masure Gorbeau, afin de ne pas attirer l'attention.

Il y avait près de Saint-Médard[1] un pauvre qui s'accroupis-sait sur la margelle[2] d'un puits banal condamné, et auquel Jean Valjean faisait volontiers la charité. Il ne passait guère devant cet homme sans lui donner quelques sous. Parfois il
5 lui parlait. Les envieux de ce mendiant disaient qu'il était *de la police*. C'était un vieux bedeau[3] de soixante-quinze ans qui marmottait[4] continuellement des oraisons[5].

---

1. Église proche du lieu habité par Jean Valjean.
2. Rebord.
3. Laïc employé au service d'une église.
4. Parlait entre ses dents.
5. Prières.

Un soir que Jean Valjean passait par là, il n'avait pas Cosette avec lui, il aperçut le mendiant à sa place ordinaire sous le réverbère qu'on venait d'allumer. Cet homme, selon son habitude, semblait prier et était tout courbé. Jean Valjean alla à lui et lui mit dans la main son aumône accoutumée. Le mendiant leva brusquement les yeux, regarda fixement Jean Valjean, puis baissa rapidement la tête. Ce mouvement fut comme un éclair, Jean Valjean eut un tressaillement. Il lui sembla qu'il venait d'entrevoir, à la lueur du réverbère, non le visage placide et béat[6] du vieux bedeau, mais une figure effrayante et connue. Il eut l'impression qu'on aurait en se trouvant tout à coup dans l'ombre face à face avec un tigre. Il recula terrifié et pétrifié[7], n'osant ni respirer, ni parler, ni rester, ni fuir, considérant le mendiant qui avait baissé sa tête couverte d'une loque[8] et paraissait ne plus savoir qu'il était là. Dans ce moment étrange, un instinct, peut-être l'instinct mystérieux de la conservation, fit que Jean Valjean ne prononça pas une parole. Le mendiant avait la même taille, les même guenilles[8], la même apparence que tous les jours.
– Bah !… dit Jean Valjean, je suis fou ! je rêve ! impossible !
– Et il rentra profondément troublé.

C'est à peine s'il osait s'avouer à lui-même que cette figure qu'il avait cru voir était la figure de Javert.

La nuit, en y réfléchissant, il regretta de n'avoir pas questionné l'homme pour le forcer à lever la tête une seconde fois.

Le lendemain à la nuit tombante il y retourna. Le mendiant était à sa place. – Bonjour, bonhomme, dit résolument Jean Valjean en lui donnant un sou. Le mendiant leva la tête, et répondit d'une voix dolente[9] :

– Merci, mon bon monsieur. – C'était bien le vieux bedeau. Jean Valjean se sentit pleinement rassuré. Il se mit à rire.

| **6.** Paisible et tranquille. | **8.** Vêtements usés, déchirés. |
| **7.** Paralysé par une émotion violente. | **9.** Plaintive. |

– Où diable ai-je été voir là Javert ? pensa-t-il. Ah ça, est-ce
40 que je vais avoir la berlue[10] à présent ? – Il n'y songea plus.

Quelque jours après, il pouvait être huit heures du soir, il
était dans sa chambre et il faisait épeler Cosette à haute voix, il
entendit ouvrir, puis refermer la porte de la masure[11]. Cela lui
parut singulier. La vieille, qui seule habitait avec lui la maison,
45 se couchait toujours à la nuit pour ne point user de chandelle.
Jean Valjean fit signe à Cosette de se taire. Il entendit qu'on
montait l'escalier. À la rigueur ce pouvait être la vieille qui
avait pu se trouver malade et aller chez l'apothicaire[12]. Jean
Valjean écouta. Le pas était lourd et sonnait comme le pas
50 d'un homme ; mais la vieille portait de gros souliers et rien
ne ressemble au pas d'un homme comme le pas d'une vieille
femme. Cependant Jean Valjean souffla sa chandelle.

Il avait envoyé Cosette au lit en lui disant tout bas :

– Couche-toi bien doucement ; et, pendant qu'il la baisait
55 au front, les pas s'étaient arrêtés. Jean Valjean demeura en
silence, immobile, le dos tourné à la porte, assis sur sa chaise
dont il n'avait pas bougé, retenant son souffle dans l'obscurité. Au bout d'un temps assez long, n'entendant plus rien,
il se retourna sans faire de bruit, et, comme il levait les yeux
60 vers la porte de sa chambre, il vit une lumière par le trou de la
serrure. Cette lumière faisait une sorte d'étoile sinistre dans le
noir de la porte et du mur. Il y avait évidemment là quelqu'un
qui tenait une chandelle à la main, et qui écoutait.

Quelques minutes s'écoulèrent, et la lumière s'en alla. Seule-
65 ment il n'entendit plus aucun bruit de pas, ce qui semblait
indiquer que celui qui était venu écouter à la porte avait ôté
ses souliers.

Jean Valjean se jeta tout habillé sur son lit et ne put fermer
l'œil de la nuit.

| **10.** Avoir des visions. | **11.** Petite habitation misérable. | **12.** Pharmacien.

70   Au point du jour, comme il s'assoupissait de fatigue, il fut réveillé par le grincement d'une porte qui s'ouvrait à quelque mansarde[13] du fond du corridor[14], puis il entendit le même pas d'homme qui avait monté l'escalier la veille. Le pas s'approchait. Il se jeta à bas du lit et appliqua son 75 œil au trou de sa serrure, lequel était assez grand, espérant voir au passage l'être quelconque qui s'était introduit la nuit dans la masure et qui avait écouté à sa porte. C'était un homme en effet qui passa, cette fois sans s'arrêter, devant la chambre de Jean Valjean. Le corridor était encore trop 80 obscur pour qu'on pût distinguer son visage ; mais quand l'homme arriva à l'escalier, un rayon de lumière du dehors le fit saillir[15] comme une silhouette, et Jean Valjean le vit de dos complètement. L'homme était de haute taille, vêtu d'une redingote longue, avec un gourdin sous son bras. C'était 85 l'encolure formidable de Javert.

  Jean Valjean aurait pu essayer de le revoir par sa fenêtre sur le boulevard. Mais il eût fallu ouvrir cette fenêtre, il n'osa pas. Il était évident que cet homme était entré avec une clef, et comme chez lui. Qui lui avait donné cette clef ? qu'est-ce 90 que cela voulait dire ?

  À sept heures du matin, quand la vieille vint faire le ménage, Jean Valjean lui jeta un coup d'œil pénétrant, mais il ne l'interrogea pas. La bonne femme était comme à l'ordinaire.

  Tout en balayant, elle lui dit :

95   – Monsieur a peut-être entendu quelqu'un qui entrait cette nuit ?

  À cet âge et sur ce boulevard, huit heures du soir, c'est la nuit la plus noire.

  – À propos, c'est vrai, répondit-il de l'accent le plus naturel. 100 Qui était-ce donc ?

| **13.** Chambre aménagée sous les toits. | **14.** Couloir. | **15.** Ressortir.

– C'est un nouveau locataire, dit la vieille, qu'il y a dans la maison.

– Et qui s'appelle ?

– Je ne sais plus trop. Monsieur Dumont ou Daumont. Un 105 nom comme cela.

– Et qu'est-ce qu'il est, ce monsieur Dumont ?

La vieille le considéra avec ses petits yeux de fouine, et répondit :

– Un rentier[16], comme vous.

110   Elle n'avait peut-être aucune intention. Jean Valjean crut lui en démêler une.

Quand la vieille fut partie, il fit un rouleau d'une centaine de francs qu'il avait dans une armoire et le mit dans sa poche. Quelque précaution qu'il prît dans cette opération pour qu'on 115 ne l'entendît pas remuer de l'argent, une pièce de cent sous lui échappa des mains et roula bruyamment sur le carreau.

À la brune[17], il descendit et regarda avec attention de tous les côtés sur le boulevard. Il n'y vit personne. Le boulevard semblait absolument désert. Il est vrai qu'on peut s'y cacher 120 derrière les arbres.

Il remonta.

– Viens, dit-il à Cosette.

Il la prit par la main, et ils sortirent tous deux.

PARTIE 2, LIVRE CINQUIÈME

I. Les zigzags de la stratégie

Jean Valjean, accompagné de Cosette, quitte précipitamment la masure Gorbeau afin d'échapper à Javert. Mais l'inspecteur est sur ses traces…

---

16. Personne qui vit d'une somme d'argent régulière qu'il tire d'un bien.
17. À la nuit tombante

[…]

Comme onze heures sonnaient à Saint-Étienne-du-Mont, il traversait la rue de Pontoise devant le bureau du commissaire de police qui est au n° 14. Quelques instants après, l'instinct dont nous parlions plus haut[18] fit qu'il se retourna. En ce moment, il vit distinctement, grâce à la lanterne du commissaire qui les trahissait, trois hommes qui le suivaient d'assez près passer successivement sous cette lanterne dans le côté ténébreux de la rue. L'un de ces trois hommes entra dans l'allée de la maison du commissaire. Celui qui marchait en tête lui parut décidément suspect.

– Viens, enfant, dit-il à Cosette, et il se hâta de quitter la rue de Pontoise.

Il fit un circuit, tourna le passage des Patriarches qui était fermé à cause de l'heure, arpenta la rue de l'Épée-de-Bois et la rue de l'Arbalète et s'enfonça dans la rue des Postes.

Il y a là un carrefour, où est aujourd'hui le collège Rollin et où vient s'embrancher la rue Neuve-Sainte-Geneviève.

(Il va sans dire que la rue Neuve-Sainte-Geneviève est une vieille rue, et qu'il ne passe pas une chaise de poste[19] tous les dix ans rue des Postes. Cette rue des Postes était au treizième siècle habitée par des potiers et son vrai nom est rue des Pots.)

La lune jetait une vive lumière dans ce carrefour. Jean Valjean s'embusqua sous une porte, calculant que si ces hommes le suivaient encore, il ne pourrait manquer de les très bien voir lorsqu'ils traverseraient cette clarté.

En effet, il ne s'était pas écoulé trois minutes que les hommes parurent. Ils étaient maintenant quatre ; tous de haute taille, vêtus de longues redingotes brunes, avec des chapeaux ronds, et de gros bâtons à la main. Ils n'étaient pas moins inquiétants par leur grande stature et leurs vastes poings que par leur

---

| **18.** Jean Valjean se sent poursuivi. | **19.** Voiture de poste tirée par des chevaux.

marche sinistre dans les ténèbres. On eût dit quatre spectres
déguisés en bourgeois.

Ils s'arrêtèrent au milieu du carrefour et firent groupe, comme
des gens qui se consultent. Ils avaient l'air indécis. Celui qui
paraissait les conduire se tourna et désigna vivement de la main
droite la direction où s'était engagé Jean Valjean ; un autre
semblait indiquer avec une certaine obstination la direction
contraire.

À l'instant où le premier se retourna, la lune éclaira en plein
son visage. Jean Valjean reconnut parfaitement Javert.

Gravure de Perrichon et Gustave Brion : Javert.
Édition Hetzel et Lacroix, musée Victor-Hugo, Paris.

V. Qui serait impossible avec l'éclairage au gaz

Jean Valjean, accompagné de Cosette, est poursuivi par Javert et ses hommes.

En ce moment un bruit sourd et cadencé commença à se faire entendre à quelque distance. Jean Valjean risqua un peu son regard en dehors du coin de la rue. Sept ou huit soldats disposés en peloton venaient de déboucher dans la rue Polonceau. Il voyait briller les bayonnettes. Cela venait vers lui.

Ces soldats, en tête desquels il distinguait la haute stature de Javert, s'avançaient lentement et avec précaution. Ils s'arrêtaient fréquemment. Il était visible qu'ils exploraient tous les recoins des murs et toutes les embrasures de portes et d'allées.

C'était, et ici la conjecture ne pouvait se tromper[20], quelque patrouille que Javert avait rencontrée et qu'il avait requise[21].

Les deux acolytes[22] de Javert marchaient dans leurs rangs.

Du pas dont ils marchaient, et avec les stations qu'ils faisaient, il leur fallait environ un quart d'heure pour arriver à l'endroit où se trouvait Jean Valjean.

Ce fut un instant affreux. Quelques minutes séparaient Jean Valjean de cet épouvantable précipice qui s'ouvrait devant lui pour la troisième fois. Et le bagne maintenant n'était plus seulement le bagne, c'était Cosette perdue à jamais ; c'est-à-dire une vie qui ressemblait au dedans d'une tombe.

Il n'y avait plus qu'une chose possible.

Jean Valjean avait cela de particulier qu'on pouvait dire qu'il portait deux besaces[23] ; dans l'une il avait les pensées d'un saint, dans l'autre les redoutables talents d'un forçat. Il fouillait dans l'une ou dans l'autre, selon l'occasion.

20. Les hypothèses se vérifiaient.
21. Mobilisée.
22. Aides sous les ordres de Javert.
23. Sacs.

190   Entre autres ressources, grâce à ses nombreuses évasions du bagne de Toulon, il était, on s'en souvient, passé maître dans cet art incroyable de s'élever, sans échelles, sans crampons, par la seule force musculaire, en s'appuyant de la nuque, des épaules, des hanches et des genoux, en s'aidant à peine
195   des rares reliefs de la pierre, dans l'angle droit d'un mur, au besoin jusqu'à la hauteur d'un sixième étage ; art qui a rendu si effrayant et si célèbre le coin de la cour de la Conciergerie de Paris par où s'échappa, il y a une vingtaine d'années, le condamné Battemolle.

200   Jean Valjean mesura des yeux la muraille au-dessus de laquelle il voyait le tilleul. Elle avait environ dix-huit pieds[24] de haut. L'angle qu'elle faisait avec le pignon[25] du grand bâtiment était rempli, dans sa partie inférieure, d'un massif de maçonnerie de forme triangulaire, probablement destiné à préserver ce
205   trop commode recoin des stations de ces stercoraires[26] qu'on appelle les passants. Ce remplissage préventif des coins de mur est fort usité[27] à Paris.

Ce massif avait environ cinq pieds de haut. Du sommet de ce massif l'espace à franchir pour arriver sur le mur n'était
210   guère que de quatorze pieds.

Le mur était surmonté d'une pierre plate sans chevron[28].

La difficulté était Cosette. Cosette, elle, ne savait pas escalader un mur. L'abandonner ? Jean Valjean n'y songeait pas. L'emporter était impossible. Toutes les forces d'un homme
215   lui sont nécessaires pour mener à bien ces étranges ascensions. Le moindre fardeau dérangerait son centre de gravité et le précipiterait.

Il aurait fallu une corde. Jean Valjean n'en avait pas. Où trouver une corde à minuit, rue Polonceau ? Certes, en cet

---

24. Unité de mesure équivalant à 0,3248 mètres, soit ici environ 5,86 mètres.
25. Partie supérieure d'un mur.
26. Oiseaux.

27. Pratiqué.
28. Pièce de bois destinée à soutenir une toiture.

20 instant-là, si Jean Valjean avait eu un royaume, il l'eût donné
pour une corde.

Toutes les situations extrêmes ont leur éclairs qui tantôt
nous aveuglent, tantôt nous illuminent.

Le regard désespéré de Jean Valjean rencontra la potence
25 du réverbère du cul-de-sac Genrot.

À cette époque il n'y avait point de becs de gaz dans les
rues de Paris. À la nuit tombante on y allumait des réverbères
placés de distance en distance, lesquels montaient et descen-
daient au moyen d'une corde qui traversait la rue de part
30 en part et qui s'ajustait dans la rainure[29] d'une potence. Le
tourniquet où se dévidait cette corde était scellé au-dessous
de la lanterne dans une petite armoire de fer dont l'allumeur[30]
avait la clef, et la corde elle-même était protégée jusqu'à une
certaine hauteur par un étui de métal.

35 Jean Valjean, avec l'énergie d'une lutte suprême, franchit la
rue d'un bond, entra dans le cul-de-sac, fit sauter le pêne[31] de
la petite armoire avec la pointe de son couteau, et un instant
après il était revenu près de Cosette. Il avait une corde. Ils
vont vite en besogne, ces sombres trouveurs d'expédients[32],
40 aux prises avec la fatalité.

Nous avons expliqué que les réverbères n'avaient pas été
allumés cette nuit-là. La lanterne du cul-de-sac Genrot se
trouvait donc naturellement éteinte comme les autres, et l'on
pouvait passer à côté sans même remarquer qu'elle n'était
45 plus à sa place.

Cependant l'heure, le lieu, l'obscurité, la préoccupation de
Jean Valjean, ses gestes singuliers, ses allées et venues, tout
cela commençait à inquiéter Cosette. Tout autre enfant qu'elle
aurait depuis longtemps jeté les hauts cris. Elle se borna à
50 tirer Jean Valjean par le pan de sa redingote. On entendait

---

29. Entaille longue et étroite.
30. Personne qui allume les réverbères.

31. Verrou.
32. Moyens de se tirer d'embarras.

toujours de plus en plus distinctement le bruit de la patrouille qui approchait.

– Père, dit-elle tout bas, j'ai peur. Qu'est-ce qui vient donc là ?

255   – Chut ! répondit le malheureux homme. C'est la Thénardier.

Cosette tressaillit. Il ajouta :

– Ne dis rien. Laisse-moi faire. Si tu cries, si tu pleures, la Thénardier te guette. Elle vient pour te ravoir.

Alors, sans se hâter, mais sans s'y reprendre à deux fois
260   pour rien, avec une précision ferme et brève, d'autant plus remarquable en un pareil moment que la patrouille et Javert pouvaient survenir d'un instant à l'autre, il défit sa cravate, la passa autour du corps de Cosette sous les aisselles en ayant soin qu'elle ne pût blesser l'enfant, rattacha cette cravate à un
265   bout de la corde au moyen de ce nœud que les gens de mer appellent nœud d'hirondelle, prit l'autre bout de cette corde dans ses dents, ôta ses souliers et ses bas qu'il jeta par-dessus la muraille, monta sur le massif de maçonnerie, et commença à s'élever dans l'angle du mur et du pignon avec autant de solidité
270   et de certitude que s'il eût eu des échelons[33] sous les talons et sous les coudes. Une demi-minute ne s'était pas écoulée qu'il était à genoux sur le mur.

Cosette le considérait avec stupeur, sans dire une parole. La recommandation de Jean Valjean et le nom de la Thénardier
275   l'avaient glacée.

Tout à coup elle entendit la voix de Jean Valjean qui lui criait, tout en restant très basse :

– Adosse-toi au mur.

Elle obéit.

280   – Ne dis pas un mot et n'aie pas peur, reprit Jean Valjean.

Et elle se sentit enlever de terre.

| **33.** Des barreaux d'échelle.

Avant qu'elle eût eu le temps de se reconnaître, elle était au haut de la muraille.

Jean Valjean la saisit, la mit sur son dos, lui prit ses deux
5 petites mains dans sa main gauche, se coucha à plat ventre et rampa sur le haut du mur jusqu'au pan coupé. Comme il l'avait deviné, il y avait là une bâtisse dont le toit partait du haut de la clôture en bois et descendait fort près de terre, selon un plan assez doucement incliné, en effleurant le tilleul.
10 Circonstance heureuse, car la muraille était beaucoup plus haute de ce côté que du côté de la rue. Jean Valjean n'apercevait le sol au-dessous de lui que très profondément.

Il venait d'arriver au plan incliné du toit et n'avait pas encore lâché la crête de la muraille lorsqu'un hourvari[34]
15 violent annonça l'arrivée de la patrouille. On entendit la voix tonnante de Javert :

– Fouillez le cul-de-sac ! La rue Droit-Mur est gardée, la petite rue Picpus aussi. Je réponds qu'il est dans le cul-de-sac !

Les soldats se précipitèrent dans le cul-de-sac Genrot.
20 Jean Valjean se laissa glisser le long du toit, tout en soutenant Cosette, atteignit le tilleul et sauta à terre. Soit terreur, soit courage, Cosette n'avait pas soufflé. Elle avait les mains un peu écorchées.

PARTIE 2, LIVRE HUITIÈME

IX. Clôture

Les héros tombent dans le jardin du couvent du Petit-Picpus. Jean Valjean se retrouve face au père Fauchelevent à qui il a jadis sauvé la vie (voir le texte 6, p. 88). Ce dernier l'aide en le faisant passer pour son frère auprès de la supérieure.

| **34.** Grand bruit.

Jean Valjean change de nom et s'appelle désormais Ultime Fauchelevent. Il devient aide-jardinier. L'éducation de Cosette est confiée aux religieuses.

    […]

305   Cosette, en devenant pensionnaire du couvent, dut prendre l'habit des élèves de la maison. Jean Valjean obtint qu'on lui remît les vêtements qu'elle dépouillait[35]. C'était ce même habillement de deuil qu'il lui avait fait revêtir lorsqu'elle avait quitté la gargote[36] Thénardier. Il n'était pas encore très usé.

310 Jean Valjean enferma ces nippes[37], plus les bas de laine et les souliers, avec force camphre[38] et tous les aromates dont abondent les couvents, dans une petite valise qu'il trouva moyen de se procurer. Il mit cette valise sur une chaise près de son lit, et il en avait toujours la clef sur lui. – Père, lui demanda un jour Cosette,

315 qu'est-ce que c'est donc que cette boîte-là qui sent si bon ?

    […]

   Ce couvent était pour Jean Valjean comme une île entourée de gouffres. Ces quatre murs étaient désormais le monde pour lui. Il y voyait le ciel assez pour être serein et Cosette assez

320 pour être heureux.

   Une vie très douce recommença pour lui.

   Il habitait avec le vieux Fauchelevent la baraque du fond du jardin. Cette bicoque[39], bâtie en plâtras[40], qui existait encore en 1845, était composée, comme on sait, de trois chambres,

325 lesquelles étaient toutes nues et n'avaient que les murailles. La principale avait été cédée de force, car Jean Valjean avait résisté en vain, par le père Fauchelevent à M. Madeleine. Le mur de cette chambre, outre les deux clous destinés à l'accrochement de

---

35. Les vêtements qu'elle portait avant d'être pensionnaire et qu'elle avait enlevés.
36. Voir la note 16, page 62.
37. Vêtements usés.

38. Substance végétale utilisée comme antimite.
39. Petite maison peu solide et inconfortable.
40. Débris de plâtre.

la genouillère[41] et de la hotte, avait pour ornement un papier-monnaie royaliste de 93 appliqué à la muraille au-dessus de la cheminée et dont voici le fac-similé[42] exact :

Cet assignat[43] vendéen avait été cloué au mur par le précédent jardinier, ancien chouan[44] qui était mort dans le couvent et que Fauchelevent avait remplacé.

Jean Valjean travaillait tout le jour dans le jardin et y était très utile. Il avait été jadis émondeur[45] et se retrouvait volontiers jardinier. On se rappelle qu'il avait toutes sortes de recettes et de secrets de culture. Il en tira parti. Presque tous les arbres du verger étaient des sauvageons ; il les écussonna[46] et leur fit donner d'excellents fruits.

Cosette avait permission de venir tous les jours passer une heure près de lui. Comme les sœurs étaient tristes et qu'il était bon, l'enfant le comparait et l'adorait. À l'heure fixée elle accourait vers la baraque. Quand elle entrait dans la masure, elle l'emplissait de paradis. Jean Valjean s'épanouissait, et sentait son bonheur s'accroître du bonheur qu'il donnait à Cosette. La joie que nous inspirons à cela de charmant que,

---

41. Morceau de cuir servant à protéger le genou.
42. Reproduction.
43. Papier-monnaie émis en 1789 et supprimé en 1797.

44. Insurgé royaliste de l'ouest de la France, luttant contre la Révolution entre 1791 et 1799.
45. Voir la note 15, page 30.
46. Constitua des greffons en détachant des fragments de branches.

loin de s'affaiblir comme tout reflet, elle nous revient plus rayonnante. Aux heures de récréations, Jean Valjean regar-
350 dait de loin Cosette jouer et courir, et il distinguait son rire du rire des autres.

Car maintenant Cosette riait.

La figure de Cosette en était même jusqu'à un certain point changée. Le sombre en avait disparu. Le rire, c'est le soleil ; il
355 chasse l'hiver du visage humain.

Gravure de Perrichon et Gustave Brion.
Édition Hetzel et Lacroix, musée Victor-Hugo, Paris.

Cosette, toujours pas jolie, devenait bien charmante d'ailleurs. Elle disait des petites choses raisonnables avec sa douce voix enfantine.

La récréation finie, quand Cosette rentrait, Jean Valjean regardait les fenêtres de sa classe, et la nuit il se relevait pour regarder les fenêtres de son dortoir.

[...]

Tout ce qui l'entourait, ce jardin paisible, ces fleurs embaumées[47], ces enfants poussant des cris joyeux, ces femmes graves et simples, ce cloître[48] silencieux, le pénétraient lentement, et peu à peu son âme se composait de silence comme ce cloître, de parfum comme ces fleurs, de paix comme ce jardin, de simplicité comme ces femmes, de joie comme ces enfants. Et puis il songeait que c'étaient deux maisons de Dieu qui l'avaient successivement recueilli aux deux instants critiques de sa vie, la première lorsque toutes les portes se fermaient et que la société humaine le repoussait, la deuxième au moment où la société humaine se remettait à sa poursuite et où le bagne se rouvrait ; et que sans la première il serait retombé dans le crime et sans la seconde dans le supplice.

Tout son cœur se fondait en reconnaissance et il aimait de plus en plus.

Plusieurs années s'écoulèrent ainsi ; Cosette grandissait.

Deuxième partie « Cosette »,
Livre quatrième, « La masure Gorbeau », chapitre V.
Livre cinquième, « À chasse noire meute muette », extraits des chapitres I et V.
Livre huitième, « Les cimetières prennent ce qu'on leur donne », extraits du chapitre IX.

| **47.** Parfumées. | **48.** Couvent.

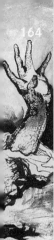

Questions

Repérer et analyser

Le parcours de Jean Valjean et de Cosette

La masure Gorbeau

1 Quel lien se tisse entre Jean Valjean et Cosette dans la masure Gorbeau (l. 41-42) ?

2 **a.** Qui Jean Valjean croit-il avoir reconnu dans le personnage du mendiant à qui il fait la charité (l. 12 à 30) ?

b. Quels éléments ont déclenché en lui le doute quant à l'identité de ce personnage ?

c. Dans quelles circonstances et à quels signes a-t-il confirmation de son identité ? Citez le texte (l. 70 à 85).

La fuite avec Cosette

3 Pourquoi Jean Valjean s'enfuit-il ?

4 À quel moment craint-il de retourner au bagne (l. 181 à 185) ?

5 En quoi son passé de bagnard lui est-il utile pour échapper à ses poursuivants ?

6 Comment Cosette se comporte-t-elle lors de la poursuite ? Comment expliquez-vous cette attitude ?

Le couvent du Petit-Picpus

7 **a.** Quel travail Jean Valjean exerce-t-il au couvent ?

b. Quel est son principal bonheur ? Justifiez votre réponse.

8 **a.** Quel sentiment le couvent et le jardin font-ils naître en lui ? Appuyez-vous sur une comparaison et sur les lignes 364 à 377.

b. À quel jardin biblique ce jardin peut-il renvoyer ?

c. Quelle autre « maison de Dieu » est évoquée dans les lignes 369 à 374 ? Que lui ont apporté ces deux « maisons » ?

9 En quoi Cosette a-t-elle changé ? Relevez les antithèses dans les lignes 353 à 355.

10 **a.** Quelles sont les relations entre Cosette et Jean Valjean ? Appuyez-vous sur le terme qu'elle utilise pour le désigner ainsi que sur les verbes des lignes 341 à 351.

b. Relevez les mots et expressions qui renvoient au bonheur de Cosette et à celui de Jean Valjean.

Suspense et dramatisation

Des pas dans l'escalier

11 a. Quel événement survient un soir, mettant Jean Valjean en éveil (l. 41 à 44) ?

b. Relevez dans les lignes 44 à 52 et 86 à 90 les phrases qui montrent que le narrateur adopte par moments le point de vue de Jean Valjean. Quel est l'intérêt de ce choix pour le lecteur ?

12 Quelle stratégie Jean Valjean met-il en place ?
Relevez les notations d'éclairage, de bruit et de silence, ainsi que les indications temporelles qui montrent l'écoulement du temps. Quel est l'effet produit ?

13 a. Quelle hypothèse Jean Valjean émet-il sur ce qui a pu se passer durant la nuit ?

b. À quel moment le mystère est-il élucidé ?

14 Quel est le rôle de la vieille ? Relevez les expressions qui montrent qu'elle est peut-être d'intelligence avec la police.

La poursuite dans les rues de Paris

15 a. Où et avec qui Jean Valjean se trouve-t-il ? Reconstituez son itinéraire (l. 124 à 161).

b. En quoi le moment de la journée contribue-t-il au suspense ?

16 Combien d'hommes le poursuivent dans un premier temps (l. 149 à 155) ? Qui reconnaît-il ? Quel est le rôle de la lune ?

17 a. Dans quelle rue la traque se poursuit-elle (l. 165 à 169) ? Combien de soldats sont alors sur ses traces ?

b. Quel danger Jean Valjean court-il ? Combien de temps lui reste-t-il avant que les soldats ne le découvrent ?

c. Quelle solution imagine-t-il ? Grâce à quelle qualité physique réussit-il à s'en sortir ?

18 Jean Valjean sait-il ce qu'il y a derrière la muraille ? Et le lecteur ? Comment le suspense est-il entretenu ?

Les hypothèses de lecture

19   **a.** Sur quelle note d'espoir la deuxième partie du roman se ferme-t-elle ?

b. Selon vous, ce moment de vie privilégié sera-t-il durable ? Quelles hypothèses pouvez-vous émettre ?

Étudier la langue

Grammaire : juxtaposition, coordination

20   Réécrivez les deux phrases suivantes en établissant entre elles un rapport de logique d'opposition à l'aide d'une conjonction de coordination :

« Il aurait fallu une corde. Jean Valjean n'en avait pas. » (l. 218)

Écrire

Un lieu agréable

21   Évoquez en quelques lignes un lieu dans lequel vous vous sentez bien.

Critères de réussite :

– décrivez ce lieu, insistez sur son caractère plaisant ;

– dites ce que vous ressentez dans ce lieu ;

– utilisez un vocabulaire mélioratif.

Texte 12 – La rencontre de Marius et Cosette

« Ce fut un étrange éclair... »

PARTIE 3, LIVRE PREMIER

XIII. Le petit Gavroche

Huit ou neuf ans environ après les événements racontés dans la deuxième partie de cette histoire[1], on remarquait sur le boulevard du Temple et dans les régions du Château-d'Eau un petit garçon de onze à douze ans qui eût assez correctement réalisé cet idéal du gamin ébauché plus haut[2], si, avec le rire de son âge sur les lèvres, il n'eût pas eu le cœur absolument sombre et vide. Cet enfant était bien affublé d'un pantalon d'homme, mais il ne le tenait pas de son père, et d'une camisole[3] de femme, mais il ne la tenait pas de sa mère. Des gens quelconques l'avaient habillé de chiffons par charité. Pourtant il avait un père et une mère. Mais son père ne songeait pas à lui et sa mère ne l'aimait point. C'était un de ces enfants dignes de pitié entre tous qui ont père et mère et qui sont orphelins.

Cet enfant ne se sentait jamais si bien que dans la rue. Le pavé lui était moins dur que le cœur de sa mère.

Ses parents l'avaient jeté dans la vie d'un coup de pied. Il avait tout bonnement pris sa volée.

C'était un garçon bruyant, blême, leste[4], éveillé, goguenard[5], à l'air vivace et maladif. Il allait, venait, chantait, jouait à la fayousse[6], grattait les ruisseaux, volait un peu, mais comme les chats et les passereaux[7], gaîment, riait quand on l'appelait

---

1. Voir résumé p. 306.
2. Évoqué dans un chapitre précédent.
3. Vêtement court porté sur une chemise.
4. Vif.

5. Moqueur.
6. Jeu d'adresse avec des pièces de monnaie.
7. Moineaux.

galopin, se fâchait quand on l'appelait voyou. Il n'avait pas de gîte, pas de pain, pas de feu, pas d'amour ; mais il était joyeux parce qu'il était libre.

25   Quand ces pauvres êtres sont hommes, presque toujours la meule de l'ordre social les rencontre et les broie, mais tant qu'ils sont enfants, ils échappent, étant petits. Le moindre trou les sauve.

Pourtant, si abandonné que fût cet enfant, il arrivait parfois, 30 tous les deux ou trois mois, qu'il disait : « Tiens, je vais voir maman ! » Alors il quittait le boulevard, le Cirque, la Porte Saint-Martin, descendait aux quais, passait les ponts, gagnait les faubourgs, atteignait la Salpêtrière, et arrivait où ? Précisément à ce double numéro 50-52 que le lecteur connaît, à la masure[8] 35 Gorbeau.

À cette époque, la masure 50-52, habituellement déserte et éternellement décorée de l'écriteau : « Chambres à louer », se trouvait, chose rare, habitée par plusieurs individus qui, du reste, comme cela est toujours à Paris, n'avaient aucun lien 40 ni aucun rapport entre eux. Tous appartenaient à cette classe indigente[9] qui commence à partir du dernier petit bourgeois gêné et qui se prolonge de misère en misère dans les bas-fonds de la société jusqu'à ces deux êtres auxquels toutes les choses matérielles de la civilisation viennent aboutir, l'égoutier qui 45 balaye la boue et le chiffonnier qui ramasse les guenilles[10].

La « principale locataire » du temps de Jean Valjean était morte et avait été remplacée par une toute pareille. Je ne sais quel philosophe a dit : On ne manque jamais de vieilles femmes.

50   Cette nouvelle vieille s'appelait madame Burgon, et n'avait rien de remarquable dans sa vie qu'une dynastie de trois perroquets, lesquels avaient successivement régné sur son âme.

---

8. Voir note 11, p. 150. | **10.** Voir note 8, p. 149.
9. Très pauvre.

Les plus misérables entre ceux qui habitaient la masure étaient une famille de quatre personnes, le père, la mère et deux filles déjà assez grandes, tous les quatre logés dans le même galetas[11], une de ces cellules[12] dont nous avons déjà parlé.

Cette famille n'offrait au premier abord rien de très particulier que son extrême dénûment ; le père en louant la chambre avait dit s'appeler Jondrette. Quelque temps après son emménagement qui avait singulièrement ressemblé, pour emprunter l'expression mémorable de la principale locataire, à *l'entrée de rien du tout*, ce Jondrette avait dit à cette femme qui, comme sa devancière[13], était en même temps portière et balayait l'escalier : – Mère une telle, si quelqu'un venait par hasard demander un Polonais ou un Italien, ou peut-être un Espagnol, ce serait moi.

Cette famille était la famille du joyeux petit va-nu-pieds. Il y arrivait, et il trouvait la pauvreté, la détresse, et, ce qui est plus triste, aucun sourire ; le froid dans l'âtre et le froid dans les cœurs. Quand il entrait, on lui demandait : – D'où viens-tu ? Il répondait : – De la rue. Quand il s'en allait, on lui demandait : – Où vas-tu ? Il répondait : – Dans la rue. Sa mère lui disait : – Qu'est-ce que tu viens faire ici ?

Cet enfant vivait dans cette absence d'affection comme ces herbes pâles qui viennent dans les caves. Il ne souffrait pas d'être ainsi et n'en voulait à personne. Il ne savait pas au juste comment devaient être un père et une mère.

Du reste sa mère aimait ses sœurs.

Nous avons oublié de dire que sur le boulevard du Temple on nommait cet enfant le petit Gavroche. Pourquoi s'appelait-il Gavroche ? Probablement parce que son père s'appelait Jondrette.

---

11. Logement misérable.
12. Petites chambres.
13. Comme la personne qui l'avait précédée.

Casser le fil semble être l'instinct de certaines familles misérables.

85   La chambre que les Jondrette habitaient dans la masure Gorbeau était la dernière au bout du corridor. La cellule d'à côté était occupée par un jeune homme très pauvre qu'on nommait monsieur Marius.

Disons ce que c'était que monsieur Marius.

Gavroche rêveur, Victor Hugo, encre de Chine. Paris, musée Victor-Hugo.

PARTIE 3, LIVRE SIXIÈME

I. Le sobriquet[14] : mode de formation des noms de famille

Marius est encore un enfant lorsqu'il perd sa mère. Il est élevé par son grand-père maternel, M. Gillenormand, un grand bourgeois profondément royaliste qui a éloigné son petit-fils de son père, le baron Pontmercy, colonel d'Empire. Lors du décès de ce dernier, il apprend que celui-ci n'a jamais cessé de l'aimer mais qu'il a dû se résoudre à l'abandonner à son grand-père, avec qui il vivait un conflit idéologique irréductible, devant la menace de le voir déshérité. Il admire ce père héroïque qui a suivi Napoléon sur les champs de bataille de l'Europe, et que l'empereur a anobli.

Bouleversé par cette révélation, Marius rompt avec son grand-père et s'installe dans la masure Gorbeau, autrefois occupée par Jean Valjean et Cosette. Il poursuit des études de droit dans une situation de grande pauvreté. Il fréquente le cabaret « Corinthe », où il se joint aux « Amis de l'ABC », groupe d'étudiants républicains, politisés et soucieux d'évolution sociale. Parmi eux figurent Enjolras, le meneur, Combeferre, le philosophe, Jean Prouvaire, Feuilly, Courfeyrac, Bahorel, Joly, Lègle surnommé Bossuet, et Grantaire.

Marius à cette époque était un beau jeune homme de moyenne taille, avec d'épais cheveux très noirs, un front haut et intelligent, les narines ouvertes et passionnées, l'air sincère et calme, et sur tout son visage je ne sais quoi qui était hautain[15], pensif et innocent. Son profil, dont toutes les lignes étaient arrondies sans cesse d'être fermes, avait cette douceur germanique qui a pénétré dans la physionomie française par l'Alsace et

---

| **14.** Voir note 16, p. 30. | **15.** Fier.

la Lorraine, et cette absence complète d'angles qui rendait les Sicambres[16] si reconnaissables parmi les Romains et qui distingue la race léonine[17] de la race aquiline[18]. Il était à cette
100 saison de la vie où l'esprit des hommes qui pensent se compose, presque à proportions égales, de profondeur et de naïveté. Une situation grave étant donnée, il avait tout ce qu'il fallait pour être stupide ; un tour de clef de plus, il pouvait être sublime. Ses façons étaient réservées, froides, polies, peu ouvertes. Comme
105 sa bouche était charmante, ses lèvres les plus vermeilles et ses dents les plus blanches du monde, son sourire corrigeait ce que toute sa physionomie avait de sévère. À de certains moments, c'était un singulier contraste que le front chaste et ce sourire voluptueux. Il avait l'œil petit et le regard grand.
110   [...]

Jean Valjean et Cosette ont quitté le couvent du Petit-Picpus ; ils demeurent dans un faubourg de Paris, puis dans les environs du jardin du Luxembourg. Cosette est presque une jeune fille ; tous les jours, accompagnée de Jean Valjean, elle se promène dans les allées du jardin. Marius fréquente lui aussi cet endroit.

Depuis plus d'un an, Marius remarquait dans une allée déserte du Luxembourg, l'allée qui longe le parapet de la Pépinière, un homme et une toute jeune fille presque toujours assis côte à côte sur le même banc, à l'extrémité la plus soli-
115 taire de l'allée, du côté de la rue de l'Ouest. Chaque fois que ce hasard qui se mêle aux promenades des gens dont l'œil est retourné en dedans amenait Marius dans cette allée, et c'était presque tous les jours, il y retrouvait ce couple. L'homme pouvait avoir une soixantaine d'années, il paraissait triste

---

16. Peuple germanique de l'Antiquité soumis par les Romains.
17. Dont les traits rappellent ceux du lion.
18. Dont le nez est courbé en bec d'aigle.

et sérieux ; toute sa personne offrait cet aspect robuste et fatigué des gens de guerre retirés du service. S'il avait eu une décoration, Marius eût dit : c'est un ancien officier. Il avait l'air bon, mais inabordable, et il n'arrêtait jamais son regard sur le regard de personne. Il portait un pantalon bleu, une redingote bleue et un chapeau à bords larges, qui paraissaient toujours neufs, une cravate noire et une chemise de quaker[19], c'est-à-dire, éclatante de blancheur, mais de grosse toile. Une grisette[20] passant un jour près de lui, dit : Voilà un veuf fort propre. Il avait les cheveux très blancs.

La première fois que la jeune fille qui l'accompagnait vint s'asseoir avec lui sur le banc qu'ils semblaient avoir adopté, c'était une façon de fille[21] de treize ou quatorze ans, maigre, au point d'en être presque laide, gauche[22], insignifiante, et qui promettait peut-être d'avoir d'assez beaux yeux. Seulement ils étaient toujours levés avec une sorte d'assurance déplaisante. Elle avait cette mise[23] à la fois vieille et enfantine des pensionnaires de couvent ; une robe mal coupée de gros mérinos[24] noir. Ils avaient l'air du père et de la fille.

Marius examina pendant deux ou trois jours cet homme vieux qui n'était pas encore un vieillard et cette petite fille qui n'était pas encore une personne, puis il n'y fit plus aucune attention. Eux de leur côté semblaient ne pas même le voir. Ils causaient entre eux d'un air paisible et indifférent. La fille jasait sans cesse, et gaîment. Le vieux homme parlait peu, et, par instants, il attachait sur elle des yeux remplis d'une ineffable[25] paternité.

Marius avait pris l'habitude machinale de se promener dans cette allée. Il les y retrouvait invariablement.

[...]

---

19. Membre d'une congrégation religieuse réputée austère.
20. Ouvrière coquette.
21. Apparence de fille.
22. Sans grâce, maladroite.
23. Habillement.
24. Tissu de laine.
25. Voir note 42, p. 39.

150 Ce personnage et cette jeune fille, quoiqu'ils parussent et peut-être parce qu'ils paraissaient éviter les regards, avaient naturellement quelque peu éveillé l'attention des cinq ou six étudiants qui se promenaient de temps en temps le long de la Pépinière, les studieux après leurs cours, les autres après 155 leur partie de billard. Courfeyrac[26], qui était des derniers, les avait observés quelque temps, mais trouvant la fille laide, il s'en était bien vite et soigneusement écarté. Il s'était enfui comme un Parthe[27] en leur décochant un sobriquet. Frappé uniquement de la robe de la petite et des cheveux du vieux, il 160 avait appelé la fille *mademoiselle Lanoire* et le père *monsieur Leblanc*, si bien que, personne ne les connaissant d'ailleurs, en l'absence du nom, le surnom avait fait loi. Les étudiants disaient : – Ah ! monsieur Leblanc est à son banc ! et Marius, comme les autres, avait trouvé commode d'appeler ce monsieur 165 inconnu M. Leblanc.

Nous ferons comme eux, et nous dirons M. Leblanc pour la facilité de ce récit.

II. « Lux facta Est »[28]

La seconde année, précisément au point de cette histoire où le lecteur est parvenu, il arriva que cette habitude du Luxembourg 170 s'interrompit, sans que Marius sût trop pourquoi lui-même, et qu'il fut près de six mois sans mettre les pieds dans son allée. Un jour enfin il y retourna. C'était par une sereine matinée d'été, Marius était joyeux comme on l'est quand il fait beau. Il lui semblait qu'il avait dans le cœur tous les chants d'oiseaux 175 qu'il entendait et tous les morceaux du ciel bleu qu'il voyait à travers les feuilles des arbres.

---

26. Étudiant, ami de Marius.
27. Peuple antique de guerriers, fier face à la défaite.
28. « La lumière fut » (Genèse, I, 3).

Il alla droit à « son allée », et, quand il fut au bout, il aperçut, toujours sur le même banc, ce couple connu. Seulement, quand il approcha, c'était bien le même homme ; mais il parut que ce n'était pas la même fille. La personne qu'il voyait maintenant était une grande et belle créature ayant toutes les formes les plus charmantes de femme à ce moment précis où elles se combinent encore avec toutes les grâces les plus naïves de l'enfant ; moment fugitif et pur que peuvent seuls traduire ces deux mots : quinze ans. C'étaient d'admirables cheveux châtains nuancés de veines dorées, un front qui semblait fait de marbre, des joues qui semblaient faites d'une feuille de rose, un incarnat[29] pâle, une blancheur émue, une bouche exquise d'où le sourire sortait comme une clarté et la parole comme une musique, une tête que Raphaël[30] eût donnée à Marie posée sur un cou que Jean Goujon[31] eût donné à Vénus. Et, afin que rien ne manquât à cette ravissante figure, le nez n'était pas beau, il était joli ; ni droit ni courbé, ni italien ni grec ; c'était le nez parisien ; c'est-à-dire quelque chose de spirituel, de fin, d'irrégulier et de pur, qui désespère les peintres et qui charme les poètes.

Quand Marius passa près d'elle, il ne put voir ses yeux qui étaient constamment baissés. Il ne vit que ses longs cils châtains pénétrés d'ombre et de pudeur.

Cela n'empêchait pas la belle enfant de sourire tout en écoutant l'homme à cheveux blancs qui lui parlait, et rien n'était ravissant comme ce frais sourire avec des yeux baissés.

Dans le premier moment, Marius pensa que c'était une autre fille du même homme, une sœur sans doute de la première. Mais, quand l'invariable habitude de la promenade le ramena pour la seconde fois près du banc, et qu'il l'eut examinée avec

---

29. Rouge clair et vif.
30. Peintre italien (1483-1520).
31. Sculpteur français de la Renaissance.

G. Jeanniot : illustration pour *Les Misérables*, XIXᵉ siècle.

attention, il reconnut que c'était la même. En six mois la petite fille était devenue jeune fille ; voilà tout. Rien n'est plus fréquent que ce phénomène. Il y a un instant où les filles s'épanouissent en un clin d'œil et deviennent des roses tout à coup. Hier on les a laissées enfants, aujourd'hui on les retrouve inquiétantes.

Celle-ci n'avait pas seulement grandi, elle s'était idéalisée. Comme trois jours en avril suffisent à certains arbres pour se couvrir de fleurs, six mois lui avaient suffi pour se vêtir de beauté. Son avril à elle était venu.

On voit quelquefois des gens qui, pauvres et mesquins, semblent se réveiller, passent subitement de l'indigence[32] au faste[33], font des dépenses de toutes sortes, et deviennent tout à coup éclatants, prodigues[34] et magnifiques. Cela tient à une rente[35] empochée ; il y a eu échéance[36] hier. La jeune fille avait touché son semestre.

Et puis ce n'était plus la pensionnaire avec son chapeau de peluche, sa robe de mérinos, ses souliers d'écolier et ses mains rouges ; le goût lui était venu avec la beauté ; c'était une personne bien mise avec une sorte d'élégance simple et riche et sans manière. Elle avait une robe de damas[37] noir, un camail[38] de même étoffe et un chapeau de crêpe[39] blanc. Ses gants blancs montraient la finesse de sa main qui jouait avec le manche d'une ombrelle en ivoire chinois, et son brodequin[40] de soie dessinait la petitesse de son pied. Quand on passait près d'elle, toute sa toilette exhalait un parfum jeune et pénétrant.

Quant à l'homme, il était toujours le même.

La seconde fois que Marius arriva près d'elle, la jeune fille leva les paupières. Ses yeux étaient d'un bleu céleste et profond,

---

32. Extrême pauvreté.
33. Luxe.
34. Dépensiers.
35. Revenu régulier que l'on tire d'un bien.
36. Date à laquelle un paiement vient à exécution.
37. Tissu à dessins satinés sur un fond mat.
38. Petite cape.
39. Tissu léger de soie et de laine fine.
40. Chaussure montante.

235 mais dans cet azur voilé il n'y avait encore que le regard d'un
enfant. Elle regarda Marius avec indifférence, comme elle eût
regardé le marmot[41] qui courait sous les sycomores[42], ou le
vase de marbre qui faisait de l'ombre sur le banc ; et Marius
de son côté continua sa promenade en pensant à autre chose.

240 [...]

III. Effet de printemps

Un jour, l'air était tiède, le Luxembourg était inondé d'ombre
et de soleil, le ciel était pur comme si les anges l'eussent lavé le
matin, les passereaux poussaient de petits cris dans les profon-
deurs des marronniers, Marius avait ouvert toute son âme à

245 la nature, il ne pensait à rien, il vivait et il respirait, il passa
près de ce banc, la jeune fille leva les yeux sur lui, leurs deux
regards se rencontrèrent.

Qu'y avait-il cette fois dans le regard de la jeune fille ? Marius
n'eût pu le dire. Il n'y avait rien et il y avait tout. Ce fut un

250 étrange éclair.

Elle baissa les yeux, et il continua son chemin.

Ce qu'il venait de voir, ce n'était pas l'œil ingénu[43] et simple
d'un enfant, c'était un gouffre mystérieux qui s'était entr'ouvert, puis brusquement refermé.

255 Il y a un jour où toute jeune fille regarde ainsi. Malheur à
qui se trouve là !

Ce premier regard d'une âme qui ne se connaît pas encore
est comme l'aube dans le ciel. C'est l'éveil de quelque chose
de rayonnant et d'inconnu. Rien ne saurait rendre le charme

260 dangereux de cette lueur inattendue qui éclaire vaguement
tout à coup d'adorables ténèbres et qui se compose de toute
l'innocence du présent et de toute la passion de l'avenir. C'est

---

41. Petit garçon. | **43.** Naïf.
42. Arbres au branchage majestueux.

une sorte de tendresse indécise qui se révèle au hasard et qui attend. C'est un piège que l'innocence tend à son insu[44] et où elle prend des cœurs sans le vouloir et sans le savoir. C'est une vierge qui regarde comme une femme.

Il est rare qu'une rêverie profonde ne naisse pas de ce regard là où il tombe. Toutes les puretés et toutes les ardeurs se concentrent dans ce rayon céleste et fatal qui, plus que les œillades[45] les mieux travaillées des coquettes, a le pouvoir magique de faire subitement éclore au fond d'une âme cette fleur sombre, pleine de parfums et de poisons, qu'on appelle l'amour.

Le soir, en rentrant dans son galetas[46], Marius jeta les yeux sur son vêtement, et s'aperçut pour la première fois qu'il avait la malpropreté, l'inconvenance[47] et la stupidité inouïe d'aller se promener au Luxembourg avec ses habits « de tous les jours », c'est-à-dire avec un chapeau cassé près de la ganse[48], de grosses bottes de roulier[49], un pantalon noir blanc aux genoux et un habit noir pâle aux coudes.

> Troisième partie « Marius »,
>
> Livre premier « Paris étudié dans son atome », extrait du chapitre XIII.
>
> Livre sixième « La conjonction de deux étoiles », extraits des chapitres I, II et III.

---

44. Sans le savoir.
45. Clins d'œil.
46. Voir note 11, p. 169.
47. Incorrection.
48. Cordonnet ou ruban servant d'ornement.
49. Voir note 19, p. 15.

Questions

Repérer et analyser

Le narrateur et la conduite du récit

1 Relisez les commentaires du narrateur des lignes 1 à 7, 79 à 89, et 161 à 176. En quoi consiste chacun d'eux ? Quel peut en être l'intérêt pour le lecteur ?

Le personnage de Gavroche

2 Pourquoi le père de Gavroche n'a-t-il pas transmis à son fils de patronyme ? Aidez vous de la leçon p. 46 et citez le texte.

3 Quel est l'âge de Gavroche? Où vit-il ?

4 **a.** Relevez les mots et expressions qui désignent Gavroche (l. 1 à 78) et les adjectifs qui le caractérisent (l. 18 à 24).

b. Relevez les termes qui traduisent la misère affective de l'enfant (l. 1 à 13, 29 à 35 puis 74 à 78).

c. Relevez les énumérations dans les lignes 18 à 24. Pourquoi Gavroche est-il joyeux malgré sa misère ?

d. À quels animaux est-il comparé (l. 18 à 24) ? À quels végétaux (l. 74-75) ? À partir de vos réponses, dites quelle image le narrateur donne de cet enfant.

Les habitants de la masure Gorbeau

5 Quel personnage déjà connu du lecteur a habité la masure Gorbeau ? Retracez rapidement son parcours. Aidez-vous au besoin du chapeau p. 148.

6 **a.** Quels personnages composent la famille qui habite la masure ? Quel est leur lien avec Gavroche ?

b. Relevez dans les lignes 53 à 70 les mots et expressions qui appartiennent au champ lexical de la pauvreté.

c. Quelle image est donnée de Jondrette à travers sa réplique (l. 64 à 66) ?

7 Quel est le dernier personnage évoqué qui habite la masure ?

Le parcours de Jean Valjean

8 **a.** Pour quelle raison le narrateur désigne-t-il Jean Valjean par le terme : « l'homme » (l. 118) ?

b. Quel point de vue le narrateur adopte-t-il ?

9 **a.** Relevez les termes qui renvoient à l'aspect physique puis moral du personnage.

b. Quelle vie mène-t-il ? Quelles sont ses relations avec Cosette ?

La rencontre amoureuse

Le cadre

10 Dans quel lieu Marius et Cosette se rencontrent-ils ?

11 **a.** À quelle saison l'amour naît-il ? Citez le texte.

b. En quoi l'atmosphère créée (l. 241 à 247) est-elle un prélude à la naissance de l'amour ? Appuyez-vous notamment sur une comparaison.

Un jeune homme : Marius

12 **a.** Faites la liste des détails physiques qui constituent le portrait de Marius (l. 90 à 109).

b. Dans ce même paragraphe, quels termes renvoient à son caractère, puis à ses manières ?

Une jeune fille : Cosette

13 Relisez les lignes 133 à 138, puis 177 à 196.

a. Selon quel point de vue la jeune fille est-elle présentée ? Justifiez.

b. Faites le portrait physique de Cosette, et décrivez sa tenue.

c. Relevez deux comparaisons qui la caractérisent.

14 **a.** À quels personnages féminins de l'antiquité et de la Bible la jeune fille est-elle apparentée ?

b. Quelle image s'en dégage ?

15 Relevez les termes qui montrent que Cosette s'est métamorphosée (l. 205 à 215 puis 222 à 231).

La naissance de l'amour

16 Relevez les expressions qui traduisent le trouble amoureux de Marius (l. 274 à 280).

17 Le motif du regard

C'est par le regard que naît la passion amoureuse, considérée souvent dans la littérature comme une blessure fatale.

a. Relevez dans les lignes 233 à 239 les mots et expressions qui renvoient au regard de la jeune fille.

b. Quelle expression, dans ces mêmes lignes, traduit l'idée du coup de foudre ?

c. Relevez les expressions qui associent le regard à la lumière, puis celles qui soulignent le caractère dangereux du regard (l. 266 à 273).

Un plaidoyer contre la misère

Les Misérables, un roman de l'enfance malheureuse

18 Pourquoi Gavroche est-il un « misérable » ? Précisez le sens de ce mot.

19 **a.** Quelle émotion le narrateur cherche-t-il à susciter chez le lecteur à travers l'évocation de Gavroche ?

b. Le narrateur a-t-il de la sympathie pour le personnage de Gavroche ? Quelle est la position de Victor Hugo face à l'enfance malheureuse ?

Étudier la langue

Vocabulaire : les synonymes

20 Quel est le sens des expressions synonymes « vivre dans l'indigence », « vivre dans le dénuement », et « être nécessiteux » ?

Vocabulaire : noms propres, noms communs

21 **a.** Certains noms propres sont devenus des noms communs. Le personnage de Gavroche est devenu une figure type. Qu'est ce qu'un gavroche ?

b. Cherchez l'origine des noms suivants qui proviennent de noms propres.

– tartuffe	– champagne	– sandwich
– hercule	– havane	– macadam
– sosie	– guillotine	– watt

Écrire

Une scène de rencontre amoureuse

22 Racontez une scène de rencontre amoureuse entre deux personnages.

Consignes d'écriture :

– menez le récit à la 1re ou à la 3e personne, de préférence selon le point de vue d'un des personnages ;

– précisez le cadre de la rencontre ;

– décrivez le personnage rencontré, notez les impressions qu'il produit sur l'autre (ex : j'étais ébloui(e) / ce fut un éblouissement) ;

– utilisez le vocabulaire du regard ;

– exprimez les sentiments et les émotions ;

– terminez éventuellement par un échange de quelques paroles.

Enquêter

Histoire des arts

23 Faites des recherches sur le peintre italien Raphaël, et sur le sculpteur Jean Goujon. Recherchez notamment leurs principales œuvres, sur Internet ou dans un dictionnaire.

Texte 13 – Le guet-apens

« Je vous retrouve enfin, monsieur le philanthrope ! ... »

VI. L'homme fauve au gîte

Marius, qui est tombé amoureux de la jeune fille rencontrée au jardin du Luxembourg, se désespère, car la belle inconnue a brusquement disparu.

À la masure Gorbeau, il est intrigué par ses voisins, les Jondrette. Il profite d'un trou dans le mur de sa chambre pour regarder ce qui se passe de l'autre côté de la cloison...

Les villes comme les forêts, ont leurs antres[1] où se cachent tout ce qu'elles ont de plus méchant et de plus redoutable. Seulement, dans les villes, ce qui se cache ainsi est féroce, immonde et petit, c'est-à-dire laid ; dans les forêts, ce qui se
5   cache est féroce, sauvage et grand, c'est-à-dire beau. Repaires pour repaires, ceux des bêtes sont préférables à ceux des hommes. Les cavernes valent mieux que les bouges[2].

Ce que Marius voyait était un bouge.

Marius était pauvre et sa chambre était indigente[3] ; mais,
10   de même que sa pauvreté était noble, son grenier était propre. Le taudis où son regard plongeait en ce moment était abject[4], sale, fétide, infect, ténébreux, sordide[5]. Pour tous meubles, une chaise de paille, une table infirme[6], quelques vieux tessons, et dans deux coins deux grabats[7] indescriptibles ; pour toute
15   clarté, une fenêtre-mansarde à quatre carreaux, drapée de

---

1. Cavernes, grottes.
2. Logement misérable et sale.
3. Voir note 9, p. 168.
4. Répugnant.

5. Repoussant de crasse.
6. Cassée.
7. Lits misérables.

toiles d'araignée. Il venait par cette lucarne juste assez de jour pour qu'une face d'homme parût une face de fantôme. Les murs avaient un aspect lépreux[8], et étaient couverts de coutures et de cicatrices comme un visage défiguré par quelque horrible maladie. Une humidité chassieuse[9] y suintait[10]. On y distinguait des dessins obscènes grossièrement charbonnés.

[...]

Près de la table, sur laquelle Marius apercevait une plume, de l'encre et du papier, était assis un homme d'environ soixante ans, petit, maigre, livide[11], hagard[12], l'air fin, cruel et inquiet ; un gredin hideux[13].

Lavater[14], s'il eût considéré ce visage, y eût trouvé le vautour mêlé au procureur[15] ; l'oiseau de proie et l'homme de chicane s'enlaidissant et se complétant l'un par l'autre, l'homme de chicane[16] faisant l'oiseau de proie ignoble, l'oiseau de proie faisant l'homme de chicane horrible.

Cet homme avait une longue barbe grise. Il était vêtu d'une chemise de femme qui laissait voir sa poitrine velue et ses bras nus hérissés de poils gris. Sous cette chemise, on voyait passer un pantalon boueux et des bottes dont sortaient les doigts de ses pieds.

Il avait une pipe à la bouche et il fumait. Il n'y avait plus de pain dans le taudis[17], mais il y avait encore du tabac.

[...]

Une grosse femme qui pouvait avoir quarante ans ou cent ans était accroupie près de la cheminée sur ses talons nus.

Elle n'était vêtue, elle aussi que d'une chemise et d'un jupon de tricot rapiécé avec des morceaux de vieux drap. Un tablier

---

8. En ruine.
9. Gluante.
10. Coulait goutte à goutte.
11. Extrêmement pâle.
12. Qui a une expression égarée et farouche.
13. Voir note 2, p. 23.

14. Philosophe du XVIIIe siècle qui élabora un système d'étude des caractères d'après la constitution faciale des individus.
15. Homme de loi.
16. Homme de loi qui vit des procès.
17. Bouge.

de grosse toile cachait la moitié du jupon. Quoique cette femme
45 fût pliée et ramassée sur elle-même, on voyait qu'elle était
de très haute taille. C'était une espèce de géante à côté de son
mari. Elle avait d'affreux cheveux d'un blond roux grison-
nants qu'elle remuait de temps en temps avec ses énormes
mains luisantes à ongles plats.
50 À côté d'elle était posé à terre, tout grand ouvert, un volume
du même format que l'autre, et probablement du même roman.

Sur un des grabats[18], Marius entrevoyait une espèce de longue
petite fille blême assise, presque nue et les pieds pendants,
n'ayant l'air ni d'écouter, ni de voir, ni de vivre.

VIII. Le rayon dans le bouge

55 [...]

En ce moment on frappa un léger coup à la porte ; l'homme s'y
précipita et l'ouvrit en s'écriant avec des salutations profondes
et des sourires d'adoration :

– Entrez, monsieur ! daignez entrer, mon respectable bien-
60 faiteur, ainsi que votre charmante demoiselle.

Un homme d'un âge mûr et une jeune fille parurent sur le
seuil du galetas.

Marius n'avait pas quitté sa place. Ce qu'il éprouva en ce
moment échappe à la langue humaine.

65 C'était Elle.

Quiconque a aimé sait tous les sens rayonnants que
contiennent les quatre lettres de ce mot : Elle.

C'était bien elle. C'est à peine si Marius la distinguait à
travers la vapeur lumineuse qui s'était subitement répandue sur
70 ses yeux. C'était ce doux être absent, cet astre qui lui avait lui
pendant six mois, c'était cette prunelle, ce front, cette bouche,

| **18.** Voir note 7, p. 184.

ce beau visage évanoui qui avait fait la nuit en s'en allant. La vision s'était éclipsée, elle reparaissait !

Elle reparaissait dans cette ombre, dans ce galetas, dans ce bouge difforme[19], dans cette horreur !

Marius frémissait éperdument. Quoi ! c'était elle ! les palpitations de son cœur lui troublaient la vue. Il se sentait prêt à fondre en larmes. Quoi ! il la revoyait enfin après l'avoir cherchée si longtemps ! il lui semblait qu'il avait perdu son âme et qu'il venait de la retrouver.

Elle était toujours la même, un peu pâle seulement ; sa délicate figure s'encadrait dans un chapeau de velours violet, sa taille se dérobait sous une pelisse[20] de satin noir. On entrevoyait sous sa longue robe son petit pied serré dans un brodequin[21] de soie.

Elle était toujours accompagnée de M. Leblanc[22].

Elle avait fait quelques pas dans la chambre et avait déposé un assez gros paquet sur la table.

La Jondrette aînée s'était retirée derrière la porte et regardait d'un œil sombre ce chapeau de velours, cette mante[23] de soie, et ce charmant visage heureux.

XX. Le guet-apens

La visite de M. Leblanc chez les Jondrette se prolonge. Ce dernier se lamente habilement sur son sort. Sensible à son discours, M. Leblanc promet de revenir le soir même pour apporter de l'argent qui permette à la famille de régler son loyer. Marius, à l'affût de ce qui se passe chez ses voisins, qu'il observe par un trou pratiqué dans la cloison, surprend

---

19. Monstrueux.
20. Vêtement doublé de fourrure.
21. Chaussure montante.

22. Surnom donné à Jean Valjean par Courfeyrac, ami de Marius.
23. Voir note 25, p. 64.

une conversation entre Jondrette et sa femme. Il comprend que ces derniers sont des brigands qui se préparent à attirer dans un piège pour le dépouiller, M. Leblanc, riche bienfaiteur et père de la jeune fille qu'il aime. Marius alerte alors l'inspecteur de police Javert qui lui confie un pistolet et lui commande de tirer un coup pour l'avertir, le danger venu, afin qu'il puisse intervenir avec ses hommes. À l'heure convenue, M. Leblanc se présente chez Jondrette. Quatre hommes, le visage barbouillé de noir, s'avancent dans la pièce et s'assoient sur le lit.

Jean Carmet (Thénardier) dans le film de Robert Hossein : *Les Misérables*, 1982.

[...]

Marius pensa qu'avant quelques secondes le moment d'intervenir serait arrivé, et il éleva sa main droite vers le plafond, dans
la direction du corridor[24], prêt à lâcher son coup de pistolet.

Jondrette, son colloque[25] avec l'homme à la trique[26] terminé,
se tourna de nouveau vers M. Leblanc et répéta sa question en
l'accompagnant de ce rire bas, contenu et terrible qu'il avait :

– Vous ne me reconnaissez donc pas ?

M. Leblanc le regarda en face et répondit :

– Non.

Alors Jondrette vint jusqu'à la table. Il se pencha par-dessus
la chandelle, croisant les bras, approchant sa mâchoire anguleuse et féroce du visage calme de M. Leblanc, et avançant le
plus qu'il pouvait sans que M. Leblanc reculât, et, dans cette
posture de bête fauve qui va mordre, il cria :

– Je ne m'appelle pas Fabantou, je ne m'appelle pas Jondrette,
je me nomme Thénardier ! je suis l'aubergiste de Montfermeil !
entendez-vous bien ? Thénardier ! Maintenant me reconnaissez-
vous ?

Une imperceptible rougeur passa sur le front de M. Leblanc,
et il répondit sans que sa voix tremblât, ni s'élevât, avec sa
placidité[26] ordinaire :

– Pas davantage.

Marius n'entendit pas cette réponse. Qui l'eût vu en ce
moment dans cette obscurité l'eût vu hagard[27], stupide et
foudroyé. Au moment où Jondrette avait dit : *Je me nomme
Thénardier*, Marius avait tremblé de tous ses membres et
s'était appuyé au mur comme s'il eût senti le froid d'une lame
d'épée à travers son cœur. Puis son bras droit, prêt à lâcher
le coup de signal, s'était abaissé lentement, et au moment où
Jondrette avait répété : *Entendez-vous bien, Thénardier ?* Les

---

24. Voir note 14, p. 151.   **26.** Calme, sérénité.
25. Conversation.   **27.** Voir note 12, p. 185.

doigts défaillants de Marius avaient manqué laisser tomber
le pistolet. Jondrette, en dévoilant qui il était, n'avait pas
125 ému M. Leblanc, mais il avait bouleversé Marius. Ce nom
de Thénardier, que M. Leblanc ne semblait pas connaître,
Marius le connaissait. Qu'on se rappelle ce que ce nom était
pour lui ! Ce nom il l'avait porté sur son cœur, écrit dans le
testament de son père ! il le portait au fond de sa pensée, au
130 fond de sa mémoire, dans cette recommandation sacrée : « Un
nommé Thénardier m'a sauvé la vie. Si mon fils le rencontre, il
lui fera tout le bien qu'il pourra. » Ce nom, on s'en souvient,
était une des piétés[28] de son âme ; il le mêlait au nom de son
père dans son culte. Quoi ! c'était là ce Thénardier, c'était
135 là cet aubergiste de Montfermeil qu'il avait vainement et
si longtemps cherché ! Il le trouvait enfin, et comment ! ce
sauveur de son père était un bandit ! cet homme, auquel lui
Marius brûlait de se dévouer, était un monstre ! ce libérateur
du colonel Pontmercy était en train de commettre un attentat
140 dont Marius ne voyait pas encore bien distinctement la forme,
mais qui ressemblait à un assassinat ! et sur qui, grand Dieu !
Quelle fatalité ! quelle amère moquerie du sort !
   [...]
   Que faire ? que choisir ? manquer aux souvenirs les plus
145 impérieux, à tant d'engagements profonds pris avec lui-même,
au devoir le plus saint, au texte le plus vénéré ! manquer au
testament de son père, ou laisser s'accomplir un crime ! Il lui
semblait d'un côté entendre « son Ursule[29] » le supplier pour
son père, et de l'autre le colonel lui recommander Thénardier.
150 Il se sentait fou. Ses genoux se dérobaient sous lui. Et il n'avait
pas même le temps de délibérer, tant la scène qu'il avait sous

---

28. Attachement tendre et respectueux.
29. Au jardin du Luxembourg, Marius a trouvé sur le banc de « M. Leblanc et de sa fille »
un mouchoir brodé aux initiales U.F. (Ultime Fauchelevent, nom d'emprunt de Jean Valjean).
Il imagine alors que la jeune fille qu'il aime s'appelle Ursule.

les yeux se précipitait avec furie. C'était comme un tourbillon dont il s'était cru maître et qui l'emportait. Il fut au moment de s'évanouir.

Cependant Thénardier, nous ne le nommerons plus autrement désormais, se promenait de long en large devant la table dans une sorte d'égarement et de triomphe frénétique[30].

Il prit à plein poing la chandelle et la posa sur la cheminée avec un frappement si violent que la mèche faillit s'éteindre et que le suif[31] éclaboussa le mur.

Puis il se tourna vers M. Leblanc, effroyable, et cracha ceci :

– Flambé ! fumé ! fricassé ! à la crapaudine[32] !

Et il se remit à marcher, en pleine explosion.

– Ah ! criait-il, je vous retrouve enfin, monsieur le philanthrope[33] ! monsieur le millionnaire râpé ! monsieur le donneur de poupées ! vieux Jocrisse[34] ! Ah ! vous ne me reconnaissez pas ! Non, ce n'est pas vous qui êtes venu à Montfermeil, à mon auberge, il y a huit ans, la nuit de Noël 1823 ! ce n'est pas vous qui avez emmené de chez moi l'enfant de la Fantine, l'Alouette ! ce n'est pas vous qui aviez un carrick[35] jaune ! non ! et un paquet plein de nippes[36] à la main comme ce matin chez moi ! Dis donc, ma femme ! c'est sa manie, à ce qu'il paraît, de porter dans les maisons des paquets pleins de bas de laine ! vieux charitable, va ! Est-ce que vous êtes bonnetier[37], monsieur le millionnaire ? vous donnez aux pauvres votre fonds de boutique[38], saint homme ! quel funambule ! Ah ! vous ne me reconnaissez pas ? Eh bien, je vous reconnais, moi, je vous ai reconnu tout de suite dès que vous avez fourré votre mufle ici. Ah ! on va voir enfin que ce n'est pas

---

30. Délirant.
31. Graisse animale servant à faire des bougies.
32. Différentes manières de cuire une volaille.
33. Personne qui s'emploie à améliorer le sort matériel et moral de ses semblables.

34. Personnage de théâtre, nigaud et niais.
35. Veste ample.
36. Voir note 37, p. 160.
37. Commerçant vendant des articles en maille (bas, chaussettes…).
38. Ensemble des biens d'un commerçant.

180 tout rose d'aller comme cela dans les maisons des gens, sous
prétexte que ce sont des auberges, avec des habits minables,
avec l'air d'un pauvre, qu'on lui aurait donné un sou, tromper
les personnes, faire le généreux, leur prendre leur gagne-pain,
et menacer dans les bois, et qu'on n'en est pas quitte pour
185 rapporter après, quand les gens sont ruinés, une redingote
trop large et deux méchantes couvertures d'hôpital, vieux
gueux, voleur d'enfants !

[...]

*Les brigands renversent M. Leblanc et le ligotent solide-
ment au montant du lit. Thénardier dicte au prisonnier une
lettre, dans laquelle ce dernier enjoint à sa fille de le rejoindre
d'urgence, au motif qu'il a besoin d'elle. Le bandit envoie sa
femme porter la lettre. Elle revient furieuse : l'adresse est fausse !*

– Une fausse adresse ? qu'est-ce que tu as donc espéré ?
190 – Gagner du temps ! cria le prisonnier d'une voix éclatante.
Et au même instant il secoua ses liens ; ils étaient coupés.
Le prisonnier n'était plus attaché au lit que par une jambe.
Avant que les sept hommes eussent eu le temps de se
reconnaître et de s'élancer, lui s'était penché sous la cheminée,
195 avait étendu la main vers le réchaud, puis s'était redressé, et
maintenant Thénardier, la Thénardier et les bandits, refoulés
par le saisissement au fond du bouge[39], le regardaient avec
stupeur élevant au-dessus de sa tête le ciseau rouge d'où
tombait une lueur sinistre, presque libre et dans une attitude
200 formidable.

[...]

– Vous êtes des malheureux, mais ma vie ne vaut pas la
peine d'être tant défendue. Quant à vous imaginer que vous

| **39.** Voir note 2, p. 184.

me feriez parler, que vous me feriez écrire ce que je ne veux pas écrire, que vous me feriez dire ce que je ne veux pas dire…

Il releva la manche de son bras gauche et ajouta :

– Tenez.

En même temps il tendit son bras et posa sur la chair nue le ciseau[40] ardent qu'il tenait dans sa main droite par le manche de bois.

On entendit le frémissement de la chair brûlée, l'odeur propre aux chambres de torture se répandit dans le taudis. Marius chancela éperdu d'horreur, les brigands eux-mêmes eurent un frisson, le visage de l'étrange vieillard se contracta à peine, et, tandis que le fer rouge s'enfonçait dans la plaie fumante, impassible[41] et presque auguste[42], il attachait sur Thénardier son beau regard sans haine où la souffrance s'évanouissait dans une majesté sereine.

Chez les grandes et hautes natures les révoltes de la chair et des sens en proie à la douleur physique font sortir l'âme et la font apparaître sur le front, de même que les rébellions de la soldatesque[43] forcent le capitaine à se montrer.

– Misérables, dit-il, n'ayez pas plus peur de moi que je n'ai peur de vous.

Et arrachant le ciseau de la plaie, il le lança par la fenêtre qui était restée ouverte, l'horrible outil embrasé disparut dans la nuit en tournoyant et alla tomber au loin et s'éteindre dans la neige.

Le prisonnier reprit :

– Faites de moi ce que vous voudrez.

Il était désarmé.

– Empoignez-le ! dit Thénardier.

Deux des brigands lui posèrent la main sur l'épaule, et l'homme masqué à voix de ventriloque[44] se tint en face de

---

40. Outil d'acier servant à travailler le bois, le fer, la pierre.
41. Qui ne trahit aucune émotion.
42. Voir note 45, p. 39.

43. Propre aux soldats.
44. Personne capable de parler sans remuer les lèvres, donnant ainsi l'impression que sa voix vient du ventre.

lui, prêt à lui faire sauter le crâne d'un coup de clef au moindre
235 mouvement.

En même temps Marius entendit au-dessous de lui, au bas
de la cloison, mais tellement près qu'il ne pouvait voir ceux
qui parlaient, ce colloque échangé à voix basse ;

– Il n'y a plus qu'une chose à faire.

240 – L'escarper[45] !

– C'est cela.

C'étaient le mari et la femme qui tenaient conseil. Thénardier
marcha à pas lents vers la table, ouvrit le tiroir et y prit le
couteau.

245 [...]

Tout à coup il tressaillit.

À ses pieds, sur la table, un vif rayon de pleine lune éclairait
et semblait lui montrer une feuille de papier. Sur cette feuille
il lut cette ligne écrite en grosses lettres le matin même par
250 l'aînée des filles Thénardier :

– LES COGNES[46] SONT LÀ.

Une idée, une clarté traversa l'esprit de Marius ; c'était le
moyen qu'il cherchait, la solution de cet affreux problème qui le
torturait, épargner l'assassin et sauver la victime. Il s'age-
255 nouilla sur la commode, étendit le bras, saisit la feuille de
papier, détacha doucement un morceau de plâtre de la cloison,
l'enveloppa dans le papier, et jeta le tout par la crevasse au
milieu du bouge.

Il était temps. Thénardier avait vaincu ses dernières craintes
260 ou ses derniers scrupules et se dirigeait vers le prisonnier.

– Quelque chose qui tombe ! cria la Thénardier.

– Qu'est-ce ? dit le mari.

La femme s'était élancée et avait ramassé le plâtras enveloppé du papier.

| **45.** Assassiner. | **46.** Policier, en argot.

Elle le remit à son mari.

– Par où cela est-il venu ? demanda Thénardier.

– Pardié ! fit la femme, par où veux-tu que cela soit entré ? C'est venu par la fenêtre.

– Je l'ai vu passer, dit Bigrenaille[47].

Thénardier déplia rapidement le papier et l'approcha de la chandelle.

– C'est l'écriture d'Éponine[48]. Diable !

Il fit signe à sa femme, qui s'approcha vivement et il lui montra la ligne écrite sur la feuille de papier, puis il ajouta d'une voix sourde :

– Vite ! l'échelle ! laissons le lard dans la souricière et fichons le camp !

– Sans couper le cou à l'homme ? demanda la Thénardier.

– Nous n'avons pas le temps.

– Par où ? reprit Bigrenaille.

– Par la fenêtre, répondit Thénardier. Puisque Ponine a jeté la pierre par la fenêtre, c'est que la maison n'est pas cernée de ce côté-là.

Le masque à voix de ventriloque posa à terre sa grosse clef, éleva ses deux bras en l'air et ferma trois fois rapidement ses mains sans dire un mot. Ce fut comme le signal du branle-bas[49] dans un équipage. Les brigands qui tenaient le prisonnier le lâchèrent ; en un clin d'œil l'échelle de corde fut déroulée hors de la fenêtre et attachée solidement au rebord par les deux crampons de fer.

Le prisonnier ne faisait pas attention à ce qui se passait autour de lui. Il semblait rêver ou prier.

Sitôt l'échelle fixée, Thénardier cria :

– Viens ! la bourgeoise !

Et il se précipita vers la croisée.

---

47. L'un des bandits, complice de Thénardier.
48. L'aînée des filles Thénardier.

49. Dispositions prises pour le combat sur un navire de guerre.

Mais comme il allait enjamber, Bigrenaille le saisit rudement au collet.

– Non pas, dis donc, vieux farceur ! après nous !

– Après nous ! hurlèrent les bandits.

300 – Vous êtes des enfants, dit Thénardier, nous perdons le temps. Les railles[50] sont sur nos talons.

– Eh bien, dit un des bandits, tirons au sort à qui passera le premier.

Thénardier s'exclama :

305 – Êtes-vous fous ? êtes-vous toqués ! en voilà-t-il un tas de jobards ! perdre le temps, n'est-ce pas ? tirer au sort, n'est-ce pas ? au doigt mouillé ! à la courte paille ! écrire nos noms ! les mettre dans un bonnet !...

– Voulez-vous mon chapeau ? cria une voix du seuil de la 310 porte.

Tous se retournèrent. C'était Javert.

Il tenait son chapeau à la main, et le tendait en souriant.

Troisième partie « Marius », Livre huitième
« Le mauvais pauvre », extraits des chapitres VI, VIII et XX.

| **50.** Policiers, en argot.

Questions

Repérer et analyser

Les Jondrette

Le point de vue

1 **a.** Relevez dans les lignes 1 à 75 les verbes de perception visuelle accompagnés de leurs sujets. Quel personnage regarde chez les Jondrette ? Où se trouve-t-il placé ?

b. Déduisez-en le point de vue dominant adopté pour les décrire.

Le cadre

2 **a.** Qu'est-ce qu'un « bouge » ?

b. Quels meubles composent l'intérieur du bouge ?

c. Relevez le lexique dévalorisant qui caractérise le lieu.

d. Quel est l'aspect des murs ? Relevez la comparaison et la métaphore (l. 18 à 21).

La famille Jondrette

3 **a.** Quels personnages logent dans cette pièce (l. 23 à 54) ?

b. Relevez les éléments qui constituent leurs portraits physiques.

4 Les symboles

Pour Hugo, les animaux symbolisent les vices et les vertus humaines.

À quel animal M. Jondrette est-il assimilé ? À quel type d'homme ?

5 Quelle image le narrateur donne-t-il de ces trois personnages ? Quels indices permettent au lecteur d'identifier les Thénardier ? Pour vous aider, reportez-vous à leur description dans l'extrait 4.

L'esthétique du contraste

Pour Victor Hugo, le monde repose sur le principe du contraste : les contraires (ombre et lumière, douceur et violence, blanc et noir…) se succèdent, s'opposent et se rejoignent. L'antithèse est la figure de style utilisée pour mettre en relief les oppositions.

6 Relisez les lignes 68 à 91. En quoi la présence de la jeune fille contraste-t-elle avec l'endroit et les autres personnages ? Appuyez-vous sur les antithèses que vous relèverez (y compris dans le titre du chapitre).

Le parcours de Marius

Marius et Cosette

7 Quels personnages Marius voit-il arriver chez les Jondrette ? Où les avait-il rencontrés auparavant ?

8 a. « C'était Elle » (l. 65) ; « C'était bien elle » (l. 68) ; « Quoi ! c'était elle ! » (l. 76) : quel point de vue le narrateur adopte-t-il ici ?

b. Quel type de phrase traduit le trouble de Marius ?

c. Pourquoi le mot « Elle » porte-t-il ici une majuscule ?

Marius et Thénardier

9 a. Quelle est la réaction de Marius lorsqu'il apprend que Jondrette n'est autre que Thénardier (l. 115 à 125) ? Citez le texte.

b. Citez une intervention du narrateur destinée à aider le lecteur à comprendre sa réaction. À quel épisode antérieur fait-il allusion (l. 127 à 142) ?

10 a. Devant quel dilemme Marius se trouve-t-il ? Pour répondre, aidez-vous de la leçon p. 111. Quel est le type de phrases qui traduit son état d'esprit (l. 125 à 154) ?

b. Comment ce dilemme se résout-il ?

Le parcours de Jean Valjean

Chez les Jondrette

11 a. Comment Jean Valjean se fait-il appeler ?

b. Que viennent faire « M. Leblanc » et « sa fille » chez les Jondrette ?

12 a. Quelle est la réaction de « M. Leblanc » lorsqu'il découvre qu'il est face à Thénardier ?

b. Rappelez quelle histoire passée oppose les deux hommes.

Le guet-apens

13 a. Quel guet-apens Thénardier a-t-il tendu à Jean Valjean ?

b. Comment Jean Valjean réussit-il à gagner du temps ?

c. Pourquoi se brûle-t-il le bras au fer rouge ?

d. Montrez en citant le texte qu'il est dans une situation critique.

14 À la suite de quelles circonstances Jean Valjean est-il sauvé ? Face à quel personnage se retrouve-t-il (l. 311-312) ?

L'utilisation de l'argot

> Un certain nombre de personnages des *Misérables* utilisent l'argot. Pour Hugo, l'argot est le langage du peuple misérable, marqué par le crime et le châtiment.

15 **a.** Sur quel ton Thénardier s'adresse-t-il à Jean Valjean ?
b. Relevez quelques termes argotiques. Quel est l'effet produit ?

La visée et les hypothèses de lecture

16 Quel est l'effet produit par l'apparition de Javert ?
17 Quels éléments dans le roman relèvent du roman policier ? À quelle suite vous attendez-vous ?

Étudier la langue

Vocabulaire : les racines grecques

18 « Je vous retrouve enfin, monsieur le philanthrope » (l. 164-165)

> « Philanthrope » vient du grec « philos » : qui aime, et « anthrôpos » : l'homme. Un philanthrope est une personne qui aime l'humanité. La racine « miso » signifie : qui déteste, qui n'aime pas ; la racine « phobe » : qui n'aime pas, qui craint.

a. Qu'est-ce qu'un philosophe ? un bibliophile ? un cinéphile ? l'haltérophilie ? le coton hydrophile ?
b. Qu'est-ce que la xénophobie ? l'agoraphobie ? la claustrophobie ?
c. Quel est le contraire de philanthrope ? et un misogyne ?

Écrire

Décrire un lieu

19 Imaginez que Marius, regardant par le trou du mur, ne découvre pas un bouge mais un lieu somptueux. Rédigez la description.
Consignes d'écriture :
– commencez par une série de cinq adjectifs attributs sur le modèle de la phrase : « Le taudis [...] était abject, sale, fétide, infect, ténébreux, sordide. » (l. 11-12) ;
– décrivez les murs et les meubles (comme dans les lignes 11 à 21).

Texte 14 – Le portrait de Cosette

« Elle venait de s'éblouir elle-même. »

V. La rose s'aperçoit qu'elle est une machine de guerre

Cosette et Jean Valjean sont maintenant installés dans une maison de la rue Plumet.

Un jour Cosette se regarda par hasard dans son miroir et se dit : Tiens ! Il lui semblait presque qu'elle était jolie. Ceci la jeta dans un trouble singulier. Jusqu'à ce moment elle n'avait point songé à sa figure. Elle se voyait dans son miroir, mais
5 elle ne s'y regardait pas. Et puis, on lui avait souvent dit qu'elle était laide ; Jean Valjean seul disait doucement : Mais non ! mais non ! Quoi qu'il en fût, Cosette s'était toujours crue laide, et avait grandi dans cette idée avec la résignation facile de l'enfance. Voici que tout d'un coup son miroir lui
10 disait comme Jean Valjean. Mais non ! Elle ne dormit pas de la nuit. – Si j'étais jolie ? pensait-elle, comme cela serait drôle que je fusse jolie ! – Et elle se rappelait celles de ses compagnes dont la beauté faisait effet dans le couvent, et elle se disait : Comment ! je serais comme mademoiselle une telle !
15 Le lendemain elle se regarda, mais non par hasard, et elle douta : – Où avais-je l'esprit ? dit-elle, non, je suis laide. – Elle avait tout simplement mal dormi, elle avait les yeux battus[1] et elle était pâle. Elle ne s'était pas sentie très joyeuse la veille de croire à sa beauté, mais elle fut triste de n'y plus croire. Elle
20 ne se regarda plus, et pendant plus de quinze jours elle tâcha de se coiffer tournant le dos au miroir.

| **1.** Cernés.

Le soir, après le dîner, elle faisait assez habituellement de la tapisserie dans le salon, ou quelque ouvrage de couvent, et Jean Valjean lisait à côté d'elle. Une fois elle leva les yeux de son ouvrage et elle fut toute surprise de la façon inquiète dont son père la regardait.

Une autre fois, elle passait dans la rue, et il lui sembla que quelqu'un qu'elle ne vit pas disait derrière elle : Jolie femme ! mais mal mise[2]. – Bah ! pensa-t-elle, ce n'est pas moi. Je suis bien mise et laide. – Elle avait alors son chapeau de peluche[3] et sa robe de mérinos[4].

Un jour enfin, elle était dans le jardin, et elle entendit la pauvre vieille Toussaint qui disait : Monsieur, remarquez-vous comme mademoiselle devient jolie ? Cosette n'entendit pas ce que son père répondit, les paroles de Toussaint furent pour elle une sorte de commotion[5]. Elle s'échappa du jardin, monta à sa chambre, courut à la glace, il y avait trois mois qu'elle ne s'était regardée, et poussa un cri. Elle venait de s'éblouir elle-même.

Elle était belle et jolie ; elle ne pouvait s'empêcher d'être de l'avis de Toussaint[6] et de son miroir. Sa taille s'était faite, sa peau avait blanchi, ses cheveux s'étaient lustrés[7], une splendeur inconnue s'était allumée dans ses prunelles bleues. La conviction de sa beauté lui vint tout entière, en une minute, comme un grand jour qui se fait ; les autres la remarquaient d'ailleurs, Toussaint le disait, c'était d'elle évidemment que le passant avait parlé, il n'y avait plus à douter ; elle redescendit au jardin, se croyant reine, entendant les oiseaux chanter, c'était l'hiver, voyant le ciel doré, le soleil dans les arbres, des fleurs dans les buissons, éperdue, folle, dans un ravissement inexprimable.

---

2. Mal habillée.
3. Étoffe semblable au velours, mais de poils plus longs.
4. Voir note 24, p. 173.

5. Choc.
6. Servante de Jean Valjean et de Cosette.
7. Brillants.

De son côté, Jean Valjean éprouvait un profond et indéfinissable serrement de cœur.

C'est qu'en effet, depuis quelque temps, il contemplait avec
55 terreur cette beauté qui apparaissait chaque jour plus rayonnante sur le doux visage de Cosette. Aube riante pour tous, lugubre[8] pour lui.

Cosette avait été belle assez longtemps avant de s'en apercevoir. Mais, du premier jour, cette lumière inattendue qui se
60 levait lentement et enveloppait par degrés toute la personne de la jeune fille blessa la paupière sombre de Jean Valjean. Il sentit que c'était un changement dans une vie heureuse, si heureuse qu'il n'osait y remuer dans la crainte d'y déranger quelque chose. Cet homme qui avait passé par toutes les détresses, qui
65 était encore tout saignant des meurtrissures[9] de sa destinée, qui avait été presque méchant et qui était devenu presque saint, qui, après avoir traîné la chaîne du bagne, traînait maintenant la chaîne invisible, mais pesante, de l'infamie[10] indéfinie, cet homme que la loi n'avait pas lâché et qui pouvait être à chaque
70 instant ressaisi et ramené de l'obscurité de sa vertu[11] au grand jour de l'opprobre[12] public, cet homme acceptait tout, excusait tout, pardonnait tout, bénissait tout, voulait bien tout, et ne demandait à la providence, aux hommes, aux lois, à la société, à la nature, au monde, qu'une chose, que Cosette l'aimât !
75 Que Cosette continuât de l'aimer ! que Dieu n'empêchât pas le cœur de cette enfant de venir à lui, et de rester à lui ! Aimé de Cosette, il se trouvait guéri, reposé, apaisé, comblé, récompensé, couronné. Aimé de Cosette, il était bien ! il n'en demandait pas davantage. On lui eût dit : Veux-tu être mieux ?
80 il eût répondu : Non. Dieu lui eût dit : Veux-tu le ciel ? il eût répondu : J'y perdrais.

---

8. Profondément triste.   **11.** Disposition à faire le bien.
9. Blessures.   **12.** Honte, déshonneur.
10. Déshonneur.

Tout ce qui pouvait effleurer cette situation, ne fût-ce qu'à la surface, le faisait frémir comme le commencement d'autre chose. Il n'avait jamais trop su ce que c'était que la beauté d'une femme ; mais, par instinct, il comprenait que c'était terrible.

Cette beauté qui s'épanouissait de plus en plus triomphante et superbe à côté de lui, sous ses yeux, sur le front ingénu[13] et redoutable de l'enfant, du fond de sa laideur, de sa vieillesse, de sa misère, de sa réprobation[14], de son accablement, il la regardait effaré[15].

Il se disait : Comme elle est belle ! Qu'est-ce que je vais devenir, moi ?

Là du reste était la différence entre sa tendresse et la tendresse d'une mère. Ce qu'il voyait avec angoisse, une mère l'eût vu avec joie.

[...]

Cosette, à se savoir belle, perdit la grâce de l'ignorer ; grâce exquise, car la beauté rehaussée de naïveté est ineffable, et rien n'est adorable comme une innocente éblouissante qui marche tenant en main, sans le savoir, la clef d'un paradis. Mais ce qu'elle perdit en grâce ingénue, elle le regagna en charme pensif et sérieux. Toute sa personne pénétrée des joies de la jeunesse, de l'innocence et de la beauté, respirait une mélancolie splendide.

Ce fut à cette époque que Marius, après six mois écoulés, la revit au Luxembourg.

Quatrième partie « L'idylle rue Plumet et l'épopée rue Saint-Denis », Livre troisième « La maison de la rue Plumet », extraits du chapitre V.

13. Innocent. | **15.** Violemment troublé.
14. Jean Valjean est rejeté par la société.

Questions

Repérer et analyser

Le portrait de Cosette

Le miroir et le regard

> Le miroir symbolise le regard que l'on porte sur soi-même. La personne qui se contemple tend à se transformer en fonction de l'image que le miroir lui renvoie.

1 Par quels différents personnages Cosette est-elle regardée ?

2 Quels différents regards Cosette porte-t-elle sur elle-même ? Montrez que la perception qu'elle a d'elle-même évolue.

3 Quel effet ces différents regards produisent-ils sur elle ?

4 **a.** Relevez les mots et expressions qui traduisent les sentiments éprouvés par Cosette devant sa métamorphose (l. 32 à 51).
b. En quoi la perception qu'a Cosette de sa beauté modifie-t-elle son comportement (l. 97 à 104) ?

Le parcours de Jean Valjean

5 **a.** Relevez les mots, expressions et types de phrases qui traduisent l'état d'esprit de Jean Valjean face à la métamorphose de Cosette.
b. Expliquez l'expression « Aube riante pour tous, lugubre pour lui » (l. 56-57), en vous aidant de la leçon p. 93. Identifiez les deux figures de style. Que redoute Jean Valjean ?

6 Quel est le plus grand bonheur de Jean Valjean (l. 62 à 80) ?

Le rythme des phrases

L'anaphore

> L'anaphore est une figure de style qui consiste à répéter un mot en début de phrase ou de proposition afin de produire un effet.

7 Relevez l'anaphore (l. 61 à 74). Quel est l'effet produit ?

Les symboles

8 Relevez dans les lignes 38 à 81 le champ lexical de l'ombre et de la lumière. À quels sentiments sont-ils associés ? Pour répondre, aidez-vous de la leçon p. 47.

La visée et les hypothèses de lecture

9 Expliquez le titre du chapitre : « La rose s'aperçoit qu'elle est une machine de guerre ».

10 Quelle hypothèse pouvez-vous émettre quant à l'évolution du personnage de Cosette, notamment en ce qui concerne ses relations avec Marius ?

Étudier la langue

Grammaire

11 « Elle avait tout simplement mal dormi, elle avait les yeux battus et elle était pâle. » (l. 17-18)

Réécrivez deux fois cette phrase : d'abord en introduisant une conjonction de subordination qui fera apparaître un rapport causal, puis avec une conjonction de subordination qui exprimera la conséquence.

Vocabulaire

12 « Elle se voyait dans son miroir mais ne s'y regardait pas. » (l. 4-5)

Quelle différence faites-vous entre « se voir » et « se regarder » ? entre « entendre » et « écouter » ?

Écrire

Écrire son autoportrait

13 Comme Cosette, vous vous regardez dans la glace. Décrivez l'image que vous renvoie le miroir. Quels sentiments cette image vous inspire-t-elle ?

Consignes d'écriture :

– votre description sera à la 1re personne ;

– vous choisirez quelques points précis de votre physique ;

– vous exprimerez vos sentiments face à vous même.

Texte 15 – La rencontre des forçats

« — Père, est-ce que ce sont encore des hommes ? »

VIII. La cadène[1]

Lors d'une promenade matinale, Cosette et Jean Valjean remarquent un étrange convoi…

Sept voitures marchaient à la file sur la route. Les six premières avaient une structure singulière. Elles ressemblaient à des haquets[2] de tonneliers[3] ; c'étaient des espèces de longues échelles posées sur deux roues et formant brancard à leur
5   extrémité antérieure. Chaque haquet, disons mieux, chaque échelle était attelée de quatre chevaux bout à bout. Sur ces échelles étaient traînées d'étranges grappes d'hommes. Dans le peu de jour qu'il faisait, on ne voyait pas ces hommes, on les devinait. Vingt-quatre sur chaque voiture, douze de chaque
10 côté, adossés les uns aux autres, faisant face aux passants, les jambes dans le vide, ces hommes cheminaient ainsi ; et ils avaient derrière le dos quelque chose qui sonnait et qui était une chaîne et au cou quelque chose qui brillait et qui était un carcan[4]. Chacun avait son carcan, mais la chaîne était pour
15 tous ; de façon que ces vingt-quatre hommes, s'il leur arrivait de descendre du haquet et de marcher, étaient saisis par une sorte d'unité inexorable[5] et devaient serpenter sur le sol avec la chaîne pour vertèbre à peu près comme le mille-pieds[6]. À l'avant et à l'arrière de chaque voiture, deux hommes, armés

---

1. Chaîne pour attacher les forçats.
2. Charrette étroite et longue.
3. Artisans fabriquant des tonneaux.
4. Voir note 7, p. 105.

5. Les forçats sont enchaînés les uns aux autres et contraints de se déplacer d'un seul mouvement.
6. Mille-pattes.

de fusils, se tenaient debout, ayant chacun une des extrémités de la chaîne sous son pied. Les carcans étaient carrés. La septième voiture, vaste fourgon à ridelles[7], mais sans capote, avait quatre roues et six chevaux, et portait un tas sonore de chaudières de fer, de marmites de fonte, de réchauds et de chaînes, où étaient mêlés quelques hommes garrottés[8] et couchés tout de leur long, qui paraissaient malades. Ce fourgon, tout à claire-voie[9], était garni de claies[10] délabrées qui semblaient avoir servi aux vieux supplices.

Illustration pour
Les Misérables :
convoi de bagnards,
fin du XIXᵉ siècle.

7. Côté d'une charrette servant à maintenir la charge.
8. Attachés solidement.
9. Qui présente des vides, des jours.
10. Treillage en bois ou en fer.

[...]

30   Une foule, sortie on ne sait d'où et formée en un clin d'œil, comme cela est fréquent à Paris, se pressait des deux côtés de la chaussée et regardait. On entendait dans les ruelles voisines des cris de gens qui s'appelaient et les sabots des maraîchers qui accouraient pour voir.

35   Les hommes entassés sur les haquets se laissaient cahoter[11] en silence. Ils étaient livides[12] du frisson du matin. Ils avaient tous des pantalons de toile et les pieds nus dans des sabots. Le reste du costume était à la fantaisie de la misère. Leurs accoutrements[13] étaient hideusement disparates[14] ; rien n'est
40   plus funèbre que l'arlequin des guenilles[15]. Feutres défoncés, casquettes goudronnées, d'affreux bonnets de laine, et, près du bourgeron[16], l'habit noir crevé aux coudes ; plusieurs avaient des chapeaux de femme ; d'autres étaient coiffés d'un panier ; on voyait des poitrines velues, et à travers les
45   déchirures des vêtements on distinguait des tatouages, des temples de l'amour, des cœurs enflammés, des Cupidons[17]. On apercevait aussi des dartres[18] et des rougeurs malsaines. Deux ou trois avaient une corde de paille fixée aux traverses[19] du haquet, et suspendue au-dessous d'eux comme un étrier,
50   qui leur soutenait les pieds. L'un d'eux tenait à la main et portait à sa bouche quelque chose qui avait l'air d'une pierre noire et qu'il semblait mordre ; c'était du pain qu'il mangeait. Il n'y avait là que des yeux secs, éteints, ou lumineux d'une mauvaise lumière. La troupe d'escorte maugréait[20] ;
55   les enchaînés ne soufflaient pas ; de temps en temps on entendait

---

11. Secouer.
12. Voir note 11, p. 185.
13. Vêtements.
14. Horriblement laids par absence d'harmonie.
15. Allusion au costume d'Arlequin, vêtu de tissu disparate.
16. Veste en toile forte.

17. Dieu de l'amour dans l'Antiquité romaine.
18. Plaques de peau sèche.
19. Pièces de bois, placées en travers, qui consolident le haquet.
20. Manifester sa mauvaise humeur, en parlant à voix basse entre ses dents.

le bruit d'un coup de bâton sur les omoplates ou sur les têtes ;
quelques-uns de ces hommes bâillaient ; les haillons[21] étaient
terribles ; les pieds pendaient, les épaules oscillaient[22] ; les têtes
s'entre-heurtaient, les fers tintaient, les prunelles flambaient
férocement, les poings se crispaient ou s'ouvraient inertes[23]
comme des mains de morts ; derrière le convoi ; une troupe
d'enfants éclatait de rire.

[...]

L'œil de Jean Valjean était devenu effrayant. Ce n'était
plus une prunelle ; c'était cette vitre profonde qui remplace
le regard chez certains infortunés, qui semble inconsciente de
la réalité, et où flamboie la réverbération des épouvantes et des
catastrophes. Il ne regardait pas un spectacle ; il subissait une
vision. Il voulut se lever, fuir, échapper ; il ne put remuer un
pied. Quelquefois les choses qu'on voit vous saisissent et vous
tiennent. Il demeura cloué, pétrifié[24], stupide, se demandant, à
travers une confuse angoisse inexprimable, ce que signifiait cette
persécution sépulcrale[25], et d'où sortait ce pandémonium[26] qui
le poursuivait. Tout à coup il porta la main à son front, geste
habituel de ceux auxquels la mémoire revient subitement ; il
se souvint que c'était là l'itinéraire en effet, que ce détour était
d'usage pour éviter les rencontres royales toujours possibles sur
la route de Fontainebleau, et que trente-cinq ans auparavant,
il avait passé par cette barrière-là.

Cosette, autrement épouvantée, ne l'était pas moins. Elle ne
comprenait pas ; le souffle lui manquait ; ce qu'elle voyait ne
lui semblait pas possible ; enfin elle s'écria :

– Père ! qu'est-ce qu'il y a donc dans ces voitures-là ?

Jean Valjean répondit :

– Des forçats.

---

21. Vêtements déchirés.
22. Se balançaient.
23. Sans vie.
24. Immobilisé par une émotion violente.

25. Acharnement injuste et cruel
venu d'outre-tombe.
26. Assemblée de démons.

– Où donc est-ce qu'ils vont ?

– Aux galères.

En ce moment la bastonnade[27], multipliée par cent mains, fit du zèle, les coups de plat de sabre s'en mêlèrent, ce fut comme une rage de fouets et de bâtons ; les galériens se courbèrent, une obéissance hideuse[28] se dégagea du supplice, et tous se turent avec des regards de loups enchaînés. Cosette tremblait de tous ses membres ; elle reprit :

– Père, est-ce que ce sont encore des hommes ?

– Quelquefois, dit le misérable.

C'était la Chaîne en effet qui, partie avant le jour de Bicêtre, prenait la route du Mans pour éviter Fontainebleau où était alors le roi. Ce détour faisait durer l'épouvantable voyage trois ou quatre jours de plus ; mais, pour épargner à la personne royale la vue d'un supplice, on peut bien le prolonger.

Jean Valjean rentra accablé. De telles rencontres sont des chocs et le souvenir qu'elles laissent ressemble à un ébranlement.

Pourtant Jean Valjean, en regagnant avec Cosette la rue de Babylone, ne remarqua point qu'elle lui fit d'autres questions au sujet de ce qu'ils venaient de voir ; peut-être était-il trop absorbé lui-même dans son accablement pour percevoir ses paroles et pour lui répondre. Seulement le soir, comme Cosette le quittait pour s'aller coucher, il l'entendit qui disait à demi-voix et comme se parlant à elle-même : – Il me semble que si je trouvais sur mon chemin un de ces hommes-là, ô mon Dieu, je mourrais rien que de le voir de près !

> Quatrième partie « L'idylle rue Plumet et l'épopée rue
> Saint-Denis », Livre troisième « La maison de la rue Plumet »,
> extraits du chapitre VIII.

| **27.** Volée de coups de bâton. | **28.** Moralement ignoble.

Questions

Repérer et analyser

Le convoi des forçats

Le convoi

1 a. Combien de voitures constituent le convoi ? En quoi ces voitures attirent-elles l'œil ?

b. Comment sont-elles constituées ? Qu'en déduisez-vous quant aux conditions de transport qu'elles offrent ?

c. Que transportent-elles ?

2 À quoi les « claies délabrées » des voitures font-elles écho (l. 27) ?

3 Quel est l'itinéraire du convoi ? Citez le texte.

Les forçats

4 Comment les forçats sont-ils enchaînés ?

5 Quel est leur aspect vestimentaire ? Appuyez-vous sur les champs lexicaux de la laideur et de la pauvreté.

6 Que représentent leurs tatouages ? Que symbolisent-ils ?

7 a. Relevez les adjectifs et l'expression qui qualifient leurs yeux.

b. À quoi leurs poings sont-ils comparés ? Quel est l'effet produit ?

c. De quelles violences sont-ils victimes ? Justifiez votre réponse.

L'ironie

L'ironie est un procédé par lequel on fait entendre le contraire de ce que l'on dit.

8 En quoi les lignes 99 et 100 constituent-elles un commentaire ironique du narrateur ?

Les réactions des personnages

9 Quel effet ce convoi produit-il sur la foule ? sur les enfants ?

10 a. Quelles manifestations physiques cette vision produit-elle sur Jean Valjean ? Relevez les termes qui montrent qu'il ne peut se dominer.

b. Quelle est la raison de son trouble ?

11 Quel effet ce spectacle provoque-t-il sur Cosette ? Justifiez votre réponse en citant le texte.

La visée

12 Que révèlent la question posée par Cosette (l. 94) et la réponse de Jean Valjean (l. 95) ?

13 Quel effet ce spectacle produit-il sur le lecteur ? À quelle réflexion le narrateur invite-t-il le lecteur ?

14 Le narrateur qualifie Jean Valjean de « misérable » (l. 95). Quel est le sens de ce mot ici ?

15 Quel est l'effet produit par la dernière phrase de l'extrait ? Pourquoi le narrateur passe-t-il sous silence la réaction de Jean Valjean ?

Écrire

Rédiger une lettre

16 Cosette écrit une lettre à une amie, dans laquelle elle évoque les sentiments qu'elle a éprouvés à la vue des forçats. Rédigez cette lettre.

Lire

Le Dernier Jour d'un condamné

17 Lisez le chapitre XIII du *Dernier Jour d'un condamné* de Victor Hugo. Quelles informations supplémentaires ce texte fournit-il quant à la condition des forçats ?

Texte 16 – Premier baiser

« Comment se fit-il que leurs lèvres se rencontrèrent ? »

VI. Les vieux sont faits pour sortir à propos

Cosette remarque la présence d'un inconnu dans le jardin de la maison de la rue Plumet. Il s'agit en fait de Marius, qui a réussi à trouver l'adresse de la jeune fille, et qui est venu déposer une déclaration d'amour sous une pierre posée sur le banc.

Le soir venu, Jean Valjean sortit ; Cosette s'habilla. Elle arrangea ses cheveux de la manière qui lui allait le mieux, et elle mit une robe dont le corsage, qui avait reçu un coup de ciseau de trop, et qui, par cette échancrure[1], laissait voir la naissance du cou, était, comme disent les jeunes filles, « un peu indécent[2] ». Ce n'était pas le moins du monde indécent, mais c'était plus joli qu'autrement. Elle fit toute cette toilette sans savoir pourquoi.

Voulait-elle sortir ? non.

Attendait-elle une visite ? non.

À la brune[3], elle descendit au jardin. Toussaint[4] était occupée à sa cuisine qui donnait sur l'arrière-cour.

Elle se mit à marcher sous les branches, les écartant de temps en temps avec la main, parce qu'il y en avait de très basses.

Elle arriva au banc.

La pierre y était restée.

Elle s'assit, et posa sa douce main blanche sur cette pierre comme si elle voulait la caresser et la remercier.

---

1. Décolleté.
2. Impudique, incorrect.
3. Voir note 17, p. 152.
4. Servante de Jean Valjean et de Cosette.

Tout à coup, elle eut une impression indéfinissable qu'on
20 éprouve, même sans voir, lorsqu'on a quelqu'un debout derrière
soi.

Elle tourna la tête et se dressa.

C'était lui.

Il était tête nue. Il paraissait pâle et amaigri. On distinguait
25 à peine son vêtement noir. Le crépuscule blêmissait son beau
front et couvrait ses yeux de ténèbres. Il avait, sous un voile
d'incomparable douceur, quelque chose de la mort et de la
nuit. Son visage était éclairé par la clarté du jour qui se meurt
et par la pensée d'une âme qui s'en va.

30 Il semblait que ce n'était pas encore le fantôme et que ce
n'était déjà plus l'homme.

Son chapeau était jeté à quelques pas dans les broussailles.

Cosette, prête à défaillir[5], ne poussa pas un cri. Elle
reculait lentement, car elle se sentait attirée. Lui ne bougeait
35 point. À je ne sais quoi d'ineffable[6] et de triste qui l'enveloppait, elle sentait le regard de ses yeux qu'elle ne voyait pas.

Cosette, en reculant, rencontra un arbre et s'y adossa. Sans
cet arbre, elle fût tombée.

Alors elle entendit sa voix, cette voix qu'elle n'avait vraiment
40 jamais entendue, qui s'élevait à peine au-dessus du frémissement des feuilles, et qui murmurait :

– Pardonnez-moi, je suis là. J'ai le cœur gonflé, je ne pouvais
pas vivre comme j'étais, je suis venu. Avez-vous lu ce que j'avais
mis là, sur ce banc ? Me reconnaissez-vous un peu ? N'ayez
45 pas peur de moi. Voilà du temps déjà, vous rappelez-vous le
jour où vous m'avez regardé ? c'était dans le Luxembourg,
près du Gladiateur. Et le jour où vous avez passé devant
moi ? C'étaient le 16 juin et le 2 juillet. Il va y avoir un an.
Depuis bien longtemps, je ne vous ai plus vue. J'ai demandé à

| **5.** S'évanouir. | **6.** Voir note 42, p. 39.

la loueuse de chaises, elle m'a dit qu'elle ne vous voyait plus. Vous demeuriez rue de l'Ouest au troisième sur le devant dans une maison neuve, vous voyez que je sais ? Je vous suivais, moi. Qu'est-ce que j'avais à faire ? Et puis vous avez disparu. J'ai cru vous voir passer une fois que je lisais les journaux sous les arcades de l'Odéon. J'ai couru. Mais non. C'était une personne qui avait un chapeau comme vous. La nuit, je viens ici. Ne craignez pas, personne ne me voit. Je viens regarder vos fenêtres de près. Je marche bien doucement pour que vous n'entendiez pas, car vous auriez peut-être peur. L'autre soir j'étais derrière vous, vous vous êtes retournée, je me suis enfui. Une fois je vous ai entendue chanter. J'étais heureux. Est-ce que cela vous fait quelque chose que je vous entende chanter à travers le volet ? cela ne peut rien vous faire. Non, n'est-ce pas ? Voyez-vous, vous êtes mon ange, laissez-moi venir un peu. Je crois que je vais mourir. Si vous saviez ! je vous adore, moi ! Pardonnez-moi, je vous parle, je ne sais pas ce que je vous dis, je vous fâche peut-être ; est-ce que je vous fâche ?

– Ô ma mère ! dit-elle.

Et elle s'affaissa sur elle-même comme si elle se mourait.

Il la prit, elle tombait, il la prit dans ses bras, il la serra étroitement sans avoir conscience de ce qu'il faisait. Il la soutenait tout en chancelant[7]. Il était comme s'il avait la tête pleine de fumée ; des éclairs lui passaient entre les cils ; ses idées s'évanouissaient ; il lui semblait qu'il accomplissait un acte religieux et qu'il commettait une profanation[8]. Du reste il n'avait pas le moindre désir de cette femme ravissante dont il sentait la forme contre sa poitrine. Il était éperdu d'amour.

Elle lui prit une main et la posa sur son cœur. Il sentit le papier qui y était. Il balbutia :

– Vous m'aimez donc ?

| **7.** Perdant l'équilibre. | **8.** Violation d'une chose sacrée.

Elle répondit d'une voix si basse que ce n'était plus qu'un souffle qu'on entendait à peine :

– Tais-toi ! tu le sais !

Et elle cacha sa tête rouge dans le sein du jeune homme
85 superbe et enivré.

Il tomba sur le banc, elle près de lui. Ils n'avaient plus de paroles. Les étoiles commençaient à rayonner. Comment se fit-il que leurs lèvres se rencontrèrent ? Comment se fait-il que l'oiseau chante, que la neige fonde, que la rose s'ouvre,
90 que mai s'épanouisse, que l'aube blanchisse derrière les arbres noirs au sommet frissonnant des collines ?

Un baiser, et ce fut tout.

Tous deux tressaillirent, et ils se regardèrent dans l'ombre avec des yeux éclatants. Ils ne sentaient ni la nuit fraîche, ni
95 la pierre froide, ni la terre humide, ni l'herbe mouillée, ils se regardaient et ils avaient le cœur plein de pensées. Ils s'étaient pris les mains, sans savoir.

Elle ne lui demandait pas, elle n'y songeait pas même, par où il était entré et comment il avait pénétré dans le jardin.
100 Cela lui paraissait si simple qu'il fût là !

De temps en temps le genou de Marius touchait le genou de Cosette, et tous deux frémissaient.

Par intervalles, Cosette bégayait une parole. Son âme tremblait à ses lèvres comme une goutte de rosée à une fleur.
105 Peu à peu ils se parlèrent. L'épanchement[9] succéda au silence qui est la plénitude. La nuit était sereine et splendide au-dessus de leur tête. Ces deux êtres, purs comme des esprits, se dirent tout, leurs songes, leurs ivresses, leurs extases, leurs chimères[10], leurs défaillances[11], comme ils s'étaient adorés de loin, comme
110 ils s'étaient souhaités, leur désespoir quand ils avaient cessé de s'apercevoir. Ils se confièrent, dans une intimité idéale

---

| **9.** Effusion de sentiments. | **10.** Rêves. | **11.** Faiblesses.

que rien déjà ne pouvait plus accroître, ce qu'ils avaient de plus caché et de plus mystérieux. Ils se racontèrent, avec une foi candide[12] dans leurs illusions, tout ce que l'amour, la jeunesse et ce reste d'enfance qu'ils avaient, leur mettaient dans la pensée. Ces deux cœurs se versèrent l'un dans l'autre, de sorte qu'au bout d'une heure, c'était le jeune homme qui avait l'âme de la jeune fille et la jeune fille qui avait l'âme du jeune homme. Ils se pénétrèrent, ils s'enchantèrent, ils s'éblouirent.

Quand ils eurent fini, quand ils se furent tout dit, elle posa sa tête sur son épaule et lui demanda :

– Comment vous appelez-vous ?

– Je m'appelle Marius, dit-il. Et vous ?

– Je m'appelle Cosette.

> Quatrième partie « L'idylle rue Plumet et l'épopée rue Saint-Denis », Livre cinquième « Dont la fin ne ressemble pas au commencement », extrait du chapitre VI.

| **12.** Naïve et franche.

Questions

Repérer et analyser

La scène de rencontre

Le cadre et le point de vue

1 **a.** Où et quand la scène se déroule-t-elle ?
b. En quoi le cadre naturel est-il propice à une déclaration d'amour ? Prenez appui sur le texte.

2 « C'était lui » (l. 23) : quel point de vue le narrateur adopte-t-il ?

Le jeune homme amoureux

3 **a.** Relevez dans le portrait de Marius (l. 19 à 32) les notations qui renvoient à la maladie, la nuit et la mort.
b. Pour quelle raison Marius a-t-il cette apparence ? Appuyez-vous sur les lignes 42-43 et 56 à 67.

La déclaration

4 **a.** Quel aveu Marius est-il venu faire à la jeune fille ? Pourquoi cet aveu ne peut-il être davantage différé ? Justifiez votre réponse.
b. De quelle délicatesse Marius fait-il preuve à l'égard de Cosette ?

5 **a.** Quelle personne Marius utilise-t-il pour s'adresser à Cosette (tutoiement ou vouvoiement) ?
b. Et Cosette pour s'adresser à Marius ? Justifiez le changement.

6 Quels gestes témoignent de l'émotion et de l'amour des deux jeunes gens l'un pour l'autre (l. 68 à 91) ?

La peinture de l'amour

7 **a.** Relevez les verbes pronominaux (l. 92 à 104).
b. Pourquoi sont-ils nombreux dans ce passage ? Que traduisent-ils de la relation entre les deux personnages ?

8 Le chiasme

> Le chiasme est une figure de style qui consiste à inverser l'ordre des termes de deux expressions symétriques selon l'ordre ABBA. Exemple : « Jeune homme, on te maudit, on t'adore vieillard. » (Hugo)

Quel effet l'échange de paroles produit-il chez les jeunes gens ? Appuyez-vous sur le chiasme que vous relèverez (l. 116 à 118).

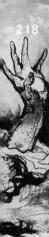

9 Pourquoi Marius et Cosette ne se nomment-ils qu'après s'être « tout dit » ?

10 Quelles sont les interrogations du narrateur face au premier baiser (l. 87 à 91) ? Pourquoi n'y a-t-il pas de réponse apportée ?

11 Montrez que l'amour rend les jeunes gens indifférents à tout ce qui les entoure (l. 93 à 97).

Étudier la langue

Grammaire : la valeur des temps

12 « Quand ils eurent fini, quand ils se furent tout dit [...] » (l. 120). À quel temps les verbes *finir* et *dire* sont-ils conjugués ? À quel moment du passé renvoient-ils par rapport au verbe *posa* ?

Vocabulaire : autour du mot « aube »

13 « Comment se fait-il [...] que l'aube blanchisse » (l. 90)
Le mot aube vient du latin *alba* qui signifie blanche. Retrouvez les mots de la famille du mot aube correspondant aux définitions suivantes : aubade, aubépine, album, aube, albâtre, albatros.
– Tunique blanche portée par les prêtres : ....
– Arbuste composé de fleurs à épines blanches : ....
– Poème chantant le lever du jour : ....
– Pierre blanche : ....
– Grand oiseau de mer au plumage blanc et gris : ....
– Livre à pages blanches : ....

Écrire

Rédiger un dialogue

14 « Ces deux êtres, purs comme des esprits, se dirent tout : leurs songes, leurs ivresses, leurs extases, leurs chimères, leurs défaillances, comme ils s'étaient adorés de loin [...] » (l. 107 à 109)
Imaginez ce que Marius et Gavroche ont pu se dire. Rédigez le dialogue. Consigne d'écriture : respectez la disposition du dialogue inséré dans un récit (changement d'interlocuteur signalé par la présence de tiret).

Texte 17 – L'éléphant de la Bastille

« C'était une tanière ouverte à celui auquel toutes les portes étaient fermées. »

II. Où le petit Gavroche tire parti de Napoléon le Grand

Gavroche croise sur son chemin deux petits enfants, eux aussi abandonnés et livrés à eux-mêmes qui cherchent désespérément un endroit où dormir. Il les prend en charge, sans savoir qu'il s'agit en fait de ses jeunes frères.

Il y a vingt ans, on voyait encore dans l'angle sud-est de la place de la Bastille[1], près de la gare du canal creusée dans l'ancien fossé de la prison-citadelle[2], un monument bizarre qui s'est effacé déjà de la mémoire des Parisiens, et qui méritait
5 d'y laisser quelque trace, car c'était une pensée du « membre de l'Institut, général en chef de l'armée d'Égypte[3] ».

Nous disons monument, quoique ce ne fût qu'une maquette. Mais cette maquette elle-même, ébauche prodigieuse, cadavre grandiose d'une idée de Napoléon que deux ou trois coups de
10 vent successifs avaient emportée et jetée à chaque fois plus loin de nous, était devenue historique, et avait pris je ne sais quoi de définitif qui contrastait avec son aspect provisoire. C'était un éléphant de quarante pieds[4] de haut, construit en charpente et en maçonnerie, portant sur son dos sa tour qui ressem-
15 blait à une maison, jadis peint en vert par un badigeonneur[5] quelconque, maintenant peint en noir par le ciel, la pluie et le

---

1. Prison d'État que le peuple prit d'assaut et détruisit le 14 juillet 1789.
2. Désigne la Bastille.
3. Bonaparte.
4. Environ 13 mètres.
5. Peintre sans talent.

temps. Dans cet angle désert et découvert de la place, le large front du colosse, sa trompe, ses défenses, sa tour, sa croupe énorme, ses quatre pieds pareils à des colonnes faisaient, la nuit, sur le ciel étoilé, une silhouette surprenante et terrible. On ne savait ce que cela voulait dire. C'était une sorte de symbole de la force populaire. C'était sombre, énigmatique et immense. C'était on ne sait quel fantôme puissant, visible et debout à côté du spectre[6] invisible de la Bastille.

Peu d'étrangers visitaient cet édifice, aucun passant ne le regardait. Il tombait en ruine ; à chaque saison, des plâtras[7] qui se détachaient de ses flancs lui faisaient des plaies hideuses. Les « édiles[8] », comme on dit en patois élégant, l'avaient oublié depuis 1814. Il était là dans son coin, morne[9], malade, croulant, entouré d'une palissade pourrie souillée à chaque instant par des cochers ivres ; des crevasses lui lézardaient le ventre, une latte lui sortait de la queue, les hautes herbes lui poussaient entre les jambes ; et comme le niveau de la place s'élevait depuis trente ans tout autour par ce mouvement lent et continu qui exhausse[10] insensiblement le sol des grandes villes, il était dans un creux et il semblait que la terre s'enfonçât sous lui. Il était immonde, méprisé, repoussant et superbe, laid aux yeux du bourgeois, mélancolique aux yeux du penseur. Il avait quelque chose d'une ordure qu'on va balayer et quelque chose d'une majesté qu'on va décapiter.

Comme nous l'avons dit, la nuit l'aspect changeait. La nuit est un véritable milieu de tout ce qui est ombre. Dès que tombait le crépuscule, le vieil éléphant se transfigurait[11] ; il prenait une figure tranquille et redoutable dans la formidable sérénité des ténèbres. Étant du passé, il était de la nuit ; et cette obscurité allait à sa grandeur.

---

6. Fantôme.
7. Débris de plâtre.
8. Magistrats romains préposés aux édifices.
9. Voir note 49, p. 42.
10. Relève.
11. Se transformait.

[…]

Ce monument, rude, trapu, pesant, âpre, austère, presque difforme, mais à coup sûr majestueux et empreint d'une sorte
50 de gravité magnifique et sauvage, a disparu pour laisser régner en paix l'espèce de poêle gigantesque orné de son tuyau qui a remplacé la sombre forteresse à neuf tours, à peu près comme la bourgeoisie remplace la féodalité.

[…]

55 Quoi qu'il en soit, pour revenir à la place de la Bastille, l'architecte de l'éléphant avec du plâtre était parvenu à faire du grand ; l'architecte du tuyau de poêle a réussi à faire du petit avec du bronze.

Ce tuyau de poêle qu'on a baptisé d'un nom sonore et nommé
60 la colonne de Juillet, ce monument manqué d'une révolution avortée, était encore enveloppé en 1832 d'une immense chemise en charpente que nous regrettons pour notre part, et d'un vaste enclos en planches, qui achevait d'isoler l'éléphant.

Ce fut vers ce coin de la place, à peine éclairé du reflet d'un
65 réverbère éloigné, que le gamin dirigea les deux « mômes ».

Qu'on nous permette de nous interrompre ici et de rappeler que nous sommes dans la simple réalité, et qu'il y a vingt ans les tribunaux correctionnels eurent à juger, sous prévention[12] de vagabondage et de bris d'un monument public, un enfant
70 qui avait été surpris couché dans l'intérieur même de l'éléphant de la Bastille.

Ce fait constaté, nous continuons.

En arrivant près du colosse, Gavroche comprit l'effet que l'infiniment grand peut produire sur l'infiniment petit, et dit :
75 – Moutards ! n'ayez pas peur.

Puis il entra par une lacune[13] de la palissade dans l'enceinte de l'éléphant et aida les mômes à enjamber la brèche. Les deux

---

| **12.** Accusation. | **13.** Fente.

enfants, un peu effrayés, suivaient sans dire mot Gavroche et se confiaient à cette petite providence[14] en guenilles[15] qui leur avait donné du pain et leur avait promis un gîte[16].

Il y avait là, couchée le long de la palissade, une échelle qui servait le jour aux ouvriers du chantier voisin. Gavroche la souleva avec une singulière vigueur, et l'appliqua contre une des jambes de devant de l'éléphant. Vers le point où l'échelle allait aboutir, on distinguait une espèce de trou noir dans le ventre du colosse.

Gavroche montra l'échelle et le trou à ses hôtes et leur dit :
– Montez et entrez.

[…]

Ô utilité inattendue de l'inutile ! charité des grandes choses ! bonté des géants ! Ce monument démesuré qui avait contenu une pensée de l'Empereur[17] était devenu la boîte d'un gamin. Le môme avait été accepté et abrité par le colosse. Les bourgeois endimanchés[18] qui passaient devant l'éléphant de la Bastille disaient volontiers en le toisant d'un air de mépris avec leurs yeux à fleur de tête : – À quoi cela sert-il ? – Cela servait à sauver du froid, du givre, de la grêle, de la pluie, à garantir du vent d'hiver, à préserver du sommeil dans la boue qui donne la fièvre et du sommeil dans la neige qui donne la mort, un petit être sans père ni mère, sans pain, sans vêtements, sans asile[19]. Cela servait à recueillir l'innocent que la société repoussait. Cela servait à diminuer la faute publique. C'était une tanière ouverte à celui auquel toutes les portes étaient fermées.

[…]

Le trou par où Gavroche était entré était une brèche à peine visible du dehors, cachée qu'elle était, nous l'avons dit,

14. Secours inattendu.
15. Voir note 8, p. 149.
16. Abri.
17. Napoléon Iᵉʳ.
18. Qui ont mis leurs plus beaux habits, ceux du dimanche.
19. Maison.

sous le ventre de l'éléphant, et si étroite qu'il n'y avait guère
que des chats et des mômes qui pussent y passer.

110   – Commençons, dit Gavroche, par dire au portier que nous
n'y sommes pas.

Et plongeant dans l'obscurité avec certitude comme quelqu'un
qui connaît son appartement, il prit une planche et en boucha
le trou.

115   Gavroche replongea dans l'obscurité. Les enfants entendirent le reniflement de l'allumette enfoncée dans la bouteille
phosphorique[20]. L'allumette chimique n'existait pas encore ;
le briquet Fumade représentait à cette époque le progrès.

Une clarté subite leur fit cligner les yeux ; Gavroche venait
120   d'allumer un de ces bouts de ficelle trempés dans la résine
qu'on appelle rats de cave. Le rat de cave, qui fumait plus
qu'il n'éclairait, rendait confusément visible le dedans de
l'éléphant.

Les deux hôtes de Gavroche regardèrent autour d'eux
125   et éprouvèrent quelque chose de pareil à ce qu'éprouve-
rait quelqu'un qui serait enfermé dans la grosse tonne[21] de
Heidelberg[22], ou mieux encore, à ce que dut éprouver Jonas[23]
dans le ventre biblique de la baleine. Tout un squelette gigantesque leur apparaissait et les enveloppait. En haut, une longue
130   poutre brune d'où partaient de distance en distance de massives
membrures cintrées figurait la colonne vertébrale avec les côtes,
des stalactites[24] de plâtre y pendaient comme des viscères, et
d'un côté à l'autre de vastes toiles d'araignée faisaient des
diaphragmes[25] poudreux. On voyait çà et là dans les coins
135   de grosses taches noirâtres qui avaient l'air de vivre et qui se
déplaçaient rapidement avec un mouvement brusque et effaré.

---

20. Qui contient du phos-
phore et dans laquelle on
mettait une allumette.
21. Tonneau gigantesque.
22. Ville allemande.

23. Personnage biblique,
jeté à la mer par une
tempête et avalé puis
rejeté trois jours plus tard
par un gros poisson.

24. Concrétion calcaire
qui se forme à la voûte
d'une grotte et qui pend.
25. Muscle qui sépare le
thorax de l'abdomen.

Les débris tombés du dos de l'éléphant sur son ventre en avaient comblé la concavité[26], de sorte qu'on pouvait y marcher comme sur un plancher.

Le plus petit se rencogna contre son frère et dit à demi-voix :

– C'est noir.

Ce mot fit exclamer Gavroche. L'air pétrifié[27] des deux mômes rendait une secousse nécessaire.

– Qu'est-ce que vous fichez ? s'écria-t-il. Blaguons-nous ? faisons-nous les dégoûtés ? vous faut-il pas les Tuileries[28] ? Seriez-vous des brutes ? Dites-le. Je vous préviens que je ne suis pas du régiment des godiches[29]. Ah çà, est-ce que vous êtes les moutards du moutardier du pape ?

Un peu de rudoiement est bon dans l'épouvante. Cela rassure. Les deux enfants se rapprochèrent de Gavroche.

Gavroche, paternellement attendri de cette confiance, passa « du grave au doux » et s'adressant au plus petit :

– Bêta, lui dit-il en accentuant l'injure d'une nuance caressante, c'est dehors que c'est noir. Dehors il pleut, ici il ne pleut pas ; dehors il fait froid, ici il n'y a pas une miette de vent ; dehors il y a des tas de monde, ici il n'y a personne ; dehors il n'y a pas même la lune, ici il y a ma chandelle, nom d'unch !

Les deux enfants commençaient à regarder l'appartement avec moins d'effroi ; mais Gavroche ne leur laissa pas plus longtemps le loisir de la contemplation.

– Vite, dit-il.

Et il les poussa vers ce que nous sommes très heureux de pouvoir appeler le fond de la chambre.

Là était son lit.

Le lit de Gavroche était complet. C'est-à-dire qu'il y avait un matelas, une couverture et une alcôve[30] avec rideaux.

---

26. Creux.
27. Voir note 24, p. 209.
28. Palais royal.

29. Imbéciles, niais.
30. Enfoncement pratiqué dans un mur pour y mettre un lit.

Le matelas était une natte de paille, la couverture un assez vaste pagne de grosse laine grise fort chaud et presque neuf. Voici ce que c'était que l'alcôve :

170 Trois échalas[31] assez longs, enfoncés et consolidés dans les gravois[32] du sol, c'est-à-dire du ventre de l'éléphant, deux en avant, un en arrière, et réunis par une corde à leur sommet, de manière à former un faisceau pyramidal. Ce faisceau supportait un treillage de fil de laiton qui était simplement posé dessus,

175 mais artistement appliqué et maintenu par des attaches de fil de fer, de sorte qu'il enveloppait entièrement les trois échalas. Un cordon de grosses pierres fixait tout autour ce treillage sur le sol, de manière à ne rien laisser passer. Ce treillage n'était autre chose qu'un morceau de ces grillages de cuivre dont on

180 revêt les volières[33] dans les ménageries. Le lit de Gavroche était sous ce grillage comme dans une cage. L'ensemble ressemblait à une tente d'Esquimau.

Quatrième partie « L'idylle rue Plumet
et l'épopée rue Saint-Denis »,
Livre sixième « Le petit Gavroche »,
extraits du chapitre II.

---

31. Pieu en bois.
32. Débris.
33. Cages à oiseaux.

L'éléphant de la Bastille. Illustration fin xixᵉ siècle.

Questions

Repérer et analyser

Le narrateur

1 Repérez les commentaires du narrateur. Par quel pronom le narrateur se désigne-t-il ?

2 Classez ces commentaires :
– ceux qui guident le lecteur dans la lecture du récit ;
– ceux qui fournissent des informations au lecteur ; quelles sont-elles ?
– ceux par lesquels le narrateur livre ses sentiments au lecteur ; quels sont-ils ? à quel sujet ?

Le cadre et l'action

Les Misérables peuvent se lire comme un document ayant pour toile de fond un cadre géographique et historique. Victor Hugo y évoque notamment le Paris populaire.

3 **a.** Rappelez quelle ville sert de cadre à l'action. Quel endroit précis est ici évoqué (l. 1 à 6) ?
b. Quel est le « monument » qui se dresse à cet endroit ?
c. Quel personnage historique est à l'origine de cette maquette ? De quel passé cette maquette est-elle le témoin ? Pourquoi est-elle tombée en désuétude ?
d. En quelle année les événements racontés ont-ils lieu ? À quel moment de la journée ? Citez le texte.

4 **a.** Quel fait juridique le narrateur évoque-t-il lignes 64 à 72 ?
b. En quoi le roman *Les Misérables* est-il ancré dans la réalité ?

5 **a.** Pourquoi Gavroche conduit-il les deux enfants dans l'éléphant ?
b. Comment Gavroche s'y prend-il pour entrer dans cet éléphant ?

L'éléphant

L'aspect du monument

6 **a.** Quelle est la hauteur de cet éléphant ? Relevez lignes 17 à 20 deux adjectifs, un nom, une comparaison qui évoquent ses proportions.

b. Quel effet produit-il la nuit (l. 17 à 24 et 41 à 46) ?

7 a. Relevez les termes qui montrent que l'éléphant est délabré (l. 25 à 40).

b. Relevez dans les lignes 37 à 40 les termes qui s'opposent. Pourquoi l'éléphant suscite-t-il des sentiments contrastés ?

L'appartement de Gavroche

8 À travers les yeux de quels personnages l'appartement est-il vu (l. 123 à 160) ?

9 En quoi cet endroit peut-il apparaître merveilleux, magique et en même temps terrifiant et rassurant ? Pour répondre :
– relevez les indications d'ombre et de lumière (l. 115 à 122) ;
– relevez les termes qui désignent le corps de l'éléphant (l. 17 à 138) ;
– dites comment se présente le lit de Gavroche et à quoi ressemble sa chambre (l. 182).

Les symboles

10 a. Quelle est, pour le narrateur, la valeur symbolique de l'éléphant (l. 21 à 24) ?

b. Pour quelle raison le narrateur l'oppose-t-il à la colonne de la Bastille édifiée juste à côté ? Que symbolise cette dernière ?

Les personnages

11 a. Par quels sentiments les petits sont-ils dominés ? Citez le texte.
b. À quoi le lieu est-il comparé (l. 123 à 127) ?
12 a. Comment Gavroche s'y prend-il pour les rassurer ? Justifiez.
b. Gavroche ne sait pas qu'il s'agit de ses petits frères. Quel rôle assume-t-il pourtant ? Relevez un adverbe (l. 150 à 157) pour justifier votre réponse.

La visée

13 Pour quelle raison Hugo apprécie-t-il l'éléphant de la Bastille ? Quel reproche adresse-t-il aux bourgeois ? Appuyez-vous sur l'ensemble de vos réponses.

Étudier la langue

Vocabulaire

14 Donnez le nom correspondant aux adjectifs suivants qui caractérisent l'éléphant de la Bastille : *large, énorme, colossal, grand, immense, démesuré, difforme, majestueux, gigantesque, rude*.

Écrire

Écrire une suite

15 Imaginez la soirée que passent Gavroche et les deux petits dans l'éléphant. Consignes d'écriture : vous respecterez le cadre, les personnages et vous introduirez un commentaire du narrateur.

Enquêter

La Bastille

16 Faites une recherche sur Internet concernant l'histoire de la Bastille. À quelle époque son édification a-t-elle débuté ? Quelle était sa vocation première ? À partir de quelle époque est-elle devenue une prison ? Quelles personnes y étaient détenues ? Quand fut-elle détruite ? etc.

Texte 18 – Sur les barricades

« ... je fais sauter la barricade ! »

I. Le drapeau – Premier acte

Le 5 juin 1832, lors de l'enterrement d'un ancien général napoléonien, le peuple en révolte contre le gouvernement du roi Louis-Philippe, se soulève. Très vite, les insurgés construisent des barricades, derrières lesquelles ils se retranchent pour affronter les forces de l'ordre. Les amis de l'ABC (voir le texte 12, p. 171), menés par Enjolras, s'engagent dans la lutte, retranchés dans la barricade qu'il ont dressées au cœur du quartier des Halles.

Un éclair empourpra toutes les façades de la rue comme si la porte d'une fournaise s'ouvrait et se fermait brusquement.

Une effroyable détonation éclata sur la barricade. Le drapeau rouge tomba. La décharge avait été si violente et si dense qu'elle en avait coupé la hampe ; c'est-à-dire la pointe même du timon[1] de l'omnibus. Des balles, qui avaient ricoché sur les corniches des maisons, pénétrèrent dans la barricade et blessèrent plusieurs hommes.

L'impression de cette première décharge fut glaçante. L'attaque était rude, et de nature à faire songer les plus hardis. Il était évident qu'on avait au moins affaire à un régiment tout entier.

– Camarades, cria Courfeyrac, ne perdons pas la poudre. Attendons pour riposter qu'ils soient engagés dans la rue.

– Et, avant tout, dit Enjolras, relevons le drapeau !

| **1.** Pièce de bois disposée à l'avant d'une voiture, pour y atteler un animal.

Il ramassa le drapeau qui était précisément tombé à ses pieds.

On entendait au dehors le choc des baguettes dans les fusils ; la troupe rechargeait les armes.

Enjolras reprit :

20 – Qui est-ce qui a du cœur ici ? qui est-ce qui replante le drapeau sur la barricade ?

Pas un ne répondit. Monter sur la barricade au moment où sans doute elle était couchée en joue[2] de nouveau, c'était simplement la mort. Le plus brave hésite à se condamner.

25 Enjolras lui-même avait un frémissement.

Emmanuel Curtil (Gavroche), dans le film de Robert Hossein : *Les Misérables*, 1982.

| **2.** Visée par les fusils.

Il répéta :

– Personne ne se présente ?

[...]

On vit le vieillard[3] apparaître sur le seuil du cabaret.

Sa présence fit une sorte de commotion dans les groupes. Un cri s'éleva :

– C'est le votant[4] ! c'est le conventionnel[5] ! c'est le représentant du peuple !

Il est probable qu'il n'entendait pas.

Il marcha droit à Enjolras, les insurgés[6] s'écartaient devant lui avec une crainte religieuse, il arracha le drapeau à Enjolras qui reculait pétrifié, et alors, sans que personne osât ni l'arrêter, ni l'aider, ce vieillard de quatre-vingts ans, la tête branlante, le pied ferme, se mit à gravir lentement l'escalier de pavés pratiqué dans la barricade. Cela était si sombre et si grand que tous autour de lui crièrent : Chapeau bas[7] ! À chaque marche qu'il montait, c'était effrayant ; ses cheveux blancs, sa face décrépite[8], son grand front chauve et ridé, ses yeux caves[9], sa bouche étonnée et ouverte, son vieux bras levant la bannière rouge, surgissaient de l'ombre et grandissaient dans la clarté sanglante de la torche ; et l'on croyait voir le spectre de 93[10] sortir de terre, le drapeau de la terreur à la main.

Quand il fut au haut de la dernière marche, quand ce fantôme tremblant et terrible, debout sur ce monceau de décombres[11] en présence de douze cents fusils invisibles, se dressa, en face de la mort et comme s'il était plus fort qu'elle, toute la barricade eut dans les ténèbres une figure surnaturelle et colossale.

3. Il s'agit de M. Mabeuf.
4. Personne qui participe au vote.
5. Membre de la Convention, c'est-à-dire de l'assemblée qui se réunit pour établir ou modifier une constitution.
6. Révolutionnaires.
7. Expression qui marque l'admiration.

8. D'une vieillesse extrême.
9. Creux.
10. Fantôme de la Terreur, période de la Révolution française.
11. Ruines qui proviennent d'un édifice détruit.

Il y eut un de ces silences qui ne se font qu'autour des
55 prodiges[12].

Au milieu de ce silence le vieillard agita le drapeau rouge
et cria :

– Vive la Révolution ! vive la République ! fraternité ! égalité !
et la mort !

60   On entendit de la barricade un chuchotement bas et rapide
pareil au murmure d'un prêtre pressé qui dépêche une prière.
C'était probablement le commissaire de police qui faisait les
sommations[13] légales à l'autre bout de la rue.

Puis la même voix éclatante qui avait crié : qui vive ? cria :
65   – Retirez-vous !

M. Mabeuf, blême, hagard[14], les prunelles illuminées des
lugubres flammes de l'égarement, leva le drapeau au-dessus
de son front et répéta :

– Vive la République !
70   – Feu ! dit la voix.

Une seconde décharge, pareille à une mitraille, s'abattit sur
la barricade.

Le vieillard fléchit sur ses genoux, puis se redressa, laissa
échapper le drapeau et tomba en arrière à la renverse sur le
75 pavé, comme une planche, tout de son long et les bras en croix.

Des ruisseaux de sang coulèrent de dessous lui. Sa vieille
tête, pâle et triste, semblait regarder le ciel.

*Javert, venu espionner les insurgés, est reconnu par Gavroche.
Il est fait prisonnier, en attendant d'être exécuté.*

| **12.** Miracles. | **13.** Avertissements. | **14.** Voir note 12, p. 185.

IV. Le baril de poudre

Jean Valjean a repéré Thénardier qui rôde dans le quartier.
Face aux troubles politiques qui agitent Paris et à la menace
que représente Thénardier, il se décide à quitter la France pour
l'Angleterre avec Cosette, qui en informe Marius. Le jeune
homme se tourne vers son grand-père, M. Gillenormand, après
quatre années de silence, pour lui annoncer qu'il veut épouser
Cosette et qu'il a besoin d'argent pour la suivre à l'étranger.
Ce dernier désapprouve ce mariage.

Marius, désespéré, est résolu à mourir puisqu'il a perdu celle
qu'il aime. Il rejoint la barricade.

Marius, toujours caché dans le coude de la rue Mondétour, avait
assisté à la première phase du combat, irrésolu et frissonnant.
Cependant il n'avait pu résister longtemps à ce vertige mystérieux et souverain qu'on pourrait nommer l'appel de l'abîme.
Devant l'imminence du péril, devant la mort de M. Mabeuf,
cette funèbre énigme, devant Bahorel tué, Courfeyrac criant :
à moi ! cet enfant menacé[15], ses amis à secourir ou à venger,
toute hésitation s'était évanouie, et il s'était rué dans la mêlée
ses deux pistolets à la main. Du premier coup il avait sauvé
Gavroche et du second délivré Courfeyrac.

Aux coups de feu, aux cris des gardes frappés, les assaillants[16] avaient gravi le retranchement, sur le sommet duquel
on voyait maintenant se dresser plus qu'à mi-corps, et en foule,
des gardes municipaux, des soldats de la ligne, des gardes
nationaux de la banlieue, le fusil au poing. Ils couvraient
déjà plus des deux tiers du barrage, mais ils ne sautaient pas
dans l'enceinte, comme s'ils balançaient, craignant quelque
piège. Ils regardaient dans la barricade obscure comme on

| **15.** Il s'agit de Gavroche. | **16.** Les forces de l'ordre.

regarderait dans une tanière de lions. La lueur de la torche n'éclairait que les bayonnettes, les bonnets à poil et le haut des visages inquiets et irrités.

Marius n'avait plus d'armes, il avait jeté ses pistolets
100 déchargés, mais il avait aperçu un baril de poudre dans la salle basse près de la porte.

Comme il se tournait à demi, regardant de ce côté, un soldat le coucha en joue[17]. Au moment où le soldat ajustait Marius, une main se posa sur le bout du canon du fusil, et le boucha.
105 C'était quelqu'un qui s'était élancé, le jeune ouvrier au pantalon de velours. Le coup partit, traversa la main, et peut-être aussi l'ouvrier, car il tomba, mais la balle n'atteignit pas Marius. Tout cela dans la fumée, plutôt entrevu que vu. Marius, qui entrait dans la salle basse, s'en aperçut à peine. Cependant il
110 avait confusément vu ce canon de fusil dirigé sur lui et cette main qui l'avait bouché, et il avait entendu le coup. Mais dans des minutes comme celle-là, les choses qu'on voit vacillent[18] et se précipitent, et l'on ne s'arrête à rien. On se sent obscurément poussé vers plus d'ombre encore, et tout est nuage.

115 Les insurgés, surpris, mais non effrayés, s'étaient ralliés. Enjolras avait crié : Attendez ! ne tirez pas au hasard ! Dans la première confusion en effet ils pouvaient se blesser les uns les autres. La plupart étaient montés à la fenêtre du premier étage et aux mansardes d'où ils dominaient les assaillants. Les
120 plus déterminés, avec Enjolras[19], Courfeyrac, Jean Prouvaire et Combeferre, s'étaient fièrement adossés aux maisons du fond, à découvert et faisant face aux rangées de soldats et de gardes qui couronnaient la barricade.

Tout cela s'accomplit sans précipitation, avec cette gravité
125 étrange et menaçante qui précède les mêlées. Des deux parts on se couchait en joue, à bout portant, on était si près qu'on

---

pouvait se parler à portée de voix. Quand on fut à ce point
où l'étincelle va jaillir, un officier en hausse-col[20] et à grosses
épaulettes étendit son épée et dit :

– Bas les armes !

– Feu ! dit Enjolras.

Les deux détonations partirent en même temps, et tout
disparut dans la fumée.

Fumée âcre[21] et étouffante où se traînaient, avec des gémis-
sements faibles et sourds, des mourants et des blessés.

Quand la fumée se dissipa, on vit des deux côtés les
combattants, éclaircis[22], mais toujours aux mêmes places,
qui rechargeaient les armes en silence.

Tout à coup, on entendit une voix tonnante qui criait :

– Allez-vous-en, ou je fais sauter la barricade !

Tous se retournèrent du côté d'où venait la voix.

Marius était entré dans la salle basse, y avait pris le baril
de poudre, puis il avait profité de la fumée et de l'espèce de
brouillard obscur qui emplissait l'enceinte retranchée pour se
glisser le long de la barricade jusqu'à cette cage de pavés où
était fixée la torche. En arracher la torche, y mettre le baril
de poudre, pousser la pile de pavés sous le baril, qui s'était
sur-le-champ défoncé, avec une sorte d'obéissance terrible,
tout cela avait été pour Marius le temps de se baisser et de se
relever ; et maintenant tous, gardes nationaux, gardes municipaux, officiers, soldats, pelotonnés à l'autre extrémité de la
barricade, le regardaient avec stupeur le pied sur les pavés,
la torche à la main, son fier visage éclairé par une résolution
fatale, penchant la flamme de la torche vers ce monceau redoutable où l'on distinguait le baril de poudre brisé, et poussant
ce cri terrifiant :

---

20. Pièce de cuivre protégeant la base du cou.
21. Très irritante.
22. Dont les rangs étaient moins denses après la fusillade.

– Allez-vous-en, ou je fais sauter la barricade !

Marius sur cette barricade après l'octogénaire[23], c'était la vision de la jeune révolution après l'apparition de la vieille.

160 – Sauter la barricade ! dit un sergent, et toi aussi !

Marius répondit :

– Et moi aussi.

Et il approcha la torche du baril de poudre.

Mais il n'y avait déjà plus personne sur le barrage. Les 165 assaillants, laissant leurs morts et leurs blessés, refluaient pêle-mêle et en désordre vers l'extrémité de la rue et s'y perdaient de nouveau dans la nuit. Ce fut un sauve-qui-peut.

La barricade était dégagée.

Sur la barricade, Marius reçoit un message de Cosette qui l'informe de son adresse provisoire, rue de L'Homme-Armé, jusqu'à son départ pour l'Angleterre. Marius lui répond qu'il est sans fortune pour la suivre à l'étranger, qu'il ne peut vivre sans elle et qu'il se résigne à l'idée de mourir sur la barricade. Fortuitement, Jean Valjean prend connaissance de la missive de Cosette à Marius et de la réponse du jeune homme à cette dernière. Il éprouve une secrète satisfaction à l'idée que Marius pourrait disparaître. Mais soudain, il décide de rejoindre la barricade.

Quatrième partie « L'idylle rue Plumet et l'épopée rue Saint-Denis », Livre quatorzième « Le baril de poudre », extrait des chapitres I, II et IV.

| **23.** Il s'agit de M. Mabeuf (voir texte 18).

Questions

Repérer et analyser

Le cadre et la situation

L'Histoire dans *Les Misérables*

L'Histoire tient une place importante dans *Les Misérables*. Le roman met en scène des personnages et des faits à la fois réels et fictifs dans un cadre géographique et historique précis.

1 Rappelez quel est le contexte historique évoqué. Aidez-vous du hors-texte.

2 Dans quelles rues précises l'action se déroule-t-elle ? Repérez sur un plan de Paris ces différentes rues. Dans quel quartier sont-elles situées ?

3 **a.** À quel endroit précis les insurgés se trouvent-ils ?

b. À quel moment de la journée les événements racontés ont-ils lieu ?

4 **a.** Quels sont les deux groupes qui s'affrontent ?

b. Les forces vous semblent-elles égales ? Appuyez-vous sur les lignes 11-12 et 50.

c. Relevez les termes qui soulignent la violence du combat dans les lignes 1 à 12.

Héros des barricades

M. Mabeuf

5 **a.** Quel acte M. Mabeuf accomplit-il ?

b. Quels éléments font de lui un héros ? Pour répondre :

– rappelez son âge ;

– dites à quel danger il s'expose et relevez une expression qui montre qu'il ne craint pas la mort ;

– dites quel est l'idéal pour lequel il est prêt à mourir.

6 **a.** Quelles paroles M. Mabeuf prononce-t-il ? En quoi constituent-elles une provocation ?

b. Quelles réactions son attitude suscite-t-elle chez les autres insurgés ? Citez le texte.

c. Que lui arrive-t-il ?

Marius

7 **a.** Où les forces de l'ordre sont-elles positionnées (l. 88 à 98) ?
b. Quel risque les insurgés courent-ils ?

8 Comment Marius parvient-il à faire fuir les forces de l'ordre ? De quelles circonstances profite-t-il ? Citez le texte.

9 **a.** Pour quelles différentes raisons Marius s'est-il décidé à entrer dans la barricade ? Aidez-vous du texte et du hors-texte.
b. En quoi son comportement est-il héroïque ? Qu'est-il prêt à faire (l. 157 à 162) ?

10 Relevez au début et à la fin de l'extrait deux expressions qui soulignent sa détermination.

Les symboles

11 Que symbolise le drapeau rouge ?

12 Relevez dans les lignes 41 à 53 les expressions qui font de M. Mabeuf une figure surnaturelle et inquiétante.

13 M. Mabeuf est allongé « les bras en croix » et « sembl[e] regarder le ciel ». De quel personnage biblique qui a sacrifié sa vie pour un idéal peut-il être rapproché ?

La visée

14 **a.** Quelle image le narrateur donne-t-il du personnage de Marius, des insurgés et des forces de l'ordre ?
b. Pour qui Victor Hugo prend-il fait et cause ? Quels sentiments et réactions cherche-t-il à susciter chez le lecteur ?

Étudier la langue

Vocabulaire

15 « l'octogénaire » (l. 158)
a. Que signifie le mot « octogénaire » formé à partir du mot latin *octo* qui signifie huit ?
b. Qu'est-ce qu'un quadragénaire ? un quinquagénaire ? un sexagénaire ? un septuagénaire ? un nonagénaire ?

c. Qu'est-ce qu'un octogone ? un octosyllabe ? un octave ?

16 « qui vive ? » (l. 64)

« Qui vive ? » est le cri par lequel une sentinelle ou une patrouille interroge ceux qui passent sur leur identité.

a. Quel est le verbe qui a servi à former cette expression ? Identifiez son temps et son mode.

b. Que signifie l'expression « se tenir sur le qui-vive » ?

Écrire

Écrire un article de presse

17 Vous êtes journaliste et vous êtes le témoin d'une action héroïque (un sauvetage par exemple). Rédigez un article d'une vingtaine de lignes qui raconte l'exploit.

Consignes d'écriture :

– racontez les faits en fournissant des détails précis (lieu, date, heure, circonstances, identité du héros sauveteur…) ;

– utilisez essentiellement le passé composé et l'imparfait (pas de passé simple dans un article de presse) ;

– mettez en valeur l'exploit du héros.

Texte 19 – Jean Valjean se venge

« Il répondait à chaque décharge par un couplet. »

XV. Gavroche dehors

Alors que l'affrontement est à son paroxysme, les insurgés n'ont presque plus de munitions. Spontanément, Gavroche s'assigne d'aller en récupérer sur les cadavres des soldats tués.

Courfeyrac[1] tout à coup aperçut quelqu'un au bas de la barricade, dehors, dans la rue, sous les balles.

Gavroche avait pris un panier à bouteilles, dans le cabaret, était sorti par la coupure[2], et était paisiblement occupé à vider
5 dans son panier les gibernes[3] pleines de cartouches des gardes nationaux tués sur le talus de la redoute[4].

– Qu'est-ce que tu fais là ? dit Courfeyrac.

Gavroche leva le nez :

– Citoyen, j'emplis mon panier.

10 – Tu ne vois donc pas la mitraille ?

Gavroche répondit :

– Eh bien, il pleut. Après ?

Courfeyrac cria :

– Rentre !

15 – Tout à l'heure, fit Gavroche.

Et, d'un bond, il s'enfonça dans la rue.

On se souvient que la compagnie Fannicot, en se retirant, avait laissé derrière elle une traînée de cadavres.

---

1. Insurgé, ami de Marius.
2. Brèche qui permet de sortir de la barricade.
3. Boîte de cuir dans laquelle les soldats mettaient leurs cartouches.
4. Fortification isolée.

Une vingtaine de morts gisaient çà et là dans toute la longueur de la rue sur le pavé. Une vingtaine de gibernes pour Gavroche. Une provision de cartouches pour la barricade.

La fumée était dans la rue comme un brouillard. Quiconque a vu un nuage tombé dans une gorge de montagnes entre deux escarpements à pic, peut se figurer cette fumée resserrée et comme épaissie par deux sombres lignes de hautes maisons. Elle montait lentement et se renouvelait sans cesse ; de là un obscurcissement graduel qui blêmissait même le plein jour. C'est à peine si, d'un bout à l'autre de la rue, pourtant fort courte, les combattants s'apercevaient.

Cet obscurcissement, probablement voulu et calculé par les chefs qui devaient diriger l'assaut de la barricade, fut utile à Gavroche.

Sous les plis de ce voile de fumée, et grâce à sa petitesse, il put s'avancer assez loin dans la rue sans être vu. Il dévalisa les sept ou huit premières gibernes sans grand danger.

Il rampait à plat ventre, galopait à quatre pattes, prenait son panier aux dents, se tordait, glissait, ondulait, serpentait d'un mort à l'autre, et vidait la giberne ou la cartouchière comme un singe ouvre une noix.

De la barricade, dont il était encore assez près, on n'osait lui crier de revenir, de peur d'appeler l'attention sur lui.

Sur un cadavre, qui était un caporal, il trouva une poire à poudre[5].

– Pour la soif[6], dit-il en la mettant dans sa poche. À force d'aller en avant, il parvint au point où le brouillard de la fusillade devenait transparent.

Si bien que les tirailleurs de la ligne rangés et à l'affût derrière leur levée de pavés, et les tirailleurs de la banlieue massés

---

5. Petite gourde en forme de poire dans laquelle on mettait la poudre servant aux armes à feu

6. Allusion à l'expression « garder une poire pour la soif », signifiant que l'on garde des réserves.

à l'angle de la rue, se montrèrent soudainement quelque chose
50 qui remuait dans la fumée.

Au moment où Gavroche débarrassait de ses cartouches un
sergent gisant près d'une borne, une balle frappe le cadavre.

– Fichtre ! fit Gavroche. Voilà qu'on me tue mes morts.

Une deuxième balle fit étinceler le pavé à côté de lui. Une
55 troisième renversa son panier.

Gavroche regarda, et vit que cela venait de la banlieue.

Il se dressa tout droit, debout, les cheveux au vent, les mains
sur les hanches, l'œil fixé sur les gardes nationaux qui tiraient,
et il chanta[7] :

60   *On est laid à Nanterre,*
                    C'est la faute à Voltaire,
                    Et bête à Palaiseau,
                    C'est la faute à Rousseau.

Puis il ramassa son panier, y remit, sans en perdre une seule,
65 les cartouches qui en étaient tombées, et, avançant vers la
fusillade, alla dépouiller une autre giberne. Là une quatrième
balle le manqua encore. Gavroche chanta :

                    Je ne suis pas notaire,
                    C'est la faute à Voltaire
70   *Je suis petit oiseau*
                    C'est la faute à Rousseau.

Une cinquième balle ne réussit qu'à tirer de lui un troisième
couplet :

                    Joie est mon caractère,
75   *C'est la faute à Voltaire*
                    Misère est mon trousseau,
                    C'est la faute à Rousseau.

Cela continua ainsi quelque temps.

7. Chanson ironique à l'égard de ceux qui critiquent
la Révolution et les philosophes qui l'ont influencée.

Willette (1857-1926), *Gavroche ramassant des cartouches*, peinture, coll. particulière.

Le spectacle était épouvantable et charmant. Gavroche,
80 fusillé, taquinait la fusillade. Il avait l'air de s'amuser beaucoup. C'était le moineau becquetant les chasseurs. Il répondait
à chaque décharge par un couplet. On le visait sans cesse, on le
manquait toujours. Les gardes nationaux et les soldats riaient
en l'ajustant. Il se couchait, puis se redressait, s'effaçait dans
85 un coin de porte, puis bondissait, disparaissait, reparaissait,
se sauvait, revenait, ripostait à la mitraille par des pieds de
nez, et cependant pillait les cartouches, vidait les gibernes et
remplissait son panier. Les insurgés, haletants d'anxiété, le
suivaient des yeux. La barricade tremblait ; lui, il chantait.
90 Ce n'était pas un enfant, ce n'était pas un homme ; c'était un
étrange gamin fée. On eût dit le nain invulnérable de la mêlée.
Les balles couraient après lui, il était plus leste qu'elles. Il jouait
on ne sait quel effrayant jeu de cache-cache avec la mort ;
chaque fois que la face camarde du spectre[8] s'approchait, le
95 gamin lui donnait une pichenette.

Une balle pourtant, mieux ajustée ou plus traître que les
autres, finit par atteindre l'enfant feu follet. On vit Gavroche
chanceler, puis il s'affaissa. Toute la barricade poussa un cri ;
mais il y avait de l'Antée[9] dans ce pygmée[10] ; pour le gamin
100 toucher le pavé, c'est comme pour le géant toucher la terre ;
Gavroche n'était tombé que pour se redresser ; il resta assis
sur son séant, un long filet de sang rayait son visage, il éleva
ses deux bras en l'air, regarda du côté d'où était venu le coup,
et se mit à chanter :

105
Je suis tombé par terre,
C'est la faute à Voltaire,
Le nez dans le ruisseau,
C'est la faute à…

---

8. Représentation traditionnelle de la mort sous forme de squelette au nez aplati.
9. Géant de la mythologie grecque qui retrouvait ses forces dès qu'il touchait le sol.
10. Homme de très petite taille.

Il n'acheva point. Une seconde balle du même tireur l'arrêta court. Cette fois il s'abattit la face contre le pavé, et ne remua plus. Cette petite grande âme venait de s'envoler.

XIX. Jean Valjean se venge

Les insurgés sont en difficulté, la barricade agonise. Ordre est donné par Enjolras d'exécuter Javert, qui attend son heure dans le cabaret Corinthe où il est retenu prisonnier. Jean Valjean se propose pour le passer par les armes.

Quand Jean Valjean fut seul avec Javert, il défit la corde qui assujettissait[11] le prisonnier par le milieu du corps, et dont le nœud était sous la table. Après quoi, il lui fit signe de se lever.

Javert obéit, avec cet indéfinissable sourire où se condense la suprématie[12] de l'autorité enchaînée.

Jean Valjean prit Javert par la martingale[13] comme on prendrait une bête de somme par la bricole[14], et, l'entraînant après lui, sortit du cabaret, lentement, car Javert, entravé[15] aux jambes, ne pouvait faire que de très petit pas.

Jean Valjean avait le pistolet au poing.

Ils franchirent ainsi le trapèze intérieur de la barricade. Les insurgés, tout à l'attaque imminente, tournaient le dos.

Marius, seul, placé de côté à l'extrémité gauche du barrage, les vit passer. Ce groupe du patient[16] et du bourreau s'éclaira de la lueur sépulcrale[17] qu'il avait dans l'âme.

Jean Valjean fit escalader, avec quelque peine, à Javert garrotté[18], mais sans le lâcher un seul instant, le petit retranchement de la ruelle Mondétour.

---

11. Attachait.
12. Supériorité.
13. Bande de tissu placée dans le dos d'un vêtement au niveau de la taille.
14. Courroie d'un harnais.

15. Avait les jambes attachées.
16. Celui qui va être supplicié.
17. Qui évoque la mort.
18. Voir note 8, p. 207.

130   Quand ils eurent enjambé ce barrage, ils se trouvèrent seuls tous les deux dans la ruelle. Personne ne les voyait plus. Le coude des maisons les cachait aux insurgés. Les cadavres retirés de la barricade faisaient un monceau[19] terrible à quelques pas.

On distinguait dans le tas des morts une face livide[20], une 135 chevelure dénouée, une main percée, et un sein de femme demi-nu. C'était Éponine[21].

Javert considéra obliquement cette morte, et, profondément calme, dit à demi-voix :

– Il me semble que je connais cette fille-là.

140   Puis il se tourna vers Jean Valjean.

Jean Valjean mit le pistolet sous son bras, et fixa sur Javert un regard qui n'avait pas besoin de paroles pour dire : – Javert, c'est moi.

Javert répondit :

145   – Prends ta revanche.

Jean Valjean tira de son gousset un couteau, et l'ouvrit.

– Un surin[22] ! s'écria Javert. Tu as raison. Cela te convient mieux.

Jean Valjean coupa la martingale que Javert avait au cou, puis 150 il coupa les cordes qu'il avait aux poignets, puis se baissant, il coupa la ficelle qu'il avait aux pieds ; et, se redressant, il lui dit :

– Vous êtes libre.

Javert n'était pas facile à étonner. Cependant, tout maître qu'il était de lui, il ne put se soustraire à une commotion[23]. Il 155 resta béant[24] et immobile.

Jean Valjean poursuivit :

– Je ne crois pas que je sorte d'ici. Pourtant, si, par hasard, j'en sortais, je demeure, sous le nom de Fauchelevent, rue de l'Homme-Armé, numéro sept.

---

19. Tas.
20. Voir note 11, p. 185.
21. Voir note 48, p. 195.

22. Couteau en argot.
23. Choc.
24. Voir note 3, p. 23.

50 Javert eut un froncement de tigre qui lui entr'ouvrit un coin de la bouche, et il murmura entre ses dents :

– Prends garde.

– Allez, dit Jean Valjean.

Javert reprit :

55 – Tu as dit Fauchelevent, rue de l'Homme-Armé ?

– Numéro sept.

Javert répéta à demi-voix – Numéro sept.

Il reboutonna sa redingote, remit de la roideur[25] militaire entre ses deux épaules, fit demi-tour, croisa les bras en soute-
60 nant son menton dans une de ses mains, et se mit à marcher dans la direction des halles. Jean Valjean le suivait des yeux. Après quelques pas, Javert se retourna, et cria à Jean Valjean :

– Vous m'ennuyez. Tuez-moi plutôt.

Javert ne s'apercevait pas lui-même qu'il ne tutoyait plus
65 Jean Valjean :

– Allez-vous-en, dit Jean Valjean.

Javert s'éloigna à pas lents. Un moment après, il tourna l'angle de la rue des Prêcheurs.

Quand Javert eut disparu, Jean Valjean déchargea le pistolet
70 en l'air.

Puis il rentra dans la barricade et dit :

– C'est fait.

Cependant[26] voici ce qui s'était passé :

Marius, plus occupé du dehors que du dedans, n'avait pas
75 jusque-là regardé attentivement l'espion garrotté au fond obscur de la salle basse.

Quand il le vit au grand jour, enjambant la barricade pour aller mourir, il le reconnut. Un souvenir subit lui entra dans l'esprit. Il se rappela l'inspecteur de la rue de Pontoise, et les
80 deux pistolets qu'il lui avait remis et dont il s'était servi, lui

---

25. Raideur.
26. Ici, « cependant » signifie « pendant ce temps ».

Marius dans cette barricade même ; et non seulement il se rappela la figure, mais il se rappela le nom.

Ce souvenir pourtant était brumeux et trouble comme toutes ses idées. Ce ne fut pas une affirmation qu'il se fit, ce fut
195 une question qu'il s'adressa : – Est-ce que ce n'est pas là cet inspecteur de police qui m'a dit s'appeler Javert ?

Peut-être était-il encore temps d'intervenir pour cet homme ? Mais il fallait d'abord savoir si c'était bien ce Javert.

Marius interpella Enjolras qui venait de se placer à l'autre
200 bout de la barricade.

– Enjolras ?

– Quoi ?

– Comment s'appelle cet homme-là ?

– Qui ?
205 – L'agent de police. Sais-tu son nom ?

– Sans doute. Il nous l'a dit.

– Comment s'appelle-t-il ?

– Javert.

Marius se dressa.
210 En ce moment on entendit le coup de pistolet.

Jean Valjean reparut et cria : C'est fait.

Un froid sombre traversa le cœur de Marius.

> Cinquième partie « Jean Valjean »,
> Livre premier « La guerre entre quatre murs »,
> extraits des chapitres XV et XIX.

Repérer et analyser

Le personnage de Gavroche

Un portrait en action

1 Quelle image le narrateur donne-t-il de Gavroche ? Pour répondre, appuyez-vous sur :

– les mots, expressions, comparaisons, métaphores qui permettent de le caractériser ;

– les accumulations de verbes d'action dont Gavroche est le sujet ;

– les paroles qu'il prononce ;

– les termes qui traduisent son attitude provocatrice ;

– les couplets de la chanson qui révèlent sa personnalité et sa condition sociale.

2 Le parallélisme

> Le parallélisme est la répétition d'une construction ou d'un groupe de mots dans deux propositions qui se suivent. Ex : « J'irai par la forêt, j'irai par la montagne… » (V. Hugo)

« On le visait sans cesse, on le manquait toujours » (l. 82-83) : en quoi la construction de la phrase repose-t-elle sur un parallélisme ? De quelle qualité Gavroche fait-il preuve ?

La mort de Gavroche

3 **a.** Relevez le champ lexical du jeu, puis celui de la mort (l. 78 à 95). À quel jeu l'enfant se livre-t-il ?

b. Quelles expressions montrent que les gardes se sont pris à ce jeu cruel (l. 78 à 83) ?

4 Montrez en citant le texte que la mort est personnifiée. Quel est l'effet produit?

5 Quel oxymore désigne Gavroche (l. 111) ? Quel en est le sens ? Pour répondre, aidez-vous de la leçon p. 93.

6 Comment le narrateur maintient-t-il la tension dramatique ? Appuyez-vous sur le nombre de balles tirées sur Gavroche, sur la résistance de l'enfant (l. 97 à 104) et sur la succession des couplets chantés, notamment le dernier.

Le parcours de Jean Valjean

7 Jean Valjean s'est proposé pour remplir une mission. Laquelle ? Aidez-vous du hors-texte.

8 « l'autorité enchaînée » (l. 116) : montrez à partir des lignes 111 à 145 que les rôles des deux personnages se sont inversés. Relevez notamment une comparaison (l. 117-118) et une métaphore (l. 125-126).

9 a. Où Jean Valjean conduit-il Javert ?
b. Javert a-t-il peur de lui ? Citez le texte.

10 a. Pourquoi Jean Valjean libère-t-il Javert et lui donne-t-il les moyens de l'arrêter ?
b. Quelles sont les réactions successives de Javert ? Justifiez votre réponse.
c. Par quel pronom personnel s'adresse-t-il à Jean Valjean (l. 174) ? Comparez avec ses précédentes répliques.

L'ordre de la narration

Les scènes parallèles

Le récit ne suit pas toujours une chronologie linéaire. Le narrateur peut procéder à un retour en arrière pour reconstituer la simultanéité des scènes (scènes qui se sont passées en même temps). Cela lui permet de multiplier les points de vue et les interprétations.

11 Quel passage concernant Marius se présente comme un retour en arrière ? Relevez la phrase qui l'annonce et celle qui assure la reprise du récit.

12 a. À quel moment Marius a-t-il eu affaire à Javert ? Citez le texte et appuyez-vous sur l'extrait 13.
b. Quel effet l'idée de la mort de Javert provoque-t-elle sur lui, Marius ? Justifiez votre réponse.

La visée et les hypothèses de lecture

13 Quel sentiment le narrateur cherche-t-il à susciter auprès du lecteur en racontant la mort de Gavroche ? Que symbolise cet enfant ?

14 Comment expliquez-vous le titre du chapitre « Jean Valjean se venge » ?

15 **a.** Quelle image est donnée de Javert ? de Jean Valjean ? Les deux personnages sont-ils sur un plan d'égalité à la fin de l'extrait ?

b. Quelles hypothèses pouvez-vous émettre quant à leur relation future ?

Étudier la langue

Grammaire

16 « Une vingtaine de morts gisaient » (l. 19) ; « un sergent gisant » (l. 52).

a. Identifiez les modes et temps de « gisaient » et « gisant ».

b. Quel est l'infinitif de ce verbe ?

c. Que signifie l'expression « Ci-gît… » ?

Conjugaison

17 Réécrivez les lignes suivantes en substituant le passé simple à l'imparfait.

« Il rampait à plat ventre, galopait à quatre pattes, prenait son panier aux dents, se tordait, glissait, ondulait, serpentait d'un mort à l'autre, et vidait la giberne ou la cartouchière comme un singe ouvre une noix. »

18 « Quand Javert eut disparu, Jean Valjean déchargea le pistolet en l'air. » (l. 179-180) ; « Voici ce qui s'était passé » (l. 73).

Identifiez les temps des verbes. Quels sont les deux temps qui marquent l'antériorité ?

Écrire

Écrire un paragraphe argumentatif

19 Jean Valjean a-t-il eu raison de laisser à Javert la vie sauve ? Justifiez votre réponse en quelques lignes.

Texte 20 – Héros des barricades

« Un oiseau seul eût pu se tirer de là. »

XXIII. Oreste[1] à jeun et Pylade[1] ivre

La barricade va bientôt céder sous l'assaut des gardes natio-naux. Les quelques insurgés encore en vie, réfugiés au cabaret Corinthe, décident de résister et de se battre jusqu'à la mort.

Enfin, se faisant la courte échelle, s'aidant du squelette de l'escalier, grimpant aux murs, s'accrochant au plafond, échar-pant[2], au bord de la trappe même, les derniers qui résistaient, une vingtaine d'assiégeants, soldats, gardes nationaux, gardes
5 municipaux, pêle-mêle, la plupart défigurés par des blessures au visage dans cette ascension redoutable, aveuglés par le sang, furieux, devenus sauvages, firent irruption dans la salle du premier étage. Il n'y avait plus là qu'un seul homme qui fût debout, Enjolras. Sans cartouches, sans épée, il n'avait plus
10 à la main que le canon de sa carabine dont il avait brisé la crosse sur la tête de ceux qui entraient. Il avait mis le billard entre les assaillants et lui ; il avait reculé à l'angle de la salle, et là, l'œil fier, la tête haute, ce tronçon d'arme au poing, il était encore assez inquiétant pour que le vide se fût fait autour
15 de lui. Un cri s'éleva :
— C'est le chef. C'est lui qui a tué l'artilleur[3]. Puisqu'il s'est mis là, il y est bien. Qu'il y reste. Fusillons-le sur place.
— Fusillez-moi, dit Enjolras.

1. Personnages de la mythologie grecque unis par une grande amitié.
2. Massacrant.
3. Militaire maniant entre autre le canon.

Et, jetant le tronçon[4] de sa carabine, et croisant les bras, il présenta sa poitrine.

L'audace de bien mourir émeut toujours les hommes. Dès qu'Enjolras eut croisé les bras, acceptant la fin, l'assourdissement de la lutte cessa dans la salle, et ce chaos s'apaisa subitement dans une sorte de solennité sépulcrale[5]. Il semblait que la majesté menaçante d'Enjolras désarmé et immobile pesât sur ce tumulte, et que, rien que par l'autorité de son regard tranquille, ce jeune homme, qui seul n'avait pas une blessure, superbe, sanglant, charmant, indifférent comme un invulnérable, contraignît cette cohue[6] sinistre à le tuer avec respect. Sa beauté, en ce moment-là augmentée de sa fierté, était un resplendissement, et, comme s'il ne pouvait pas plus être fatigué que blessé, après les effrayantes vingt-quatre heures qui venaient de s'écouler, il était vermeil[7] et rose. C'était de lui peut-être que parlait le témoin qui disait plus tard devant le conseil de guerre : « Il y avait un insurgé que j'ai entendu nommer Apollon[8] ». Un garde national qui visait Enjolras abaissa son arme en disant : « Il me semble que je vais fusiller une fleur. »

Douze hommes se formèrent en peloton à l'angle opposé à Enjolras, et apprêtèrent leurs fusils en silence.

Puis un sergent cria : – Joue.

Un officier intervint.

– Attendez.

Et s'adressant à Enjolras :

– Voulez-vous qu'on vous bande les yeux ?

– Non.

– Est-ce bien vous qui avez tué le sergent d'artillerie ?

– Oui.

---

4. Partie cassée.
5. Gravité qui évoque la mort.
6. Foule.

7. Rouge vif.
8. Dieu de la mythologie grecque, célèbre pour sa beauté.

Depuis quelques instants Grantaire[9] s'était réveillé. Grantaire,
50 on s'en souvient, dormait depuis la veille dans la salle haute
du cabaret, assis sur une chaise, affaissé sur une table. [...]

Relégué qu'il était dans un coin et comme abrité derrière
le billard, les soldats, l'œil fixé sur Enjolras, n'avaient pas
même aperçu Grantaire, et le sergent se préparait à répéter
55 l'ordre : En joue ! quand tout à coup ils entendirent une voix
forte crier à côté d'eux :

– Vive la République ! J'en suis.

Grantaire s'était levé.

L'immense lueur de tout le combat qu'il avait manqué, et
60 dont il n'avait pas été, apparut dans le regard éclatant de
l'ivrogne transfiguré[10].

Il répéta : Vive la République ! traversa la salle d'un pas
ferme, et alla se placer devant les fusils debout près d'Enjolras.

– Faites-en deux d'un coup, dit-il.

65 Et se tournant vers Enjolras avec douceur, il lui dit :
– Permets-tu ?

Enjolras lui serra la main en souriant.

Ce sourire n'était pas achevé que la détonation éclata.
Enjolras, traversé de huit coups de feu, resta adossé au mur
70 comme si les balles l'y eussent cloué. Seulement il pencha la tête.

Grantaire, foudroyé, s'abattit à ses pieds.

Quelques instants après, les soldats délogeaient les derniers
insurgés réfugiés au haut de la maison. Ils tiraillaient à travers
un treillis[11] de bois dans le grenier. On se battait dans les
75 combles[12]. On jetait des corps par les fenêtres, quelques-uns
vivants. Deux voltigeurs[13], qui essayaient de relever l'omnibus[14] fracassé, étaient tués de deux coups de carabine tirés

---

9. L'un des insurgés.
10. Transformé.
11. Entrecroisement de lattes.
12. Partie qui sépare le dernier étage des toits.

13. Fantassin d'élite extrêmement mobile.
14. Voiture publique transportant des voyageurs dans une ville.

des mansardes. Un homme en blouse en était précipité, un coup de bayonnette dans le ventre, et râlait[15] à terre. Un soldat et un insurgé glissaient ensemble sur le talus de tuiles du toit, et ne voulaient pas se lâcher, et tombaient, se tenant embrassés : d'un embrassement féroce. Lutte pareille dans la cave. Cris, coups de feu, piétinement farouche. Puis le silence. La barricade était prise.

Les soldats commencèrent la fouille des maisons d'alentour et la poursuite des fuyards.

Les Barricades dans le film de Robert Hossein : *Les Misérables*, 1982.

| **15.** Voir note 9, p. 119.

XXIV. Prisonnier

Marius, blessé, ne s'est pas réfugié dans le cabaret. Avant de perdre connaissance, il se sent saisi par une main et croit qu'il est fait prisonnier pour être exécuté.

Marius était prisonnier en effet. Prisonnier de Jean Valjean. La main qui l'avait étreint par derrière au moment où il tombait, et dont, en perdant connaissance, il avait senti le
90 saisissement, était celle de Jean Valjean.

Jean Valjean n'avait pris au combat d'autre part que de s'y exposer. Sans lui, à cette phase suprême de l'agonie, personne n'eût songé aux blessés. Grâce à lui, partout présent dans le carnage comme une providence[16], ceux qui tombaient
95 étaient relevés, transportés dans la salle basse, et pansés. Dans les intervalles, il réparait la barricade. Mais rien qui pût ressembler à un coup, à une attaque, ou même à une défense personnelle, ne sortit de ses mains. Il se taisait et secourait. Du reste, il avait à peine quelques égratignures. Les balles
100 n'avaient pas voulu de lui. Si le suicide faisait partie de ce qu'il avait rêvé en venant dans ce sépulcre[17], de ce côté-là il n'avait point réussi. Mais nous doutons qu'il eût songé au suicide, acte irréligieux.

Jean Valjean, dans la nuée épaisse du combat, n'avait pas
105 l'air de voir Marius ; le fait est qu'il ne le quittait pas des yeux. Quand un coup de feu renversa Marius, Jean Valjean bondit avec une agilité de tigre, s'abattit sur lui comme sur une proie, et l'emporta.

Le tourbillon de l'attaque était en cet instant-là si violemment
110 concentré sur Enjolras et sur la porte du cabaret que personne ne vit Jean Valjean, soutenant dans ses bras Marius évanoui,

---

| **16.** Voir note 4, p. 105. | **17.** Tombeau.

traverser le champ dépavé[18] de la barricade et disparaître derrière l'angle de la maison de Corinthe[19].

On se rappelle cet angle qui faisait une sorte de cap dans la rue ; il garantissait des balles et de la mitraille, et des regards aussi, quelques pieds[20] carrés de terrain. Il y a ainsi parfois dans les incendies une chambre qui ne brûle point, et dans les mers les plus furieuses, en deçà d'un promontoire ou au fond d'un cul-de-sac d'écueils, un petit coin tranquille. C'était dans cette espèce de repli du trapèze intérieur de la barricade qu'Éponine avait agonisé.

Là Jean Valjean s'arrêta, il laissa glisser à terre Marius, s'adossa au mur et jeta les yeux autour de lui.

La situation était épouvantable.

Pour l'instant, pour deux ou trois minutes peut-être, ce pan de muraille était un abri ; mais comment sortir de ce massacre ? Il se rappelait l'angoisse où il s'était trouvé rue Polonceau[21], huit auparavant, et de quelle façon il était parvenu à s'échapper ; c'était difficile alors, aujourd'hui c'était impossible. Il avait devant lui cette implacable et sourde maison à six étages qui ne semblait habitée que par l'homme mort penché à sa fenêtre ; il avait à sa droite la barricade assez basse qui fermait la Petite-Truanderie ; enjamber cet obstacle paraissait facile, mais on voyait au-dessus de la crête du barrage une rangée de pointes de bayonnettes. C'était la troupe de ligne, postée au-delà de cette barricade, et aux aguets. Il était évident que franchir la barricade c'était aller chercher un feu de peloton, et que toute tête qui se risquerait à dépasser le haut de la muraille de pavés servirait de cible à soixante coups de fusil. Il avait à sa gauche le champ du combat. La mort était derrière l'angle du mur.

---

18. Dont les pavés ont été enlevés.
19. Cabaret dans lequel sont réfugiés les insurgés.
20. Voir note 24, p. 156.

21. Jean Valjean, accompagné de Cosette et poursuivi par Javert dans les rues de Paris, réussit à échapper à la police en escaladant le mur du couvent du Petit-Picpus où il se réfugie.

Que faire ?

Un oiseau seul eût pu se tirer de là.

Et il fallait se décider sur-le-champ, trouver un expédient[22], prendre un parti. On se battait à quelques pas de lui ; par
145 bonheur tous s'acharnaient sur un point unique, sur la porte du cabaret ; mais qu'un soldat un seul, eût l'idée de tourner la maison, ou de l'attaquer en flanc[23], tout était fini.

Jean Valjean regarda la maison en face de lui, il regarda la barricade à côté de lui, puis il regarda la terre, avec la violence
150 de l'extrémité suprême, éperdu, et comme s'il eût voulu y faire un trou avec ses yeux.

À force de regarder, on ne sait quoi de vaguement saisissable dans une telle agonie se dessina et prit forme à ses pieds, comme si c'était une puissance du regard de faire éclore la
155 chose demandée. Il aperçut à quelques pas de lui, au bas du petit barrage si impitoyablement gardé et guetté au dehors, sous un écroulement de pavés qui la cachait en partie, une grille de fer posée à plat et de niveau avec le sol. Cette grille, faite de forts barreaux transversaux, avait environ deux pieds
160 carrés. L'encadrement de pavés qui la maintenait avait été arraché, et elle était comme descellée[24]. À travers les barreaux on entrevoyait une ouverture obscure, quelque chose de pareil au conduit d'une cheminée ou au cylindre d'une citerne. Jean Valjean s'élança. Sa vieille science des évasions lui monta
165 au cerveau comme une clarté. Écarter les pavés, soulever la grille, charger sur ses épaules Marius inerte comme un corps mort, descendre, avec ce fardeau sur les reins, en s'aidant des coudes et des genoux, dans cette espèce de puits heureusement peu profond, laisser retomber au-dessus de sa tête la lourde
170 trappe de fer sur laquelle les pavés ébranlés croulèrent de nouveau, prendre pied sur une surface dallée à trois mètres

---

22. Voir note 32, p. 157.
23. De côté.

24. Arrachée, donc ouverte.

au-dessous du sol, cela fut exécuté comme ce qu'on fait dans le délire, avec une force de géant et une rapidité d'aigle ; cela dura quelques minutes à peine.

Jean Valjean se trouva, avec Marius toujours évanoui, dans une sorte de long corridor souterrain.

Là, paix profonde, silence absolu, nuit.

L'impression qu'il avait autrefois éprouvée en tombant de la rue dans le couvent, lui revint. Seulement, ce qu'il emportait aujourd'hui, ce n'était plus Cosette ; c'était Marius.

C'est à peine maintenant s'il entendait au-dessus de lui, comme un vague murmure, le formidable tumulte du cabaret pris d'assaut.

> Cinquième partie « Jean Valjean »,
> Livre premier « La guerre entre quatre murs »,
> extraits des chapitres XXIII et XXIV.

Questions

Repérer et analyser

Héros des barricades

Enjoleras

1 **a.** Dans quel lieu Enjoleras se trouve-t-il ?

b. À combien d'assiégeants fait-il face ? Est-il armé ?

2 **a.** Enjoleras a-t-il peur de mourir ? Justifiez votre réponse en citant précisément le texte.

b. Relevez les termes qui renvoient à la fierté et à la grandeur morale du personnage.

c. Quelles expressions soulignent sa beauté physique ? Pourquoi sa beauté est-elle à son paroxysme à ce moment précis ?

3 Quelle impression son courage face à la mort produit-elle sur les assiégeants ? Justifiez votre réponse.

Grantaire

4 **a.** Pourquoi Grantaire est-il en train de dormir ? Citez le texte.

b. En quoi son héroïsme consiste-t-il ?

c. Quelles expressions traduisent qu'il est porté par son idéal (l. 64 à 66) ?

Les assiégeants

5 Quel prétexte sert à justifier l'exécution d'Enjoleras ?

6 Relevez (l. 1 à 8 puis 72 à 84) les mots et expressions qui soulignent la violence et la sauvagerie des assaillants.

Le parcours de Jean Valjean

7 Quel rôle Jean Valjean joue-t-il sur les barricades (l. 87 à 99) ?

8 **a.** Pendant que les assaillants sont concentrés sur Enjolras, que fait Jean Valjean (l. 109 à 113) ?

b. Par quels différents obstacles est-il encerclé (l. 129 à 140) ? Justifiez.

c. « Mais comment sortir de ce massacre ? » (l. 126) : quel point de vue le narrateur adopte-t-il ? Quel est l'effet produit ?

d. Comment réussit-il à se tirer d'affaire ?

9 a. Relevez les métaphores animales (l. 106 à 108 et l. 164 à 174) qui caractérisent Jean Valjean.

b. À quoi « sa vieille science des évasions » lui sert-elle ?

10 a. Pourquoi, selon vous, Jean Valjean a-t-il sauvé Marius ?

b. Quel souvenir revient à Jean Valjean (l. 178 à 180) ? Quelle est l'importance de ce rappel à ce moment du récit ?

Le roman engagé : l'idéal révolutionnaire

11 a. Quelle image Hugo donne-t-il des insurgés ? des assaillants ? de la mort ?

b. Quel est l'idéal pour lequel les insurgés acceptent de mourir ?

Étudier la langue

Grammaire : les préfixes et les suffixes

12 « le suicide, acte irréligieux » (l. 104)

a. Quel est le préfixe du mot « irréligieux » ? Que signifie-t-il ?

b. Trouvez les mots formés avec le même préfixe correspondant aux définitions données ci-dessous, et expliquez les modifications orthographiques du préfixe :

– sans limite ;   – que l'on ne peut battre ;

– qui ne respecte pas ;   – qui n'est pas bon à manger ;

– qui est contraire à la loi ;   – qui est sans pitié.

– que l'on ne peut imaginer ;

13 « la poursuite des fuyards » (l. 86)

Quelle nuance le suffixe -ard donne-t-il à un mot ? Appuyez-vous sur les mots suivants que vous expliquerez : *un chauffard – un vantard – un braillard – un flemmard – un froussard – une couleur criarde.*

Grammaire : exercice de réécriture

14 Transformez la phrase non-verbale suivante en phrase verbale : « Là, paix profonde, silence absolu, nuit. » (l. 177)

Quel est l'effet produit par l'emploi de la forme non verbale ?

Texte 21 – La fin de Javert

« L'eau lui venait aux aisselles. »

I. Le cloaque[1] et ses surprises

Les forces de police opèrent une battue dans les égouts pour traquer les derniers insurgés vaincus qui auraient pu s'y réfugier.

C'est dans l'égout de Paris que se trouvait Jean Valjean.

Ressemblance de plus de Paris avec la mer. Comme dans l'Océan, le plongeur peut y disparaître.

La transition était inouïe. Au milieu même de la ville, Jean
5 Valjean était sorti de la ville ; et, en un clin d'œil, le temps de lever un couvercle et de le refermer, il avait passé du plein jour à l'obscurité complète, de midi à minuit, du fracas au silence, du tourbillon des tonnerres à la stagnation[2] de la tombe, et, par une péripétie bien plus prodigieuse encore que celle de la rue
10 Polonceau, du plus extrême péril à la sécurité la plus absolue.

Chute brusque dans une cave ; disparition dans l'oubliette de Paris ; quitter cette rue où la mort était partout pour cette espèce de sépulcre[3] où il y avait la vie ; ce fut un instant étrange. Il resta quelques secondes comme étourdi ; écoutant, stupéfait.
15 La chausse-trape du salut s'était subitement ouverte sous lui. La bonté céleste l'avait en quelque sorte pris par trahison. Adorables embuscades de la providence[4] !

Seulement le blessé ne remuait point, et Jean Valjean ne savait pas si ce qu'il emportait dans cette fosse était un vivant
20 ou un mort.

| **1.** Égout. | **2.** Immobilité. | **3.** Tombeau. | **4.** Voir note 4, p. 105.

Sa première sensation fut l'aveuglement. Brusquement, il ne vit plus rien. Il lui sembla aussi qu'en une minute il était devenu sourd. Il n'entendait plus rien. Le frénétique orage de meurtre qui se déchaînait à quelques pieds au-dessus de lui n'arrivait jusqu'à lui, nous l'avons dit, grâce à l'épaisseur de terre qui l'en séparait, qu'éteint et indistinct, et comme une rumeur dans une profondeur. Il sentait que c'était solide sous ses pieds ; voilà tout ; mais cela suffisait. Il étendit un bras, puis l'autre, et toucha le mur des deux côtés, et reconnut que le couloir était étroit ; il glissa, et reconnut que la dalle était mouillée. Il avança un pied avec précaution, craignant un trou, un puisard[5], quelque gouffre ; il constata que le dallage se prolongeait. Une bouffée de fétidité[6] l'avertit du lieu où il était.

Au bout de quelques instants, il n'était plus aveugle. Un peu de lumière tombait du soupirail[7] par où il s'était glissé, et son regard s'était fait à cette cave. Il commença à distinguer quelque chose. Le couloir où il s'était terré, nul autre mot n'exprime mieux la situation, était muré derrière lui. C'était un de ces culs-de-sac[8] que la langue spéciale appelle branchements. Devant lui, il y avait un autre mur, un mur de nuit. La clarté du soupirail expirait à dix ou douze pas du point où était Jean Valjean, et faisait à peine une blancheur blafarde sur quelques mètres de la paroi humide de l'égout. Au-delà l'opacité était massive ; y pénétrer paraissait horrible, et l'entrée y semblait un engloutissement. On pouvait s'enfoncer pourtant dans cette muraille de brume, il le fallait. Il fallait même se hâter. Jean Valjean songea que cette grille, aperçue par lui sous les pavés, pouvait l'être par les soldats, et que tout tenait à ce hasard. Ils pouvaient descendre eux aussi dans ce puits et le fouiller. Il n'y avait pas une minute à perdre. Il avait déposé Marius

5. Sorte de puits destiné à recevoir les résidus liquides.
6. Puanteur infecte.

7. Voir note 35, p. 37.
8. Voie sans issue.

sur le sol, il le ramassa, ceci est encore le mot vrai, le reprit sur ses épaules et se mit en marche. Il entra résolument dans cette obscurité.

La réalité est qu'ils étaient moins sauvés que Jean Valjean
55 ne le croyait. Des périls d'un autre genre et non moins grands les attendaient peut-être. Après le tourbillon fulgurant du combat, la caverne des miasmes[9] et des pièges ; après le chaos, le cloaque. Jean Valjean était tombé d'un cercle de l'enfer dans l'autre.

60 Quand il eut fait cinquante pas, il fallut s'arrêter. Une question se présenta. Le couloir aboutissait à un autre boyau qu'il rencontrait transversalement. Là s'offraient deux voies. Laquelle prendre ? fallait-il tourner à gauche ou à droite ? Comment s'orienter dans ce labyrinthe noir ? Ce labyrinthe, nous l'avons
65 fait remarquer, a un fil ; c'est sa pente. Suivre la pente, c'est aller à la rivière.

Jean Valjean le comprit sur-le-champ.

Il se dit qu'il était probablement dans l'égout des Halles ; que, s'il choisissait à gauche et suivait la pente, il arriverait avant
70 un quart d'heure à quelque embouchure sur la Seine entre le Pont-au-Change et le Pont-Neuf, c'est-à-dire à une apparition en plein jour sur le point le plus peuplé de Paris. Peut-être aboutirait-il à quelque cagnard[10] de carrefour. Stupeur des passants de voir deux hommes sanglants sortir de terre sous
75 leurs pieds. Survenue des sergents de ville, prise d'armes du corps de garde[11] voisin. On serait saisi avant d'être sorti. Il valait mieux s'enfoncer dans le dédale[12], se fier à cette noirceur, et s'en remettre à la providence quant à l'issue.

Il remonta la pente et prit à droite.

80 [...]

---

9. Émanation auxquelles on attribuait des maladies infectieuses.

10. Sortie d'égout.
11. Troupe montant la garde.
12. Labyrinthe.

Lino Ventura (Jean Valjean) et Franck David (Marius)
dans le film de Robert Hossein : *Les Misérables*, 1982.

VI. Le Fontis[13]

[...]

Jean Valjean sentit le pavé se dérober sous lui. Il entra dans cette fange[14]. C'était de l'eau à la surface, de la vase au fond. Il fallait bien passer. Revenir sur ses pas était impossible.
85 Marius était expirant[15], et Jean Valjean exténué. Où aller d'ailleurs ? Jean Valjean avança. Du reste la fondrière[16] parut peu profonde aux premiers pas. Mais à mesure qu'il avançait, ses pieds plongeaient. Il eut bientôt de la vase jusqu'à mi-jambe et de l'eau plus haut que les genoux. Il marchait,
90 exhaussant[17] de ses deux bras Marius le plus qu'il pouvait au-dessus de l'eau. La vase lui venait maintenant aux jarrets et l'eau à la ceinture. Il ne pouvait déjà plus reculer. Il enfonçait de plus en plus. Cette vase, assez dense pour le poids d'un homme, ne pouvait évidemment en porter deux. Marius et
95 Jean Valjean eussent eu chance de s'en tirer, isolément. Jean Valjean continua d'avancer, soutenant ce mourant, qui était un cadavre peut-être.

L'eau lui venait aux aisselles ; il se sentait sombrer ; c'est à peine s'il pouvait se mouvoir dans la profondeur de bourbe où
100 il était. La densité, qui était le soutien, était aussi l'obstacle. Il soulevait toujours Marius, et, avec une dépense de force inouïe, il avançait ; mais il enfonçait. Il n'avait plus que la tête hors de l'eau, et ses deux bras élevant Marius. Il y a, dans les vieilles peintures du déluge[18], une mère qui fait ainsi de son enfant.
105 Il enfonça encore, il renversa sa face en arrière pour échapper à l'eau et pouvoir respirer ; qui l'eût vu dans cette obscurité eût cru voir un masque flottant sur de l'ombre ; il aperce-

---

13. Effondrement d'une galerie souterraine.
14. Boue.
15. Mourant.
16. Trous remplis d'eau et de boue.

17. Soulevant.
18. Le Déluge est un épisode biblique qui relate une terrible inondation envoyée sur terre par Dieu pour punir les hommes devenus mauvais.

vait vaguement au-dessus de lui la tête pendante et le visage livide[19] de Marius ; il fit un effort désespéré, et lança son pied en avant ; son pied heurta on ne sait quoi de solide. Un point d'appui. Il était temps.

[…]

Jean Valjean se retrouve miraculeusement dehors, sur la berge de la Seine.

IX. Marius fait l'effet d'être mort à quelqu'un qui s'y connaît

Jean Valjean ne put s'empêcher de contempler cette vaste ombre claire qu'il avait au-dessus de lui ; pensif, il prenait dans le majestueux silence du ciel éternel un bain d'extase et de prière. Puis, vivement, comme si le sentiment d'un devoir lui revenait, il se courba vers Marius, et, puisant de l'eau dans le creux de sa main, il lui en jeta doucement quelques gouttes sur le visage. Les paupières de Marius ne se soulevèrent pas ; cependant sa bouche entr'ouverte respirait.

Jean Valjean allait plonger de nouveau sa main dans la rivière, quand tout à coup il sentit je ne sais quelle gêne, comme lorsqu'on a, sans le voir, quelqu'un derrière soi.

Nous avons déjà indiqué ailleurs cette impression, que tout le monde connaît.

Il se retourna.

Comme tout à l'heure, quelqu'un en effet était derrière lui.

Un homme de haute stature, enveloppé d'une longue redingote, les bras croisés, et portant dans son poing droit un casse-tête dont on voyait la pomme de plomb, se tenait debout à quelques pas en arrière de Jean Valjean accroupi sur Marius.

| **19.** Voir note 11, p. 185.

C'était, l'ombre aidant, une sorte d'apparition. Un homme simple en eût eu peur à cause du crépuscule, et un homme réfléchi à cause du casse-tête.

135   Jean Valjean reconnut Javert.

Javert arrête Jean Valjean et l'autorise à conduire Marius chez son grand-père, M. Gillenormand. Les deux hommes se rendent ensuite à l'endroit où réside l'ancien forçat. Javert demande à ce dernier de monter chez lui, l'avertissant qu'il l'attend en bas de l'immeuble. Mais alors que Jean Valjean se penche par la fenêtre du palier, il constate que Javert a disparu. L'inspecteur de police se dirige vers la Seine…

Sa situation était inexprimable.

Devoir la vie à un malfaiteur, accepter cette dette et la rembourser, être, en dépit de soi-même, de plain-pied[20] avec un repris de justice[21], et lui payer un service avec un autre

140   service ; se laisser dire : Va-t'en, et lui dire à son tour : Sois libre ; sacrifier à des motifs personnels le devoir, cette obligation générale, et sentir dans ces motifs personnels quelque chose de général aussi, et de supérieur peut-être ; trahir la société pour rester fidèle à sa conscience ; que toutes ces absurdités

145   se réalisassent et qu'elles vinssent s'accumuler sur lui-même, c'est ce dont il était atterré[22].

Une chose l'avait étonné, c'était que Jean Valjean lui eût fait grâce, et une chose l'avait pétrifié, c'était que, lui Javert, il eût fait grâce à Jean Valjean.

150   Où en était-il ? Il se cherchait et ne se trouvait plus. Que faire maintenant ? Livrer Jean Valjean, c'était mal ; laisser Jean Valjean libre, c'était mal. Dans le premier cas, l'homme

---

20. Au même niveau.
21. Personne qui a été condamnée pour infraction à la loi.
22. Consterné, stupéfait.

de l'autorité tombait plus bas que l'homme du bagne ; dans le second, un forçat montait plus haut que la loi et mettait le pied dessus. Dans les deux cas, déshonneur pour lui Javert. Dans tous les partis qu'on pouvait prendre, il y avait de la chute. La destinée a de certaines extrémités à pic sur l'impossible, et au-delà desquelles la vie n'est plus qu'un précipice. Javert était à une de ces extrémités-là.

[...]

Toutes sortes de nouveautés énigmatiques s'entr'ouvraient devant ses yeux. Il s'adressait des questions, et il se faisait des réponses, et ses réponses l'effrayaient. Il se demandait : Ce forçat, ce désespéré, que j'ai poursuivi jusqu'à le persécuter, et qui m'a eu sous son pied, et qui pouvait se venger, et qui le devait tout à la fois pour sa rancune et pour sa sécurité, en me laissant la vie, en me faisant grâce, qu'a-t-il fait ? Son devoir. Non. Quelque chose de plus. Et moi, en lui faisant grâce à mon tour, qu'ai-je fait ? Mon devoir. Non. Quelque chose de plus. Il y a donc quelque chose de plus que le devoir ? Ici il s'effarait ; sa balance se disloquait[23] ; l'un des plateaux tombait dans l'abîme, l'autre s'en allait dans le ciel ; et Javert n'avait pas moins d'épouvante de celui qui était en haut que de celui qui était en bas. Sans être le moins du monde ce qu'on appelle voltairien[24], ou philosophe, ou incrédule[25], respectueux au contraire, par instinct, pour l'Église établie, il ne la connaissait que comme un fragment auguste[26] de l'ensemble social ; l'ordre était son dogme[27] et lui suffisait ; depuis qu'il avait l'âge d'homme et de fonctionnaire, il mettait dans la police à peu près toute sa religion, étant, et nous employons ici les mots sans la moindre ironie et dans leur acception[28]

---

23. Se cassait.
24. Qui adopte l'incrédulité, l'anticléricalisme, l'ironie de Voltaire (XVIIIe s.).
25. Incroyant, irréligieux.

26. Voir note 45, p. 39.
27. Règle de croyance.
28. Signification donnée à un mot.

la plus sérieuse, étant, nous l'avons dit, espion comme on est prêtre. Il avait un supérieur, M. Gisquet ; il n'avait guère songé jusqu'à ce jour à cet autre supérieur, Dieu.

185   Ce chef nouveau, Dieu, il le sentait inopinément[29], et en était troublé.

Il était désorienté de cette présence inattendue ; il ne savait que faire de ce supérieur-là, lui qui n'ignorait pas que le subordonné est tenu de se courber toujours, qu'il ne doit ni désobéir, ni
190   blâmer, ni discuter, et que, vis-à-vis d'un supérieur qui l'étonne trop, l'inférieur n'a d'autre ressource que sa démission.

Mais comment s'y prendre pour donner sa démission à Dieu ?
[...]

L'endroit où Javert s'était accoudé[30] était, on s'en souvient,
195   précisément situé au-dessus du rapide de la Seine, à pic sur cette redoutable spirale de tourbillons qui se dénoue et se renoue comme une vis sans fin.

Javert pencha la tête et regarda. Tout était noir. On ne distinguait rien. On entendait un bruit d'écume ; mais on ne
200   voyait pas la rivière. Par instants, dans cette profondeur vertigineuse, une lueur apparaissait et serpentait vaguement, l'eau ayant cette puissance, dans la nuit la plus complète, de prendre la lumière on ne sait où et de la changer en couleuvre. La lueur s'évanouissait et tout redevenait indistinct. L'immensité
205   semblait ouverte là. Ce qu'on avait au-dessous de soi, ce n'était pas de l'eau, c'était du gouffre. Le mur du quai, abrupt, confus, mêlé à la vapeur, tout de suite dérobé, faisait l'effet d'un escarpement de l'infini.

On ne voyait rien, mais on sentait la froideur hostile de
210   l'eau et l'odeur fade des pierres mouillées. Un souffle farouche montait de cet abîme. Le grossissement du fleuve plutôt deviné qu'aperçu, le tragique chuchotement du flot, l'énormité

---

29. D'une manière imprévue, inattendue.
30. Javert s'est accoudé contre le parapet.

Javert déraillé. Illustration fin XIXᵉ siècle.

lugubre[31] des arches du pont, la chute imaginable dans ce vide sombre, toute cette ombre était pleine d'horreur.

215   Javert demeura quelques minutes immobile, regardant cette ouverture de ténèbres ; il considérait l'invisible avec une fixité qui ressemblait à de l'attention. L'eau bruissait. Tout à coup, il ôta son chapeau et le posa sur le rebord du quai. Un moment après, une figure haute et noire, que de loin quelque passant

220   attardé eût pu prendre pour un fantôme, apparut debout sur le parapet, se courba vers la Seine, puis se redressa, et tomba droite dans les ténèbres ; il y eut un clapotement sourd ; et l'ombre seule fut dans le secret des convulsions de cette forme obscure disparue sous l'eau.

> Cinquième partie « Jean Valjean »,
> Livre troisième « La boue, mais l'âme »,
> extraits des chapitres I, VI et IX,
> et extraits du Livre quatrième « Javert déraillé ».

I **31.** sinistre.

Questions

Repérer et analyser

Le parcours de Jean Valjean

La marche dans les égouts

1 Rappelez pourquoi, dans cet extrait, Jean Valjean se trouve dans les égouts.

2 Quelle image le narrateur donne-t-il de ce lieu ? Appuyez-vous sur des termes précis (l. 4 à 33 puis l. 62 à 66).

3 **a.** À quelles différentes difficultés Jean Valjean doit-il faire face (l. 40 à 53 ; l. 60 à 66 ; l. 82 à 86) ?

b. Quel point de vue le narrateur adopte-t-il pour exprimer les interrogations émises par Jean Valjean (l. 61 à 64 et l. 73 à 78) ? Quelles sont-elles ?

4 **a.** Pourquoi la marche devient-elle de plus en plus difficile (l. 86 à 111) ?

b. Comment le narrateur entretient-il la tension dramatique ?

5 Comment Jean Valjean s'en sort-il ?

Jean Valjean et Marius

6 **a.** Quel est l'état physique de Marius (l. 18 à 20) ?

b. À quel moment le lecteur apprend-il qu'il est vivant ?

7 **a.** Rappelez quels sentiments Jean Valjean éprouvait jusqu'alors pour Marius. Montrez que Jean Valjean s'est surpassé non seulement sur le plan physique, mais également sur le plan moral.

b. Quels gestes a-t-il à l'égard du jeune homme (l. 113 à 120) ?

Jean Valjean et Javert

8 **a.** « quelqu'un en effet était derrière lui » (l. 127) : identifiez le point de vue du narrateur.

b. À quel moment précis Javert apparaît-il ?

c. Quelle image le narrateur donne-t-il de lui (l. 128 à 134) ? Qu'a-t-il dans la main ?

d. Quel est l'effet produit sur le lecteur par cette apparition à ce moment du récit ?

Les symboles religieux

9 **a.** Expliquez le rapprochement que fait le narrateur avec le déluge (l. 104-105).

b. Quel passage peut évoquer le baptême chrétien à partir de la ligne 113 ?

c. Expliquez l'oxymore « ombre claire » (l. 114). Que symbolise cette clarté ?

La fin de Javert

Le dilemme

10 **a.** Où Javert se rend-il, alors même qu'il doit arrêter Jean Valjean ? Référez-vous au hors-texte ainsi qu'aux lignes 194-195.

b. Devant quel dilemme se trouve-t-il (l. 150 à 159) ? Aidez-vous de la leçon p. 111.

11 **a.** Quelles étaient les valeurs de Javert jusqu'à ce que le geste de Jean Valjean (texte 19) vienne les remettre en question ? Citez le texte.

b. De quel principe supérieur a-t-il la révélation (l. 183 à 186) ?

Une mort tragique

12 Pourquoi Javert se suicide-t-il ?

13 **a.** Montrez que le cadre de sa mort ainsi que l'acte lui-même revêtent une dimension particulièrement tragique (eau, éclairage, bruits, odeurs, chute...)

b. Quel aspect la silhouette de Javert se jetant à l'eau prend-elle ?

Étudier la langue

Grammaire : du style indirect au style direct

14 Transposez le passage suivant au style direct :

« Il se dit qu'il était probablement dans l'égout des Halles ; que s'il choisissait à gauche et suivait la pente, il arriverait avant un quart d'heure à quelque embouchure sur la Seine entre le Pont-au-Change et le Pont-Neuf [...]. » (l. 68 à 71)

Écrire

Rédiger une lettre

15 Javert écrit une lettre à Jean Valjean. Il lui explique les raisons qui l'ont conduit à lui laisser la liberté.

Consignes d'écriture :

– la lettre est écrite à la 1re personne ; Javert vouvoie désormais Jean Valjean ;

– Javert explique pourquoi il l'a poursuivi jusqu'ici et pourquoi il renonce aujourd'hui à le faire ;

– les temps utilisés sont le présent (temps de référence), le passé composé, l'imparfait, le futur et le plus-que-parfait.

Enquêter

Dédale

16 « Comment s'orienter dans ce labyrinthe noir ? » (l. 63-64)

« Il valait mieux s'enfoncer dans le dédale [...]. » (l. 76-77)

 Faites une recherche sur le personnage de Dédale, architecte du labyrinthe destiné à enfermer le Minotaure. Rappelez la légende.

Texte 22 – Le mariage de Marius et Cosette

« Il se rappelait... »

II. Jean Valjean a toujours son bras en écharpe

Marius ignore qu'il doit la vie à Jean Valjean, qu'il connaît sous le nom de Fauchelevent. M. Gillenormand finit par consentir au mariage de son petit-fils et de Cosette. Il assiste à la cérémonie, et signera le registre à la place de Jean Valjean qui a le bras en écharpe.

Réaliser son rêve. À qui cela est-il donné ? Il doit y avoir des élections pour cela dans le ciel ; nous sommes tous candidats à notre insu[1] ; les anges votent. Cosette et Marius avaient été élus.

Cosette, à la mairie et dans l'église, était éclatante et touchante.
5   C'était Toussaint, aidée de Nicolette, qui l'avait habillée.

Cosette avait sur une jupe de taffetas[2] blanc sa robe de guipure de Binche[3], un voile de point d'Angleterre, un collier de perles fines, une couronne de fleurs d'oranger ; tout cela était blanc, et, dans cette blancheur, elle rayonnait. C'était une candeur[4]
10   exquise se dilatant et se transfigurant dans de la clarté. On eût dit une vierge en train de devenir déesse.

Les beaux cheveux de Marius étaient lustrés[5] et parfumés ; on entrevoyait çà et là, sous l'épaisseur des boucles, des lignes pâles qui étaient les cicatrices de la barricade.

15   Le grand-père, superbe, la tête haute, amalgamant[6] plus que jamais dans sa toilette et dans ses manières toutes les élégances du temps de Barras[7], conduisait Cosette. Il remplaçait

---

1. Voir note 44, p. 179.
2. Tissu de soie.
3. Dentelle fabriquée à Binche, en Belgique.

4. Innocence.
5. Brillants.
6. Réunissant.
7. Homme politique français (1755-1829).

Jean Valjean qui, à cause de son bras en écharpe, ne pouvait donner la main à la mariée.

Jean Valjean, en noir, suivait et souriait.

Monsieur Fauchelevent, lui disait l'aïeul[8], voilà un beau jour. Je vote la fin des afflictions[9] et des chagrins ! Il ne faut plus qu'il y ait de tristesse nulle part désormais. Pardieu ! je décrète la joie ! Le mal n'a pas le droit d'être. Qu'il y ait des hommes malheureux, en vérité, cela est honteux pour l'azur du ciel. Le mal ne vient pas de l'homme qui, au fond, est bon. Toutes les misères humaines ont pour chef-lieu et pour gouvernement central l'enfer, autrement dit les Tuileries du diable. Bon, voilà que je dis des mots démagogiques[10] à présent ! Quant à moi, je n'ai plus d'opinion politique ; que tous les hommes soient riches, c'est-à-dire joyeux, voilà à quoi je me borne.

Quand, à l'issue de toutes les cérémonies, après avoir prononcé devant le maire et devant le prêtre tous les oui possibles, après avoir signé les registres à la municipalité et à la sacristie[11], après avoir échangé leurs anneaux, après avoir été à genoux coude à coude sous le poêle de moire[12] blanche dans la fumée de l'encensoir[13], ils arrivèrent se tenant par la main, admirés et enviés de tous, Monsieur Marius en noir, elle en blanc, précédés du suisse[14] à épaulettes de colonel frappant les dalles de sa hallebarde[15], entre deux haies d'assistants émerveillés, sous le portail de l'église ouvert à deux battants, prêts à remonter en voiture et tout étant fini, Cosette ne pouvait encore y croire. Elle regardait Marius, elle

---

8. Le grand-père.
9. Peines.
10. Qui flattent les passions et les préjugés du peuple.
11. Salle, attenante à une église, où l'on range les vases sacrés, les ornements servant à la célébration de la messe.
12. Étoffe de soie à reflets chatoyants.

13. Objet suspendu à de petites chaînes, dans lequel on brûle de l'encens (parfum).
14. Employé d'une église, chargé des processions.
15. Arme dont la pointe porte d'un côté un fer en forme de hache, de l'autre un fer en forme de crochet.

45 regardait la foule, elle regardait le ciel ; il semblait qu'elle eût peur de se réveiller. Son air étonné et inquiet lui ajoutait on ne sait quoi d'enchanteur. Pour s'en retourner, ils montèrent ensemble dans la même voiture, Marius près de Cosette ; M. Gillenormand et Jean Valjean leur faisaient vis-à-vis. La
50 tante Gillenormand[16] avait reculé d'un plan, et était dans la seconde voiture. – Mes enfants, disait le grand-père, vous voilà monsieur le baron[17] et madame la baronne avec trente mille livres de rente. Et Cosette, se penchant tout contre Marius, lui caressa l'oreille de ce chuchotement angélique :
55 – C'est donc vrai. Je m'appelle Marius. Je suis madame Toi.

Ces deux êtres resplendissaient. Ils étaient à la minute irré-vocable et introuvable, à l'éblouissant point d'intersection de toute la jeunesse et de toute la joie. Ils réalisaient le vers de Jean Prouvaire[18] ; à eux deux, ils n'avaient pas quarante ans.
60 C'était le mariage sublimé, ces deux enfants étaient deux lys. Ils ne se voyaient pas, ils se contemplaient. Cosette apercevait Marius dans une gloire[19] ; Marius apercevait Cosette sur un autel[20]. Et sur cet autel et dans cette gloire, les deux apothéoses[21] se mêlant, au fond, on ne sait comment, derrière un nuage
65 pour Cosette, dans un flamboiement pour Marius, il y avait la chose idéale, la chose réelle, le rendez-vous du baiser et du songe, l'oreiller nuptial[22].

[...]

Ces félicités[23] sont les vraies. Pas de joie hors de ces joies-là.
70 L'amour, c'est là l'unique extase. Tout le reste pleure.

Aimer ou avoir aimé, cela suffit. Ne demandez rien ensuite. On n'a pas d'autre perle à trouver dans les plis ténébreux de la vie. Aimer est un accomplissement.

---

16. Il s'agit de la sœur de M. Gillenormand.
17. Marius porte le titre de son père qui a été anobli par Napoléon.
18. Ami de Marius.
19. Voir note 41, p. 39.

20. Marius élève Cosette au rang d'une divinité.
21. Déifications.
22. Relatif aux noces.
23. Choses qui contribuent au bonheur.

[…]

Jean Valjean rentra chez lui. Il alluma sa chandelle et monta. L'appartement était vide. Toussaint elle-même n'y était plus. Le pas de Jean Valjean faisait dans les chambres plus de bruit qu'à l'ordinaire. Toutes les armoires étaient ouvertes. Il pénétra dans la chambre de Cosette. Il n'y avait pas de draps au lit. L'oreiller de coutil[24], sans taie et sans dentelles, était posé sur les couvertures pliées au pied des matelas dont on voyait la toile et où personne ne devait plus coucher. Tous les petits objets féminins auxquels tenait Cosette avaient été emportés ; il ne restait que les gros meubles et les quatre murs. Le lit de Toussaint était également dégarni. Un seul lit était fait et semblait attendre quelqu'un ; c'était celui de Jean Valjean.

Jean Valjean regarda les murailles, ferma quelques portes d'armoires, alla et vint d'une chambre à l'autre.

Puis il se retrouva dans sa chambre, et il posa sa chandelle sur une table.

Il avait dégagé son bras de l'écharpe, et il se servait de la main droite comme s'il n'en souffrait pas.

Il s'approcha de son lit, et ses yeux s'arrêtèrent, fut-ce par hasard ? fut-ce avec intention ? sur l'*inséparable*, dont Cosette avait été jalouse, sur la petite malle qui ne le quittait jamais. Le 4 juin, en arrivant rue de l'Homme-Armé, il l'avait déposée sur un guéridon près de son chevet. Il alla à ce guéridon avec une sorte de vivacité, prit dans sa poche une clef, et ouvrit la valise.

Il en tira lentement les vêtements avec lesquels, dix ans auparavant, Cosette avait quitté Montfermeil ; d'abord la petite robe noire, puis le fichu noir, puis les bons gros souliers d'enfant que Cosette aurait presque pu mettre encore, tant elle avait le pied petit, puis la brassière de futaine[25] bien épaisse, puis le jupon de tricot, puis le tablier à poches, puis les bas de laine.

24. Toile en coton épaisse.
25. Vêtement de bébé, petite chemise à manches en tissu de fil et de coton.

105 Ces bas où était encore gracieusement marquée la forme d'une
petite jambe, n'étaient guère plus longs que la main de Jean
Valjean. Tout cela était de couleur noire. C'était lui qui avait
apporté ces vêtements pour elle à Montfermeil. À mesure
qu'il les ôtait de la valise, il les posait sur le lit. Il pensait. Il
110 se rappelait. C'était en hiver, un mois de décembre très froid,
elle grelottait à demi nue dans des guenilles[26], ses pauvres
petits pieds tout rouges dans des sabots. Lui Jean Valjean,
il lui avait fait quitter ces haillons[27] pour lui faire mettre cet
habillement de deuil. La mère avait dû être contente dans
115 sa tombe de voir sa fille porter son deuil, et surtout de voir
qu'elle était vêtue et qu'elle avait chaud. Il pensait à cette forêt
de Montfermeil ; ils l'avaient traversée ensemble, Cosette et
lui ; il pensait au temps qu'il faisait, aux arbres sans feuilles,
au bois sans oiseaux, au ciel sans soleil ; c'est égal, c'était
120 charmant. Il rangea les petites nippes[28] sur le lit, le fichu près
du jupon, les bas à côté des souliers, la brassière à côté de la
robe, et il les regarda l'une après l'autre. Elle n'était pas plus
haute que cela, elle avait sa grande poupée dans ses bras, elle
avait mis son louis d'or dans la poche de ce tablier, elle riait,
125 ils marchaient tous les deux se tenant par la main, elle n'avait
que lui au monde.

Alors sa vénérable[29] tête blanche tomba sur le lit, ce vieux
cœur stoïque[30] se brisa, sa face s'abîma[31] pour ainsi dire dans les
vêtements de Cosette, et si quelqu'un eût passé dans l'escalier
130 en ce moment, on eût entendu d'effrayants sanglots.

Cinquième partie « Jean Valjean », Livre sixième
« La nuit blanche », extraits du chapitre II.

---

26. Voir note 8, p. 149.　　　　**29.** Voir note 44, p. 39.
27. Voir note 21, p. 209.　　　**30.** Courageux.
28. Vêtements.　　　　　　　　**31.** Plongea.

Questions

Repérer et analyser

Le parcours de Cosette et de Marius

1 Quel événement Marius et Cosette célèbrent-ils ?

2 Quelle image le narrateur donne-t-il de Cosette et de Marius (l. 4 à 14) ? Citez le texte. À qui Cosette est-elle comparée ?

3 Montrez que le couple est sublimé et sacralisé. Pour répondre, appuyez-vous sur les lignes 1 à 3, et relevez dans les lignes 56 à 67 le lexique de la lumière et de la gloire.

4 Quel bonheur unique connaissent-ils (l. 70-71) ?

Le parcours de Jean Valjean

5 Pourquoi Jean Valjean ne donne-t-il pas le bras à Cosette lors de son mariage ?

6 Dans quelle situation Jean Valjean se trouve-t-il une fois rentré chez lui ?

7 **a.** Pourquoi choisit-il d'ouvrir la petite malle le jour des noces de la jeune fille ?

b. Quels vêtements suscitent son émotion ? Citez le texte.

c. Quels souvenirs lui reviennent en mémoire ?

d. Quelle image garde-t-il de Cosette ? En quoi contraste-t-elle avec celle donnée dans les lignes 1 à 74 ?

8 Quel est l'état d'esprit de Jean Valjean après l'évocation de ces souvenirs (l. 127 à 130) ?

9 Jean Valjean a-t-il accompli la promesse faite à Fantine ? Quel en est le prix pour lui ?

Les symboles

Le noir et le blanc

Le noir est la contre-couleur du blanc. Symboliquement, en occident, le noir est associé aux ténèbres, à la mort, au deuil. Le blanc, dans de nombreuses cultures, symbolise la pureté. Dans l'Antiquité, lors des sacrifices, les animaux blancs étaient destinés aux êtres célestes ; les animaux noirs à ceux des enfers.

10 **a.** Relevez dans les lignes 6 à 19 le champ lexical du blanc. Pourquoi cette couleur est-elle associée à Cosette à ce moment précis de son existence ? Que symbolise-t-elle ?

b. Quelle était la couleur des vêtements de Cosette enfant (l. 101 à 107) ? Que symbolise ici cette couleur ?

11 Pourquoi peut-on dire de Jean Valjean qu'il est vêtu de noir sur un plan symbolique ?

Le lys

Le lys est une fleur blanche, symbole de pureté, d'innocence, de virginité. C'est la fleur de l'amour, d'un amour intense et sublimé.

12 À quel moment Cosette et Marius sont-ils assimilés au lys ? Citez le texte.

Étudier la langue

Conjugaison

13 Identifiez les modes et les temps des verbes en gras.

a. « **Aimer** ou **avoir aimé**, cela suffit. » (l. 70)

b. « les bons gros souliers d'enfant que Cosette **aurait pu** mettre encore […]. » (l. 102)

c. « C'était lui qui **avait apporté** ces vêtements pour elle à Montfermeil. » (l. 98)

d. « que tous les hommes **soient** riches […]. » (l. 30-31)

Écrire

Raconter un souvenir

15 Vous avez assisté à une cérémonie de mariage, faites-en le récit. Consignes d'écriture :

– menez le récit à la 1ʳᵉ personne et aux temps du passé ;

– décrivez les mariés ;

– racontez les principaux moments de la cérémonie ;

– montrez l'émotion des personnes présentes à cette noce.

Texte 23 – Au terme du parcours

« Quelque ange immense était debout... »

PARTIE 5, LIVRE SEPTIÈME

I. Le septième cercle et le huitième ciel

Durant la nuit, Jean Valjean est en proie au dilemme moral de révéler ou non sa véritable identité à Marius. Le lendemain, il se rend chez le jeune homme.

– Monsieur, dit Jean Valjean, j'ai une chose à vous dire. Je suis un ancien forçat.

La limite des sons aigus perceptibles peut être tout aussi bien dépassée pour l'esprit que pour l'oreille. Ces mots : *Je suis un ancien forçat*, sortant de la bouche de M. Fauchelevent et entrant dans l'oreille de Marius, allaient au-delà du possible. Marius n'entendit pas. Il lui sembla que quelque chose venait de lui être dit ; mais il ne sut quoi. Il resta béant[1].

Il s'aperçut alors que l'homme qui lui parlait était effrayant. Tout à son éblouissement, il n'avait pas jusqu'à ce moment remarqué cette pâleur terrible.

Jean Valjean dénoua la cravate noire qui lui soutenait le bras droit, défit le linge roulé autour de sa main, mit son pouce à nu et le montra à Marius.

– Je n'ai rien à la main, dit-il.

Marius regarda le pouce.

– Je n'y ai jamais rien eu, reprit Jean Valjean.

Il n'y avait en effet aucune trace de blessure.

| **1.** Voir note 3, p. 23.

Jean Valjean poursuivit :

20   – Il convenait que je fusse absent de votre mariage. Je me suis fait absent le plus que j'ai pu. J'ai supposé cette blessure pour ne point faire un faux, pour ne pas introduire de nullité dans les actes du mariage, pour être dispensé de signer.

Marius bégaya :

25   – Qu'est-ce que cela veut dire ?

– Cela veut dire, répondit Jean Valjean, que j'ai été aux galères.

– Vous me rendez fou ! s'écria Marius épouvanté.

– Monsieur Pontmercy, dit Jean Valjean, j'ai été dix-neuf ans aux galères. Pour vol. Puis j'ai été condamné à perpétuité.

30   Pour vol. Pour récidive. À l'heure qu'il est, je suis en rupture de ban[2].

Marius avait beau reculer devant la réalité, refuser le fait, résister à l'évidence, il fallait s'y rendre. Il commença à comprendre, et comme cela arrive toujours en pareil cas, il

35   comprit au-delà. Il eut le frisson d'un hideux[3] éclair intérieur ; une idée, qui le fit frémir, lui traversa l'esprit. Il entrevit dans l'avenir, pour lui-même, une destinée difforme[4].

– Dites tout, dites tout ! cria-t-il. Vous êtes le père de Cosette !

Et il fit deux pas en arrière avec un mouvement d'indicible[5]

40   horreur.

Jean Valjean redressa la tête dans une telle majesté d'attitude qu'il sembla grandir jusqu'au plafond.

Il est nécessaire que vous me croyiez ici, monsieur ; et, quoique notre serment à nous autres ne soit pas reçu en justice…

45   Ici il fit un silence, puis avec une sorte d'autorité souveraine et sépulcrale[6], il ajouta en articulant lentement et en pesant sur les syllabes :

– … Vous me croirez. Le père de Cosette, moi ! devant Dieu, non. Monsieur le baron Pontmercy, je suis un paysan

---

| **2.** Voir note 22, p. 87. | **4.** Monstrueux. | **6.** Qui évoque la mort. |
| **3.** Voir note 2, p. 23. | **5.** Voir note 43, p. 39. | |

de Faverolles. Je gagnais ma vie à émonder[7] des arbres. Je ne m'appelle pas Fauchelevent, je m'appelle Jean Valjean. Je ne suis rien à Cosette. Rassurez-vous.

Marius balbutia :

– Qui me prouve ?…

– Moi. Puisque je le dis.

Marius regarda cet homme. Il était lugubre[8] et tranquille. Aucun mensonge ne pouvait sortir d'un tel calme. Ce qui est glacé est sincère. On sentait le vrai dans cette froideur de tombe.

– Je vous crois, dit Marius.

Jean Valjean inclina la tête comme pour prendre acte, et continua :

– Qui suis-je pour Cosette ? un passant. Il y a dix ans, je ne savais pas qu'elle existât. Je l'aime, c'est vrai. Une enfant qu'on a vue petite, étant soi-même déjà vieux, on l'aime. Quand on est vieux, on se sent grand-père pour tous les petits enfants. Vous pouvez, ce me semble, supposer que j'ai quelque chose qui ressemble à un cœur. Elle était orpheline. Sans père ni mère. Elle avait besoin de moi. Voilà pourquoi je me suis mis à l'aimer. C'est si faible les enfants, que le premier venu, même un homme comme moi, peut être leur protecteur. J'ai fait ce devoir-là vis-à-vis de Cosette. Je ne crois pas qu'on puisse vraiment appeler si peu de chose une bonne action ; mais si c'est une bonne action, eh bien, mettez que je l'ai faite. Enregistrez cette circonstance atténuante. Aujourd'hui Cosette quitte ma vie, nos deux chemins se séparent. Désormais je ne suis plus rien pour elle. Elle est madame Pontmercy. Sa providence[9] a changé. Et Cosette gagne au change. Tout est bien. Quant aux six cent mille francs, vous ne m'en parlez pas, mais je vais au-devant de votre pensée, c'est un dépôt. Comment ce dépôt

7. Débarrasser les arbres des branches nuisibles ou inutiles.
8. Voir note 31, p. 272.
9. Ce n'est plus Jean Valjean qui la protège, mais Marius.

80 était-il entre mes mains ? Qu'importe ? Je rends le dépôt. On n'a rien de plus à me demander. Je complète la restitution en disant mon vrai nom. Ceci encore me regarde. Je tiens, moi, à ce que vous sachiez qui je suis.

Et Jean Valjean regarda Marius en face.

85 Tout ce qu'éprouvait Marius était tumultueux et incohérent. De certains coups de vent de la destinée font de ces vagues dans notre âme.

Nous avons tous eu de ces moments de trouble dans lesquels tout se disperse en nous ; nous disons les premières choses
90 venues, lesquelles ne sont pas toujours précisément celles qu'il faudrait dire. Il y a des révélations subites qu'on ne peut porter et qui enivrent[10] comme un vin funeste[11]. Marius était stupéfié de la situation nouvelle qui lui apparaissait, au point de parler à cet homme presque comme quelqu'un qui lui en
95 aurait voulu de cet aveu.

– Mais enfin, s'écria-t-il, pourquoi me dites-vous tout cela ? Qu'est-ce qui vous y force ? Vous pouviez garder le secret à vous-même. Vous n'êtes ni dénoncé, ni poursuivi, ni traqué ? Vous avez une raison pour faire, de gaîté de cœur, une telle
100 révélation. Achevez. Il y a autre chose. À quel propos faites-vous cet aveu ? Pour quel motif ?

– Pour quel motif ? répondit Jean Valjean d'une voix si basse et si sourde qu'on eût dit que c'était à lui-même qu'il parlait plus qu'à Marius. Pour quel motif, en effet, ce forçat vient-il
105 dire : Je suis un forçat ? Eh bien oui ! le motif est étrange. C'est par honnêteté. Tenez, ce qu'il y a de malheureux, c'est un fil que j'ai là dans le cœur et qui me tient attaché. C'est surtout quand on est vieux que ces fils-là sont solides. Toute la vie se défait alentour ; ils résistent. Si j'avais pu arracher ce
110 fil, le casser, dénouer le nœud ou le couper, m'en aller bien

---

| 10. Rendent ivres. | 11. Mortel.

loin, j'étais sauvé, je n'avais qu'à partir ; il y a des diligences rue du Bouloi ; vous êtes heureux, je m'en vais. J'ai essayé de rompre, ce fil, j'ai tiré dessus, il a tenu bon, il n'a pas cassé, je m'arracherais le cœur avec. Alors j'ai dit : Je ne puis pas vivre ailleurs que là. Il faut que je reste. Eh bien oui, vous avez raison, je suis un imbécile, pourquoi ne pas rester tout simplement ? Vous m'offrez une chambre dans la maison, madame Pontmercy m'aime bien, elle dit à ce fauteuil : tends-lui les bras, votre grand-père ne demande pas mieux que de m'avoir, je lui vas, nous habiterions tous ensemble, repas en commun, je donnerai le bras à Cosette… – à madame de Pontmercy, pardon, c'est l'habitude, – nous n'aurons qu'un toit, qu'une table, qu'un feu, le même coin de cheminée l'hiver, la même promenade l'été, c'est la joie cela, c'est le bonheur cela, c'est tout, cela. Nous vivrons en famille. En famille !

À ce mot, Jean Valjean devint farouche. Il croisa les bras, considéra le plancher à ses pieds comme s'il voulait y creuser un abîme, et sa voix fut tout à coup éclatante :

– En famille ! non. Je ne suis d'aucune famille, moi. Je ne suis pas de la vôtre. Je ne suis pas de celle des hommes. Les maisons où l'on est entre soi, j'y suis de trop. Il y a des familles, mais ce n'est pas pour moi. Je suis le malheureux ; je suis dehors. Ai-je eu un père et une mère ? j'en doute presque. Le jour où j'ai marié cette enfant, cela a été fini, je l'ai vue heureuse, et qu'elle était avec l'homme qu'elle aime, et qu'il y avait là un bon vieillard, un ménage de deux anges, toutes les joies dans cette maison, et que c'était bien, et je me suis dit : Toi, n'entre pas. Je pouvais mentir, c'est vrai, vous tromper tous, rester monsieur Fauchelevent. Tant que cela a été pour elle, j'ai pu mentir ; mais maintenant ce serait pour moi, je ne le dois pas. Il suffisait de me taire, c'est vrai, et tout continuait Vous me demandez ce qui me force à parler ? une drôle de chose, ma conscience. Me taire, c'était pourtant bien facile. J'ai passé

la nuit à tâcher de me le persuader ; vous me confessez, et ce
145 que je viens vous dire est si extraordinaire que vous en avez le
droit ; eh bien oui, j'ai passé la nuit à me donner des raisons,
je me suis donné de très bonnes raisons, j'ai fait ce que j'ai
pu, allez. Mais il y a deux choses où je n'ai pas réussi ; ni à
casser le fil qui me tient par le cœur fixé, rivé[12] et scellé[13] ici,
150 ni à faire taire quelqu'un qui me parle bas quand je suis seul.
C'est pourquoi je suis venu vous avouer tout ce matin. Tout,
ou à peu près tout. Il y a de l'inutile à dire qui ne concerne que
moi ; je le garde pour moi. L'essentiel, vous le savez. Donc j'ai
pris mon mystère, et je vous l'ai apporté. Et j'ai éventré mon
155 secret sous vos yeux.
  […]
  Jean Valjean fit encore une pause, avalant sa salive avec effort
comme si ses paroles avaient un arrière-goût amer, et il reprit :
  – Quand on a une telle horreur sur soi, on n'a pas le droit
160 de la faire partager aux autres à leur insu[14], on n'a pas le droit
de leur communiquer sa peste, on n'a pas le droit de les faire
glisser dans son précipice sans qu'ils s'en aperçoivent, on n'a
pas le droit de laisser traîner sa casaque[15] rouge sur eux, on
n'a pas le droit d'encombrer sournoisement de sa misère le
165 bonheur d'autrui. S'approcher de ceux qui sont sains et les
toucher dans l'ombre avec son ulcère[16] invisible, c'est hideux.
Fauchelevent a eu beau me prêter son nom, je n'ai pas le
droit de m'en servir ; il a pu me le donner, je n'ai pas pu le
prendre. Un nom, c'est un moi. Voyez-vous, monsieur, j'ai
170 un peu pensé, j'ai un peu lu, quoique je sois un paysan ; et je
me rends compte des choses. Vous voyez que je m'exprime
convenablement. Je me suis fait une éducation à moi. Eh bien
oui, soustraire un nom et se mettre dessous, c'est déshonnête.

---

12. Attaché solidement, enchaîné.   **15.** Voir note 11, p. 28.
13. Fixé.   **16.** Plaie qui ne cicatrise pas.
14. Voir note 44, p. 179.

Des lettres de l'alphabet, cela s'escroque comme une bourse
ou comme une montre. Être une fausse signature en chair
et en os, être une fausse clef vivante, entrer chez d'honnêtes
gens en trichant leur serrure, ne plus jamais regarder, loucher
toujours, être infâme au-dedans de moi, non ! non ! non ! non !
Il vaut mieux souffrir, saigner, pleurer, s'arracher la peau de
la chair avec les ongles, passer les nuits à se tordre dans les
angoisses, se ronger le ventre et l'âme. Voilà pourquoi je viens
vous raconter tout cela. De gaîté de cœur comme vous dites.

Il respira péniblement, et jeta ce dernier mot :

– Pour vivre, autrefois, j'ai volé un pain ; aujourd'hui, pour
vivre, je ne veux pas voler un nom.

PARTIE 5, LIVRE NEUVIÈME

V. Nuit derrière laquelle il y a le jour

*Jean Valjean fait promettre à Marius de ne rien révéler de
son secret à Cosette. Marius s'y engage et saisit cette occasion
pour éloigner le vieil homme de la jeune femme, demandant à
Jean Valjean de ne rendre visite à Cosette que le soir. L'ancien
forçat respecte cette condition, mais souffre infiniment du
mépris de Marius et du mensonge qui le sépare de Cosette. Il
en tombe malade de chagrin.*

*Marius reçoit la visite de Thénardier, venu l'informer de la
véritable identité de Jean Valjean, qu'il dit avoir croisé dans
les égouts, portant un cadavre sur le dos. Il exhibe à Marius
un fragment de vêtement qui appartenait au mort. Marius
reconnaît le morceau de son habit et comprend alors que c'est
Jean Valjean qui lui a sauvé la vie.*

*Jean Valjean se meurt. Cosette et Marius, bouleversés, se
précipitent à son chevet.*

[...]

Quand un être qui nous est cher va mourir, on le regarde avec un regard qui se cramponne à lui et qui voudrait le retenir. Tous deux, muets d'angoisse, ne sachant que dire à la mort,
190 désespérés et tremblants, étaient debout devant lui, Cosette donnant la main à Marius.

D'instant en instant, Jean Valjean déclinait. Il baissait ; il se rapprochait de l'horizon sombre. Son souffle était devenu intermittent[17] ; un peu de râle[18] l'entrecoupait. Il avait de
195 la peine à déplacer son avant-bras, ses pieds avaient perdu tout mouvement, et en même temps que la misère des membres et l'accablement du corps croissait[19], toute la majesté de l'âme montait et se déployait sur son front. La lumière du monde inconnu était déjà visible dans sa prunelle.

200 Sa figure blêmissait et en même temps souriait. La vie n'était plus là, il y avait autre chose. Son haleine tombait, son regard grandissait. C'était un cadavre auquel on sentait des ailes.

Il fit signe à Cosette d'approcher, puis à Marius ; c'était évidemment la dernière minute de la dernière heure, et il se
205 mit à leur parler d'une voix si faible qu'elle semblait venir de loin, et qu'on eût dit qu'il y avait dès à présent une muraille entre eux et lui.

– Approche, approchez tous deux. Je vous aime bien. Oh ! c'est bon de mourir comme cela ! Toi aussi, tu m'aimes, ma
210 Cosette. Je savais bien que tu avais toujours de l'amitié pour ton vieux bonhomme. Comme tu es gentille de m'avoir mis ce coussin sous les reins ! Tu me pleureras un peu, n'est-ce pas ? Pas trop. Je ne veux pas que tu aies de vrais chagrins. Il faudra vous amuser beaucoup, mes enfants. J'ai oublié de vous dire
215 que sur les boucles sans ardillons[20] on gagnait encore plus

---

17. Discontinu, irrégulier.
18. Voir note 15, p. 119.
19. Augmentait.

20. Boucle sans pointe de métal qui s'engage dans le trou d'une courroie, d'une ceinture.

que sur tout le reste. La grosse, les douze douzaines, revenait à dix francs, et se vendait soixante. C'était vraiment un bon commerce. Il ne faut donc pas s'étonner des six cent mille francs, monsieur Pontmercy. C'est de l'argent honnête. Vous pouvez être riches tranquillement. Il faudra avoir une voiture, de temps en temps une loge aux théâtres, de belles toilettes de bal, ma Cosette, et puis donner de bons dîners à vos amis, être très heureux. J'écrivais tout à l'heure à Cosette. Elle trouvera ma lettre. C'est à elle que je lègue les deux chandeliers qui sont sur la cheminée. Ils sont en argent ; mais pour moi ils sont en or, ils sont en diamant ; ils changent les chandelles qu'on y met, en cierges. Je ne sais pas si celui qui me les a donnés[21] est content de moi là-haut. J'ai fait ce que j'ai pu. Mes enfants, vous n'oublierez pas que je suis un pauvre, vous me ferez enterrer dans le premier coin de terre venu sous une pierre pour marquer l'endroit. C'est là ma volonté. Pas de nom sur la pierre. Si Cosette veut venir un peu quelquefois, cela me fera plaisir. Vous aussi, monsieur Pontmercy. Il faut que je vous avoue que je ne vous ai pas toujours aimé ; je vous en demande pardon. Maintenant, elle et vous, vous n'êtes qu'un pour moi. Je vous suis très reconnaissant. Je sens que vous rendez Cosette heureuse. Si vous saviez, monsieur Pontmercy, ses belles joues roses, c'était ma joie ; quand je la voyais un peu pâle, j'étais triste. Il y a dans la commode un billet de cinq cents francs. Je n'y ai pas touché. C'est pour les pauvres. Cosette, vois-tu ta petite robe, là, sur le lit ? la reconnais-tu ? Il n'y a pourtant que dix ans de cela. Comme le temps passe ! Nous avons été bien heureux. C'est fini. Mes enfants, ne pleurez pas, je ne vais pas très loin. Je vous verrai de là. Vous n'aurez qu'à regarder quand il fera nuit, vous me verrez sourire. Cosette, te rappelles-tu Montfermeil ? Tu étais

---

| **21.** Il s'agit de M. Myriel (voir résumé p. 7-8 et texte 14).

dans le bois, tu avais bien peur ; te rappelles-tu quand j'ai
pris l'anse du seau ? C'est la première fois que j'ai touché ta
pauvre petite main. Elle était si froide ! Ah ! vous aviez les
250 mains rouges dans ce temps-là, mademoiselle, vous les avez
bien blanches maintenant. Et la grande poupée ! te rappelles-
tu ? Tu la nommais Catherine. Tu regrettais de ne pas l'avoir
emmenée au couvent ! Comme tu m'as fait rire des fois, mon
doux ange ! Quand il avait plu, tu embarquais sur les ruis-
255 seaux des brins de paille, et tu les regardais aller. Un jour, je
t'ai donné une raquette en osier, et un volant avec des plumes
jaunes, bleues, vertes. Tu l'as oublié, toi. Tu étais si espiègle
toute petite ! Tu jouais. Tu te mettais des cerises aux oreilles.
Ce sont là des choses du passé. Les forêts où l'on a passé avec
260 son enfant, les arbres où l'on s'est promené, les couvents où
l'on s'est caché, les jeux, les bons rires de l'enfance, c'est de
l'ombre. Je m'étais imaginé que tout cela m'appartenait. Voilà
où était ma bêtise. Ces Thénardier ont été méchants. Il faut
leur pardonner. Cosette, voici le moment venu de te dire le
265 nom de ta mère. Elle s'appelait Fantine. Retiens ce nom-là :
Fantine. Mets-toi à genoux toutes les fois que tu le prononceras.
Elle a bien souffert. Elle t'a bien aimée. Elle a eu en malheur
tout ce que tu as en bonheur. Ce sont les partages de Dieu. Il
est là-haut, il nous voit tous, et il sait ce qu'il fait au milieu
270 de ses grandes étoiles. Je vais donc m'en aller, mes enfants.
Aimez-vous bien toujours. Il n'y a guère autre chose que cela
dans le monde : s'aimer. Vous penserez quelquefois au pauvre
vieux qui est mort ici. Ô ma Cosette ! ce n'est pas ma faute,
va, si je ne t'ai pas vue tous ces temps-ci, cela me fendait le
275 cœur, j'allais jusqu'au coin de la rue, je devais faire un drôle
d'effet aux gens qui me voyaient passer, j'étais comme fou,
une fois je suis sorti sans chapeau. Mes enfants, voici que
je ne vois plus clair, j'avais encore des choses à dire, mais
c'est égal. Pensez un peu à moi. Vous êtes des êtres bénis.

Mort de Jean Valjean. Illustration fin XIXᵉ siècle.

280 Je ne sais pas ce que j'ai, je vois de la lumière. Approchez encore. Je meurs heureux. Donnez-moi vos chères têtes bien-aimées, que je mette mes mains dessus.

Cosette et Marius tombèrent à genoux, éperdus, étouffés de larmes, chacun sur une des mains de Jean Valjean. Ces mains
285 augustes[22] ne remuaient plus.

Il était renversé en arrière, la lueur des deux chandeliers l'éclairait ; sa face blanche regardait le ciel, il laissait Cosette et Marius couvrir ses mains de baisers ; il était mort.

La nuit était sans étoiles et profondément obscure. Sans
290 doute, dans l'ombre, quelque ange immense était debout, les ailes déployées, attendant l'âme.

VI. L'herbe cache et la pluie efface

Il y a, au cimetière du Père-Lachaise, aux environs de la fosse commune, loin du quartier élégant de cette ville des sépulcres[23], loin de tous ces tombeaux de fantaisie qui étalent
295 en présence de l'éternité les hideuses[24] modes de la mort, dans un angle désert, le long d'un vieux mur, sous un grand if[25] auquel grimpent, parmi les chiendents[26] et les mousses, les liserons[27], une pierre. Cette pierre n'est pas plus exempte que les autres des lèpres[28] du temps, de la moisissure, du lichen[29],
300 et des fientes d'oiseaux. L'eau la verdit, l'air la noircit. Elle n'est voisine d'aucun sentier, et l'on n'aime pas aller de ce côté-là, parce que l'herbe est haute et qu'on a tout de suite les pieds mouillés. Quand il y a un peu de soleil, les lézards y viennent. Il y a, tout autour, un frémissement de folles avoines.
305 Au printemps, les fauvettes chantent dans l'arbre.

---

22. Voir note 45, p. 39.
23. Cimetière.
24. Voir note 2, p. 23.
25. Arbre à fruits rouges.
26. Herbe vivace, nuisible aux cultures.

27. Plantes grimpantes.
28. Marques.
29. Végétal formé d'un champignon et d'une algue.

Cette pierre est toute nue. On n'a songé en la taillant qu'au nécessaire de la tombe, et l'on n'a pris d'autre soin que de faire cette pierre assez longue et assez étroite pour couvrir un homme.

On n'y lit aucun nom.

Seulement, voilà de cela bien des années déjà, une main y a écrit au crayon ces quatre vers qui sont devenus peu à peu illisibles sous la pluie et la poussière, et qui probablement sont aujourd'hui effacés :

> *Il dort. Quoique le sort fût pour lui bien étrange,*
> *Il vivait. Il mourut quand il n'eut plus son ange ;*
> *La chose simplement d'elle-même arriva,*
> *Comme la nuit se fait lorsque le jour s'en va.*

Cinquième partie « Jean Valjean »,

Livre septième « La dernière gorgée du calice », extraits du chapitre I.

Livre neuvième « Suprême ombre, suprême aurore », extraits des chapitres V et VI.

Questions

Repérer et analyser

Le parcours de Jean Valjean

La dernière épreuve : l'aveu

1 Quel aveu Jean Valjean fait-il à Marius ? Relevez les termes qui traduisent son état d'esprit au moment de l'aveu (l. 9 à 11 ; l. 45 à 47 ; l. 157-158).

2 Pourquoi Jean Valjean s'est-il résolu à faire cet aveu après le mariage de Cosette ?

3 Pourquoi Jean Valjean ressent-il le besoin de se réapproprier son vrai nom (l. 167 à 185) ?

L'attachement à Cosette

4 Par quel terme Jean Valjean se définit-il vis-à-vis de Cosette (l. 64-65) ? Pour quelle raison ?

5 Comment exprime-t-il la force de l'amour qui le lie à Cosette ? Pour répondre :

a. dites combien de fois apparaît le verbe aimer (l. 62 à 69) ;

b. relevez la métaphore par laquelle Jean Valjean désigne l'amour qui le lie à Cosette (l. 109 à 114).

6 Pourquoi a-t-il simulé une blessure à la main le jour du mariage ?

La mort

La mort du héros est un motif romanesque qui constitue souvent le dénouement d'un roman.

7 Relevez les termes qui soulignent que la fin est proche pour Jean Valjean (l. 192 à 207).

8 **a.** En quels termes la mort elle-même est-elle évoquée ?

b. Dans quel cadre cette mort a-t-elle lieu ?

c. Quels sont les personnages qui sont aux côtés de Jean Valjean ?

La dimension religieuse

Hugo défend les valeurs spirituelles contre le matérialisme et l'athéisme. Dans *Les Misérables*, à travers la figure de Jean Valjean, il montre la victoire progressive de l'âme et celle de Dieu.

9 Montrez que Jean Valjean est revenu à Dieu. Pour répondre :
a. relevez les mots qui évoquent la grandeur de son agonie (l. 192 à 202) ;
b. expliquez pourquoi les chandeliers ont une telle valeur pour lui ;
c. relevez le champ lexical de la religion (l. 186 à 290), puis le champ lexical de l'ombre et de la lumière (l. 196 à 203 ; l. 277 à 291). Quelle en est la symbolique ?

10 Relevez la phrase qui laisse présager que l'âme de Jean Valjean s'élève jusqu'à Dieu.

Les dernières volontés

11 De qui Jean Valjean se préoccupe-t-il surtout alors qu'il va mourir ? Justifiez votre réponse.

12 Quelles sont ses dernières volontés concernant les pauvres ? concernant Cosette et Marius (l. 269 à 272) ? le concernant lui-même ?

La tombe

13 **a.** Dans quelle ville et dans quel cimetière repose Jean Valjean ?
b. Relevez les termes qui caractérisent la tombe de Jean Valjean.

14 **a.** Pour quelle raison n'y a-t-il pas de nom sur cette tombe ? Aidez-vous pour répondre du parcours du héros et de la leçon sur la symbolique du nom p. 46.
b. À quel endroit précis du cimetière cette tombe se trouve-t-elle ? En quoi cet emplacement est-il symbolique du parcours et du personnage de Jean Valjean ?

Le parcours de Marius et de Cosette

15 Quelles sont les réactions successives de Marius à la suite de l'aveu de Jean Valjean ? Citez le texte.

16 Quelle révélation Jean Valjean fait-il à Cosette avant de mourir ?

17 **a.** Quel effet l'ensemble des paroles de Jean Valjean peuvent-elles produire sur Cosette ? sur Marius ?
b. Pour quelle raison n'y a-t-il pas de dialogue entre les personnages ?

18 Quels sentiments et émotions Marius et Cosette éprouvent-ils à la mort de Jean Valjean (l. 186 à 191 puis l. 282 à 284) ?

Étudier la langue

Grammaire

19 Identifiez la circonstance exprimée par les compléments circonstanciels en gras.

a. « Il respira **péniblement** […]. » (l. 183)

b. « Il se mit à leur parler d'une voix si faible **qu'elle semblait venir de loin** […]. » (l. 204 à 206)

c. « **Au printemps**, les fauvettes chantent dans les arbres. » (l. 305)

d. « l'on n'aime pas aller de ce côté-là, **parce que l'herbe est haute** […]. » (l. 306-307)

Écrire

Rédiger une lettre

20 Rédigez la dernière lettre de Jean Valjean à Cosette.

Les Misérables

La progression du récit

Première partie : « Fantine »

1 Dans quelle ville Jean Valjean arrive-t-il ? En quelle année ? Dans quelle situation se trouve-t-il ?

2 Qui est le seul personnage à l'accueillir ? Quel méfait commet-il envers lui ? Comment le personnage réagit-il ?

3 **a.** Qui est Fantine ? Pourquoi élève-t-elle seule sa fille Cosette ?
b. À qui la confie-t-elle ? Pourquoi ?
c. Où trouve-t-elle du travail ?

4 Qui est M. Madeleine ? Quel personnage a deviné sa véritable identité ? À quelle occasion ?

5 Pourquoi Fantine est-elle arrêtée ? Par qui ? Qui lui vient en aide ?

6 Qui survient alors que M. Madeleine est au chevet de Fantine mourante ?

Deuxième partie : « Cosette »

7 De quel lieu Jean Valjean s'évade-t-il ? En quelle année ?

8 **a.** Quelle vie Cosette mène-t-elle chez les Thénardier ?
b. Pourquoi Jean Valjean vient-il la chercher ? Où l'emmène-t-il ? Par qui est-il sans cesse épié ?

9 **a.** Où Jean Valjean se cache-t-il avec Cosette ? Sous quel nom ? Pourquoi ?
b. Combien de temps reste-t-il dans ce lieu avec Cosette ?

Troisième partie : « Marius »

10 **a.** Qui est Marius ? Pourquoi s'est-il fâché avec son grand-père ?
b. Quelles sont les opinions politiques de ses amis ? Quelle société ont-ils fondée ?

11 **a.** Où Marius habite-t-il ? Quelle vie mène-t-il ?
b. De quelle jeune fille tombe-t-il amoureux ? Où la rencontre-t-il ?

12 De quel guet-apens Jean Valjean est-il victime dans la masure Gorbeau ? Qui sont en fait les Jondrette ? Et M. Leblanc et sa fille ?

Quatrième partie : « L'idylle rue Plumet… »

13 **a.** Grâce à qui Marius retrouve-t-il la trace de Cosette ?

b. Quel moment important les jeunes gens vivent-ils dans le jardin de la maison de la rue Plumet ?

c. Pourquoi le bonheur des amoureux est-il menacé ?

14 Qui est Gavroche ? Comment vit-il ?

15 **a.** Pourquoi le peuple se soulève-t-il à Paris en juin 1832 ?

b. Pourquoi Marius rejoint-il ses amis de l'ABC sur les barricades ?

Cinquième partie : « Jean Valjean »

16 **a.** Pourquoi Jean Valjean rejoint-il les insurgés ?

b. Quel est le sort de Gavroche ?

c. Comment Jean Valjean sauve-t-il la vie de Marius ?

17 Javert arrête-t-il Jean Valjean ? Pourquoi ? Qu'advient-il de lui ?

18 **a.** Comment Marius retrouve-t-il Cosette ?

b. Quelles révélations Jean Valjean fait-il à Marius après son mariage ?

c. Dans quelles circonstances Jean Valjean meurt-il ?

Les personnages

Qui sont-ils ?

19 Qui se cache derrière les expressions suivantes ?

a. « C'était un étrange gamin fée. »

b. « Il avait son sac sur l'épaule, son bâton à a main, une expression rude, hardie, fatiguée et violente dans les yeux. »

c. « Elle avait de l'or et des perles pour dot, mais son or était sur sa tête et ses perles étaient dans sa bouche. »

d. « Cet homme et cette femme, c'était ruse et rage mariés ensemble, attelage hideux et terrible. »

e. « Dans le pays on l'appelait l'Alouette. »

f. « [C'] était un beau jeune homme de moyenne taille, avec d'épais cheveux très noirs, un front haut et intelligent […]. »

g. « Ce n'était plus la pensionnaire avec son chapeau de peluche, sa robe de mérinos, ses souliers d'écolier et ses mains rouges ; le goût lui était venu avec la beauté ; c'était une personne bien mise avec une sorte d'élégance simple et riche et sans manière. »

h. « Son regard était une vrille. [...] Toute sa vie tenait entre ces deux mots : veiller et surveiller. »

Qui a dit ?

20 Qui a prononcé les paroles suivantes ?

a. « Voilà mon passeport. Jaune, comme vous voyez. »

b. « Vous n'appartenez plus au mal mais au bien. »

c. « Monsieur, reprit l'enfant, rendez-moi ma pièce. »

d. « Je n'ai jamais connu qu'un homme qui pût remplacer un cric. C'était ce forçat. »

e. « C'est la faute à Voltaire […] C'est la faute à Rousseau. »

f. « Cette gueuse […] s'est permis de toucher à la poupée des enfants ! »

g. « Je n'ai pas beaucoup de joujoux. […] Je n'ai qu'un petit sabre en plomb, pas plus long que ça. »

Le parcours de Jean Valjean

21 **a.** Quels sont les différents noms sous lesquels Jean Valjean est désigné tout au long du roman ?

b. Retracez les principales étapes de son parcours, du forçat à l'homme de bien. Aidez-vous de cette liste de personnages :

– l'aubergiste à Digne ;   – Monseigneur Myriel ;

– Petit-Gervais ;   – M. Madeleine ;

– Fantine et Cosette ;   – Javert ;

– les Thénardier ;   – Marius.

Le roman engagé

22 « Il y a un point où les infortunés et les infâmes se mêlent et se confondent dans un seul mot, mot fatal, les misérables ; de qui est-ce la faute ? » (partie 3 « Marius », Livre huitième, chapitre V).

a. Quels sont les deux sens du mot « misérable » ?

b. Qui, selon Hugo, est en partie responsable des misères humaines ?

23 Pour Hugo, quelles sont les conséquences de l'enfermement et du bagne chez un être humain ?

24 Quels sont les deux enfants qui apparaissent comme les victimes d'une société injuste et égoïste ? Quelle vie mènent-ils ?

25 Quel sort la société réserve-t-elle à des femmes comme Fantine ?

26 De quelle façon Monseigneur Myriel et Jean Valjean viennent-ils au secours de leur semblable ?

Chronologie historique

Les Misérables est un roman à toile de fond historique. Victor Hugo multiplie les repères chronologiques qui permettent de mieux comprendre l'histoire.

	Événements historiques
1815	- Défaite de Waterloo ; fin de l'Empire et exil de Napoléon Ier. - Restauration : règne de Louis XVIII.
1818	
1820	
1823	
1824	- Règne de Charles X.
1829	
1830	- Révolution de juillet 1830 (Les Trois Glorieuses) aboutissant à la chute de Charles X. - Règne de Louis-Philippe (monarchie de Juillet).
1831	
1832	- Soulèvement des Parisiens, qui dressent des barricades contre Louis-Philippe ; échec de la tentative républicaine.
1833	

	Action des *Misérables*
1815	- Jean Valjean sort du bagne de Toulon. Il arrive à Digne chez Monseigneur Myriel. - Fantine met au monde Cosette.
1818	- Fantine confie Cosette aux Thénardier.
1820	- M. Madeleine devient maire de Montreuil-sur-mer. - Fantine est renvoyée de la fabrique.
1823	- Mars : procès Champmathieu à Arras. M. Madeleine avoue qu'il est Jean Valjean. - Fantine meurt. - Jean Valjean est arrêté. - Novembre : Jean Valjean s'évade. - Noël : Jean Valjean reprend Cosette aux Thénardier.
1824	- Jean Valjean et Cosette s'installent dans la masure Gorbeau. Pourchassés par Javert, ils trouvent refuge au couvent du Petit-Picpus.
1829	- Jean Valjean et Cosette quittent le couvent. Ils s'installent rue Plumet.
1830	
1831	- Cosette rencontre Marius.
1832	- Juin : la barricade, Gavroche est tué. Jean Valjean sauve Marius, s'enfuit dans les égouts. - Javert se suicide. Jean Valjean s'installe seul rue de L'Homme-Armé.
1833	- Février : mariage de Marius et de Cosette. - Août : mort de Jean Valjean.

Résumé de l'œuvre

Victor Hugo a divisé l'œuvre en cinq parties qui se décomposent en livres et en chapitres. Des titres et sous-titres en éclairent le contenu.

Première partie : « Fantine »
(octobre 1815-fin 1823)

Un soir d'octobre 1815, Jean Valjean arrive à Digne. Libéré du bagne de Toulon où il a purgé une peine de dix-neuf ans pour avoir volé un pain, il cherche un gîte pour la nuit, mais toutes les portes se ferment devant lui. Monseigneur Myriel, l'évêque de la ville, un saint homme profondément humain, est le seul à lui offrir le gîte. Il l'invite à se restaurer et fait disposer sur la table six couverts d'argent et deux chandeliers, qui constituent son seul luxe.

Dans la nuit, Jean Valjean dort mal ; il se lève et se sauve après avoir volé les couverts. Repris par les gendarmes, il est conduit chez l'évêque qui affirme qu'il les lui avait offert. Il demande à ce qu'on le relâche et lui fait cadeau de ses deux chandeliers en argent, l'invitant à se consacrer dorénavant à faire le bien.

Valjean quitte Digne, et sur son chemin, il croise Petit-Gervais, un petit ramoneur savoyard à qui il vole une pièce de quarante sous. Repensant à l'évêque, il prend soudain conscience de l'horreur de son acte.

En 1817. Paris, une jeune servante nommée Fantine est séduite et abandonnée par un étudiant. Elle est réduite à élever seule l'enfant illégitime née de cette liaison, la petite Cosette. Démunie, ne sachant ni lire ni écrire, elle décide de quitter Paris pour aller travailler à Montreuil-sur-mer, sa ville natale. Mais il lui faut se séparer de Cosette pour cacher son état de mère célibataire, très décrié à cette époque. Sur la route, elle fait connaissance avec un couple d'aubergistes, les Thénardier, deux braves gens en apparence, eux-mêmes parents de deux petites filles. Moyennant une pension, le cœur déchiré, elle leur confie Cosette, âgée de trois ans. Dès lors, l'enfant devient la servante martyre des Thénardier qui sont en réalité de sinistres individus.

Fantine trouve du travail à Montreuil-sur-mer comme ouvrière dans la fabrique d'un certain M. Madeleine, venu s'établir dans cette ville en 1815. L'homme a rapidement fait fortune ; foncièrement bon, il met son argent au service de ses concitoyens et a fait de Montreuil une ville prospère. Sa grande popularité lui vaut le poste de maire. Un seul homme se méfie de lui : il s'agit de Javert, l'inspecteur de Police, qui croit avoir reconnu en cet honorable bourgeois l'ancien forçat Jean Valjean qu'il poursuit pour le vol des quarante sous commis contre le jeune ramoneur. Un jour, grâce à sa force colossale, M. Madeleine dégage un vieil homme, Fauchelevent, coincé sous sa lourde charrette qui s'est renversée. Les soupçons de Javert se confirment : le forçat Jean Valjean était réputé pour sa force.

Fantine, quant à elle, finit par susciter des jalousies. Une vieille fille avide de commérages découvre l'existence de Cosette, ce qui vaut à la jeune femme d'être chassée de son emploi.

Pendant ce temps, Cosette endure un véritable martyre chez les Thénardier : battue, rudoyée, habillée de loques, mangeant avec les animaux domestiques, elle devient la servante de ce couple monstrueux dont l'unique intérêt est l'argent.

Fantine ne trouve pas de travail ; elle ne peut plus payer la pension que les aubergistes lui réclament et qu'ils augmentent abusivement. Elle vend ses cheveux, ses dents, puis finit par se prostituer pour nourrir sa fille. Sa santé se dégrade. Un soir où il a neigé, un bourgeois pour s'amuser lui glisse une boule de neige dans le dos et l'insulte : la jeune femme se rue sur lui, mais est immédiatement arrêtée par Javert.

Survient alors M. Madeleine qui, attendri par le récit des malheurs de Fantine, la fait libérer et la prend sous sa protection. Il l'installe à l'infirmerie de son usine pour la faire soigner, et lui promet d'aller chercher la petite Cosette.

Un événement imprévu empêche le maire de réaliser toutes ses bonnes intentions. L'inspecteur Javert informe M. Madeleine qu'on va juger à Arras un voleur de pommes qui se fait appeler Champmathieu, mais qui ne serait autre que l'ancien forçat Jean Valjean. L'homme est récidiviste, il risque le bagne à perpétuité.

Après un douloureux débat intérieur, M. Madeleine ne peut se résoudre à laisser condamner un innocent : il se présente au procès, se dénonce comme étant Jean Valjean et se tient à la disposition de la police.

Il rentre à Montreuil-sur-mer et se rend au chevet de Fantine, dont l'état de santé a empiré. Survient alors Javert, qui arrête Jean Valjean dans la chambre de Fantine. Cette dernière meurt sans avoir revu sa fille. Mais Jean Valjean lui a fait la promesse de retrouver Cosette.

DEUXIÈME PARTIE : « COSETTE » (JUIN 1815-MARS 1824)

Jean Valjean est retourné **au bagne de Toulon**. En 1823, il sauve un marin qui s'était suspendu au grand mât d'un navire ; le forçat en profite pour faire une chute. Il plonge et s'évade en nageant sous le bateau : tout le monde le croit alors noyé.

Une fois libre, Jean Valjean part à la recherche de Cosette. Il arrive à Montfermeil un soir de Noël, et se rend dans la forêt pour y rechercher sa fortune qu'il avait cachée dans le bois.

À Montfermeil, de nuit. Cosette, en haillons, le corps bleu de coups, doit se rendre dans la forêt puiser de l'eau à la source. Elle croise en chemin Jean Valjean, qui la raccompagne à la gargote des Thénardier. L'homme comprend qu'il s'agit de Cosette. Il s'installe à l'auberge et est témoin du supplice de l'enfant. Comme c'est le soir de Noël, il lui offre la magnifique poupée dont elle rêvait et glisse dans son sabot un louis d'or.

Le lendemain, moyennant une forte somme d'argent, Jean Valjean délivre l'enfant de cet enfer et l'emmène avec lui.

Jean Valjean et la fillette arrivent à Paris. Ils trouvent refuge dans une maison isolée, la masure Gorbeau, afin de ne pas attirer l'attention. Mais Jean Valjean se sent surveillé. Il aperçoit Javert qui le guette et se sauve avec Cosette dans la nuit. Une traque s'ensuit dans le labyrinthe des rues de Paris. Il parvient à échapper à Javert en escaladant un mur,

Cosette sur son dos. Tous deux atterrissent dans un jardin inconnu ; ils y retrouvent comme par miracle le Père Fauchelevent à qui Jean Valjean a sauvé la vie. Il lui explique qu'il est jardinier au couvent du Petit-Picpus, qui est aussi une maison d'éducation pour jeunes filles. Fauchelevent fera passer Jean Valjean pour son frère auprès de la mère supérieure : il s'appelle désormais Ultime Fauchelevent et devient aide-jardinier. L'éducation de Cosette est confiée aux religieuses. Plusieurs années s'écoulent, dans la paix et le bonheur.

Troisième partie :
« Marius » (février 1832)

Vers 1831, de nouveaux locataires, les Jondrette, logent dans **la masure Gorbeau**, jadis habitée par Jean Valjean. Ils vivent misérablement avec leurs deux filles ; ils ont abandonné leur fils Gavroche qui vit dans la rue et qui est devenu un vrai « gamin de Paris ». Marius, un jeune étudiant en droit de bonne famille, occupe une chambre voisine de celle des Jondrette. Marius est petit-fils d'un royaliste, M. Gillenormand, et le fils d'un bonapartiste, le colonel Pontmercy, mort à Waterloo. Élevé par son grand-père à la mort de ses deux parents, il choisit son camp en atteignant l'âge d'homme : il découvre les grandeurs de la Révolution et de l'Empire et se fâche avec son grand-père. Il vit désormais dans la pauvreté et entre en relation avec un groupe d'étudiants républicains qui ont fondé une société secrète, l'ABC.

Un jour, Marius rencontre au Luxembourg une jeune fille accompagnée d'un vieil homme : c'est Cosette. Il en tombe éperdument amoureux mais n'ose lui parler. Jean Valjean l'a remarqué. Jaloux, il décide de mettre fin à ces promenades au Luxembourg. Marius sombre dans le désespoir.

Par un trou du mur de sa chambre, Marius observe les Jondrette dont il découvre la misère. Un jour, il est stupéfait : il voit arriver chez eux la jeune fille aimée, accompagnée de celui qu'il croit être son père. Apitoyé par la situation des Jondrette, le vieux monsieur promet de revenir le soir-même avec de l'argent. Marius assiste alors à d'inquiétants préparatifs dans le bouge : Jondrette allume un réchaud et fait rougir des fers. Inquiet, il prévient l'inspecteur de police Javert. Le bienfaiteur des Jondrette revient et tombe effectivement dans un guet-apens ; il est ligoté par Jondrette, qui n'est autre que Thénardier, accompagné d'une bande de malfaiteurs. Les bandits tentent de lui extorquer son adresse pour enlever Cosette et lui demander une rançon. Javert et ses hommes surviennent alors : les Thénardier sont arrêtés, et le vieil homme s'est discrètement enfui.

Quatrième partie « L'idylle rue Plumet et l'épopée rue Saint-Denis » (juin 1832)

Marius a perdu encore une fois la trace de Cosette. Mais Éponine, la fille des Thénardier, qui est amoureuse de Marius sans espoir de retour, a réussi à retrouver l'adresse de la jeune fille, elle la communique à Marius. Celui-ci se rend rue Plumet et rencontre Cosette un soir dans le jardin de la maison. Ils échangent leur premier baiser. Or, Jean Valjean a repéré Thénardier qui s'est évadé de prison, en train de rôder dans le quartier. Se sentant menacé et face aux troubles politiques, il décide de quitter la France pour l'Angleterre. Marius souhaite alors épouser Cosette pour la suivre. Après quatre ans de brouille, il annonce à son grand-père qu'il veut se marier, mais M. Gillenormand, qui n'a pas pardonné, refuse ce mariage.

Le 5 juin 1832 le peuple de Paris se soulève, et une importante barricade se forme rue Saint-Denis au pied du cabaret Corinthe. Mais un mouchard s'est glissé parmi les révolutionnaires, c'est Javert. Les insurgés l'enferment dans le cabaret en attendant de l'exécuter.

Marius, pendant ce temps, est retourné rue Plumet mais Cosette est déjà partie. Le jeune homme désespéré et obéissant à ses convictions républicaines n'a plus qu'à aller combattre sur les barricades. On tire sur lui mais Éponine Thénardier est là, qui le protège de son corps. Blessée, elle lui remet une lettre de Cosette, puis elle s'éteint. Marius, convaincu de l'impossibilité de leur amour, lui écrit sur un billet qu'il a décidé de mourir, et confie ce billet à Gavroche.

Jean Valjean, quant lui, vient de découvrir par hasard sur un buvard le texte que Cosette a écrit à Marius. Paniqué à l'idée de perdre Cosette, il se met à haïr le jeune homme, quand Gavroche lui apporte le billet de Marius. Jean Valjean lit le message, et décide de sauver Marius.

CINQUIÈME PARTIE
« JEAN VALJEAN » (JUIN 1832-JUIN 1833)

Les insurgés sont perdus, on tire sur eux au canon ; les munitions se font rares. Gavroche, au mépris de toute prudence, va ramasser en chantant les cartouches des soldats ennemis. Une balle atteint l'enfant, et Gavroche s'effondre sans avoir pu terminer son couplet. Jean Valjean, arrivé sur les barricades, se propose pour exécuter Javert, toujours prisonnier. Il le conduit derrière la barricade, décharge en l'air deux pistolets et lui laisse la vie sauve. Il lui communique son adresse. Les derniers insurgés s'effondrent, Marius s'évanouit, le visage en sang. Jean Valjean, de retour sur la barricade, l'emporte sur son dos et s'enfuit par les égouts. La police est descendue dans cet immense réseau souterrain et traque les insurgés. Jean Valjean manque de se noyer ; après une pénible marche dans l'eau, il atteint une grille de sortie. Mais à peine retrouve-t-il l'air libre qu'il est arrêté par Javert. Jean Valjean dépose Marius chez son grand-père. Javert renonce à poursuivre Jean Valjean et va se jeter dans la Seine, troublé par l'incompréhensible générosité de cet ancien forçat et ne supportant pas de voir remise en question sa vision du monde.

Marius est guéri, son grand-père lui permet d'épouser Cosette. Le mariage a donc lieu. Mais Jean Valjean passe la nuit à pleurer. Doit-il révéler à Marius sa véritable identité ?

Le lendemain, il avoue au jeune homme qu'il est un ancien forçat et que Cosette n'est pas sa fille. Marius décide alors d'éloigner Cosette de Jean Valjean.

Privé de Cosette, Jean Valjean dépérit. Mais Marius apprend bientôt que c'est Jean Valjean qui l'a sauvé des égouts et qu'il a également épargné Javert. Sa générosité n'est plus en doute. Marius et Cosette, en larmes, vont voir Jean Valjean qui expire dans leurs bras. Il repose au cimetière du Père-Lachaise à Paris, sous une dalle anonyme.

Histoire des arts

Les Misérables et les arts

Le roman de Victor Hugo *Les Misérables* a inspiré de nombreuses œuvres d'art dans des domaines très divers : la peinture, la sculpture, le cinéma... Mais l'écrivain a pu lui-même puiser son inspiration dans des œuvres existantes.

La peinture

Delacroix, *La Liberté guidant le peuple*
Ce tableau est réputé avoir inspiré à Hugo le personnage de Gavroche : l'on y voit à côté d'une Marianne à demi-dénudée brandissant le drapeau républicain un gamin de Paris très proche du personnage de Gavroche imaginé par l'écrivain.
Vous trouverez la reproduction du tableau de Delacroix en plat 2 de couverture de cet ouvrage.

> *Le questionnaire associé à cette image se trouve sur le site www.oeuvres-et-themes.com dans la rubrique « Les fiches histoire des arts » (en accès libre).*

Le dessin

Illustration *Gavroche rêveur*
Victor Hugo lui-même a croqué certains de ses personnages, à l'encre de Chine, par exemple **Gavroche**, emblème du gamin de Paris, qui parcourt les rues et les boulevards, mal aimé mais insouciant, vif et libre « comme les chats et les passereaux » (p. 167, l. 21).
Vous trouverez la reproduction du tableau du dessin d'Hugo p. 170 de cet ouvrage.

> *Le questionnaire associé à cette image se trouve p. 315.*

La sculpture

Statue *Cosette*

La sculpture est une activité artistique qui consiste à concevoir et réaliser des formes en volume à partir d'un matériau (pierre, marbre, bois, argile, bronze, plâtre…) Une sculpture conçue de façon à pouvoir être observée de tous les côtés s'appelle une **ronde-bosse**. Elle est érigée sur un socle ou repose sur le sol. Le sculpteur François Pompom a été inspiré par Cosette ployée sous le poids du seau d'eau.

Vous trouverez la reproduction de la statue de F. Pompom p. 133 de cet ouvrage.

> *Le questionnaire associé à cette image se trouve p. 314.*

Le cinéma

Photogramme du film de Robert Hossein

Il existe de nombreuses adaptations cinématographiques des *Misérables* parmi lesquelles celles de Robert Hossein en 1982, avec Lino Ventura (Jean Valjean) et Michel Bouquet (Thénardier), ou de Josée Dayan (auteur d'un téléfilm) en 2000 avec Gérard Depardieu (Jean Valjean) et Christian Clavier (Thénardier).

Face à la richesse du texte, chacun des réalisateurs a interprété l'œuvre en fonction de son époque, des moyens dont il disposait et de son talent personnel.

Vous trouverez la reproduction du tableau du photogramme en plat 3 de couverture de cet ouvrage.

> *Le questionnaire associé à cette image se trouve sur le site www.oeuvres-et-themes.com dans la rubrique « Les fiches histoire des arts » (en accès libre).*

Étudier une image : la statue *Cosette*

Vous trouverez la reproduction de la statue de François Pompom
p. 133 de cet ouvrage.

Faire une recherche sur Internet

1 Cherchez qui était François Pompom.
2 Qu'est-ce qu'une sculpture en ronde-bosse ?

La nature de l'œuvre

3 a. Que représente cette sculpture ? Quel est le matériau utilisé ?
b. En quoi s'agit-il d'une ronde-bosse ?
c. Sur quel socle est-elle posée ?

Le personnage de Cosette

4 De quelle scène du roman le sculpteur s'est-il inspiré ? Citez le
texte.
5 Comment Cosette est-elle vêtue ?
6 Quel âge semble-t-elle avoir ?
7 Que traduit l'expression de son visage ?

L'art du sculpteur

8 a. Quelle remarque faites-vous sur la taille du seau par rapport
à la taille de la fillette ?
b. Le seau est-il rempli ? Justifiez votre réponse.
9 Comment l'artiste a-t-il exprimé l'effort que doit fournir l'enfant ?
Appuyez-vous sur la position de son corps, de sa tête, de ses bras et
de ses jambes.
10 a. Cette Cosette sculptée vous semble-t-elle proche de la Cosette
de Victor Hugo ? Comparez-la à celle du dessin page 136.
b. Quels sentiments vous inspire-t-elle ?

Étudier une image : l'illustration *Gavroche rêveur*

Vous trouverez la reproduction du tableau du dessin de Victor Hugo p. 170 de cet ouvrage.

Faites une recherche sur Internet

1 **a.** Dans quels différents domaines Victor Hugo a-t-il exercé son art ?
b. En quoi Victor Hugo est-il un artiste complet ?

La nature de l'œuvre

2 Qui est l'auteur du dessin ?
3 Que représente ce dessin ?
4 Quelle technique l'artiste a-t-il utilisée ?

Le personnage de Gavroche

5 **a.** Recherchez dans *Les Misérables* des expressions qui caractérisent Gavroche (textes 12 et 19).
b. Quelle image le roman donne-t-il du personnage ?
6 **a.** Dans quelle position Gavroche se tient-il sur le dessin ?
b. Où peut-il se trouver ?
7 **a.** Quelle est l'expression de son visage ? Est-elle conforme à l'idée que l'on se fait de Gavroche, à la lecture du roman ?
b. À quoi l'enfant peut-il penser ? À quels moments Gavroche peut-il être dans cet état ?
8 Que peut symboliser l'oiseau à ses côtés ?

L'art de Victor Hugo

9 Comment Hugo utilise-t-il la technique de l'encre de Chine (trait du dessin, parties claires, ombrées…) ?

Index des rubriques

Table des illustrations

Iconographie : Hatier Illustration
Principe de maquette : Mecano-Laurent Batard
Mise en page : Alinéa
Suivi éditorial : Charlotte Bergeron
Achevé d'imprimer par Hérissey à Évreux (Eure) - France
Dépôt légal : 95439 - 9/03 - Mars 2012